빠작 초등 국어 문학 독해 무료

첫째 QR코드 스캔하여 1초 만에 바로 강의 시청

둘째 최적화된 강의 커리큘럼으로 학습 효과 UP!

지문 분석 강의

- 문학 작품 갈래별 지문 분석을 통한 바른 감상법 강의 제공
- 동화, 시, 수필, 극 등 갈래별 작품 구성 요소와 배경지식 제공

빠작 초등 국어 **문학 독해 4단계** 강의 목록

빠작 초등 국어 문학 독해 4단계 **학습 계획표**

학습 계획표를 따라 차근차근 독해 공부를 시작해 보세요.
빠작과 함께라면 문학 독해, 어렵지 않습니다.

작품명	학습한 날			교재 쪽수	작품명	학습한 날			교재 쪽수
짜장, 짬뽕, 탕수육 ❶	1일차	월	일	012 ~ 015쪽	좁쌀 한 톨로 장가든 총각 ❸	21일차	월	일	092 ~ 095쪽
짜장, 짬뽕, 탕수육 ❷	2일차	월	일	016 ~ 019쪽	멸치의 꿈 ❶	22일차	월	일	096 ~ 099쪽
짜장, 짬뽕, 탕수육 ❸	3일차	월	일	020 ~ 023쪽	멸치의 꿈 ❷	23일차	월	일	100 ~ 103쪽
가마솥 ❶	4일차	월	일	024 ~ 027쪽	멸치의 꿈 ❸	24일차	월	일	104 ~ 107쪽
가마솥 ❷	5일차	월	일	028 ~ 031쪽	꽃들에게 희망을 ❶	25일차	월	일	108 ~ 111쪽
가마솥 ❸	6일차	월	일	032 ~ 035쪽	꽃들에게 희망을 ❷	26일차	월	일	112 ~ 115쪽
왕치와 소새와 개미와 ❶	7일차	월	일	036 ~ 039쪽	꽃들에게 희망을 ❸	27일차	월	일	116 ~ 119쪽
왕치와 소새와 개미와 ❷	8일차	월	일	040 ~ 043쪽	어린 왕자 ❶	28일차	월	일	120 ~ 123쪽
왕치와 소새와 개미와 ❸	9일차	월	일	044 ~ 047쪽	어린 왕자 ❷	29일차	월	일	124 ~ 127쪽
밤에 온 눈사람 ❶	10일차	월	일	048 ~ 051쪽	어린 왕자 ❸	30일차	월	일	128 ~ 131쪽
밤에 온 눈사람 ❷	11일차	월	일	052 ~ 055쪽	저녁때	31일차	월	일	134 ~ 137쪽
밤에 온 눈사람 ❸	12일차	월	일	056 ~ 059쪽	바람이 자라나 봐	32일차	월	일	138 ~ 141쪽
외짝 꽃신의 꿈 ❶	13일차	월	일	060 ~ 063쪽	목련 그늘 아래서는	33일차	월	일	142 ~ 145쪽
외짝 꽃신의 꿈 ❷	14일차	월	일	064 ~ 067쪽	길	34일차	월	일	146 ~ 149쪽
외짝 꽃신의 꿈 ❸	15일차	월	일	068 ~ 071쪽	하얀 눈과 마을과	35일차	월	일	150 ~ 153쪽
잘못 뽑은 반장 ❶	16일차	월	일	072 ~ 075쪽	물새알 산새알	36일차	월	일	154 ~ 157쪽
잘못 뽑은 반장 ❷	17일차	월	일	076 ~ 079쪽	엄마의 눈물	37일차	월	일	160 ~ 163쪽
잘못 뽑은 반장 ❸	18일차	월	일	080 ~ 083쪽	남을 도울 줄 아는 사람이 되거라	38일차	월	일	164 ~ 167쪽
좁쌀 한 톨로 장가든 총각 ❶	19일차	월	일	084 ~ 087쪽	선인장 이야기	39일차	월	일	168 ~ 171쪽
좁쌀 한 톨로 장가든 총각 ❷	20일차	월	일	088 ~ 091쪽	개를 훔치는 완벽한 방법	40일차	월	일	172 ~ 175쪽

초등 국어
문학 독해
4 단계
3·4학년

바른 독해의 빠른 시작,

〈빠작 초등 국어 독해〉를 추천합니다

독해 교재의 홍수 속에서 보석을 하나 찾은 느낌입니다. 『빠작 초등 국어 독해』는 **문학과 비문학을 나누어 초등학생 눈높이에 맞게 만든 독해 전문 교재**라는 생각이 드네요. 특히 지문의 핵심 내용을 이해하는 것은 물론 깊이 있는 배경지식까지 쌓을 수 있도록 섬세하게 구성한 점이 굉장히 마음에 듭니다. 『빠작 초등 국어 문학 독해』와 『빠작 초등 국어 비문학 독해』로 문학과 비문학의 독해 방법을 바르게 배워 보세요.

김소희 원장 | 한울국어학원

최근 수능에서 국어 영역이 가장 까다롭기로 유명합니다. 이런 국어를 잘하려면 무엇보다도 독해력을 길러야 합니다. 특히 문학은 작가가 전하는 주제를 파악하는 것이 중요합니다. 『빠작 초등 국어 문학 독해』는 다양한 갈래의 작품을 읽고, **작품의 구성 요소를 파악해 중심 내용을 스스로 정리해 보는 지문 분석 훈련**을 할 수 있어 좋습니다. 『빠작 초등 국어 문학 독해』로 까다로워진 수능 국어 영역을 지금부터 대비하시기 바랍니다.

하승희 원장 | 리딩아이국어논술학원

독해 능력은 글 읽기를 두려워하지 않는 데에서 출발합니다. 그리고 좋은 제재의 글을 읽으며 호기심과 즐거움을 느낄 때 독해는 완성되지요. 『빠작 초등 국어 비문학 독해』는 **영역별 다양한 제재의 지문과 사실적·추론적 사고력을 묻는 문제, 지문의 핵심 내용을 파악하는 지문 분석 훈련**으로 글을 정확하게 읽게 합니다. 또한 비문학 독해 비법을 충실히 담고 있어 낯설고 어려운 지문도 재미있게 읽을 수 있도록 이끌어 줄 것입니다.

김종덕 원장 | 갓국어학원

『빠작 초등 국어 독해』는 지문 독해, 지문 분석, 어휘 공부까지 탄탄한 구성이 눈길을 끄는 교재입니다. 특히 **비문학에서 영역을 세분화하여 지문을 수록한 것과 문학에서 온 작품을 다룬 것은 깊이 있는 독해를 가능하게** 할 것입니다. 다양한 글을 읽고 내용을 바르게 파악해야 하는 비문학과 작품을 읽고 제대로 감상해야 하는 문학의 독해력은 단기간에 높일 수 없습니다. 지금부터 『빠작 초등 국어 독해』와 함께 독해 연습을 부지런히 하길 추천합니다.

강행림 원장 | 수풀림학원

이 책을 검토하신 선생님

강명자 창원지역방과후교사
강유정 참좋은보습학원
강행림 수풀림학원
구민경 혜윰국어논술
권애경 해냄국어논술
김나나 국어와나
김미숙 글과문장독서논술
김민경 리드인
김소희 한울국어논술학원
김수진 브레인논술교습소
김종덕 갓국어학원
문주희 다독과정독논술학원
박윤희 장복논술
박창현 탑학원
박현순 뿌리깊은독서논술국어교습소
방은경 열정학원
배성현 아카데미창논술국어학원
설호준 청암국어학원
송설아 한우리독서토론논술
심억식 천지인학원
안수현 안샘학원
염현경 박쌤과국어논술학원
오연 글오름국어언어논술학원
오영미 천호하나보습학원
윤인숙 윤쌤국어논술
이대일 멘사수학과연세국어학원
이동수 국동국어고샘수학학원
이선이 수논술교습소
이시은 이시은논술
이용순 한우리공부방
이정선 토론하는아이들
이지영 해랑
이지은 이지은의이지국어논술학원
이지해 이지국어학원
이창미 박원국어논술학원
이현주 토론하는아이들
이화정 창신보습학원
전민희 토론하는아이들
전지영 두드림에듀학원
조원식 이석호국어학원
조현미 국어날개달기학원
하승희 리딩아이국어논술학원
한민수 숙명창의인재교육
한수진 리드앤리드논술학원
허성완 st클래스입시학원
홍미애 이엠영수전문학원

바른 독해의 빠른 시작,

〈빠작 초등 국어 독해〉를 소개합니다

❶ 비문학과 문학을 분리하여 각각의 특성에 맞게 독해를 훈련하는 초등 국어 독해 기본서입니다.

❷ 설명문, 논설문 등 비문학 글의 종류별 지문 분석 훈련으로 바른 독해 학습이 가능합니다.

❸ 소설, 시, 수필 등 문학 작품의 갈래별 지문 감상 훈련으로 바른 독해 학습이 가능합니다.

빠작 비문학 독해

단계	대상	영역
1단계	1~2학년	언어, 실용/생활, 사회, 문화, 경제, 자연/과학, 기술, 예술, 인물, 안전/위생
2단계		
3단계	3~4학년	언어, 역사, 사회, 문화, 경제, 과학, 기술, 예술, 인물, 환경
4단계		
5단계	5~6학년	언어, 인문, 사회, 문화, 경제, 과학, 기술, 예술, 인물, 환경
6단계		

주요 키워드

- **1~2단계** 가족 (1단계 실용/생활), 낮과 밤 (2단계 자연/과학), 이 닦기 (2단계 안전/위생)
- **3~4단계** 문명 (3단계 역사), 물물 교환 (3단계 경제), 조선 건국 (4단계 역사)
- **5~6단계** 커피 (5단계 인문), 백신 (5단계 과학), 심리학 (6단계 인문)

빠작 문학 독해

단계	대상	갈래
1단계	1~2학년	창작·전래·외국 동화, 동시, 동요, 수필, 희곡
2단계		
3단계	3~4학년	창작·전래·외국 동화, 시, 현대·고전·외국 수필, 희곡
4단계		
5단계	5~6학년	현대·고전·외국 소설, 현대시, 고전 시조, 현대·고전 수필, 시나리오
6단계		

주요 작품

- **1~2단계** 아기의 대답 (1단계 시), 꺼벙이 억수 (2단계 창작 동화), 만복이네 떡집 (2단계 창작 동화)
- **3~4단계** 바위나리와 아기별 (3단계 창작 동화), 잘못 뽑은 반장 (4단계 창작 동화), 물새알 산새알 (4단계 시)
- **5~6단계** 이상한 선생님 (5단계 현대 소설), 고무신 (6단계 현대 소설), 풀잎에도 상처가 있다 (6단계 현대시)

비문학과 문학,

바른 독해 방법이 다릅니다

비문학의 바른 독해 방법

비문학은 핵심 주제를 파악하고 글쓴이의 관점을 이해하는 것이 중요합니다.

비문학은 지식이나 정보 또는 자신의 의견을 전달하는 글의 특성이 있기 때문에, 전체 글의 핵심 주제, 문단별 핵심 내용, 글쓴이의 관점 등을 이해하며 읽는 훈련을 해야 합니다. 따라서 비문학을 바르게 읽고 이해하려면 글의 전체 구조를 그려볼 수 있어야 하고, 글 전체의 중심 내용과 문단별 중심 내용 그리고 핵심 주제를 찾아보는 연습이 필요합니다.

설명문의 일반 구조

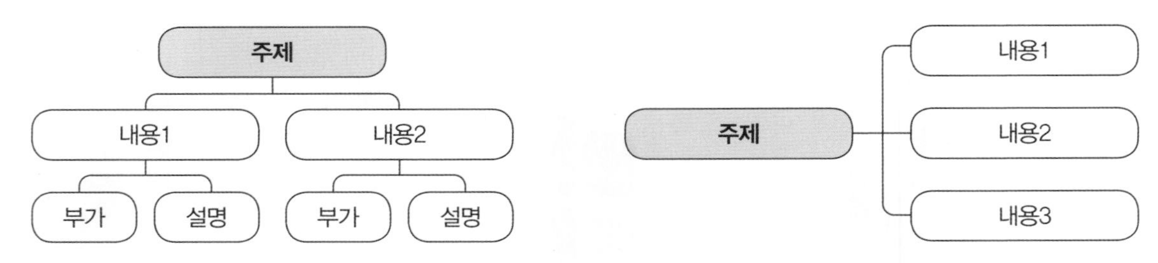

논설문의 일반 구조

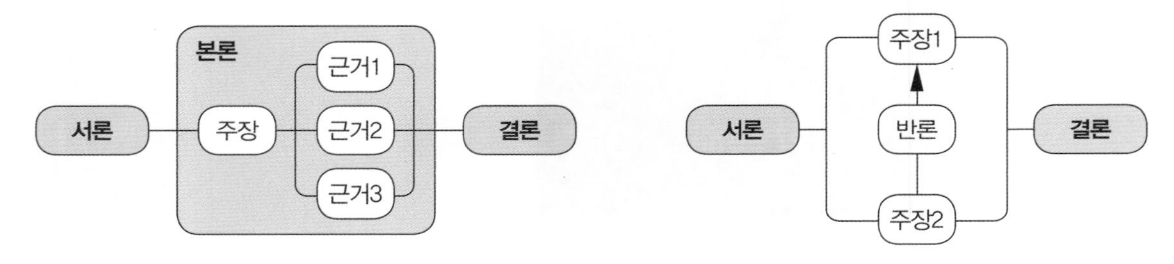

비문학은 정보 전달의 목적이 있기 때문에 다양한 지식과 정보를 쌓아야 합니다.

비문학은 어린이 신문이나 잡지 등을 통해 지식과 정보를 쌓는 것이 독해에 도움을 줍니다. 또한 독해 교재를 학습하면서 비문학 지문의 내용을 깊이 있게 이해하는 것도 중요합니다.

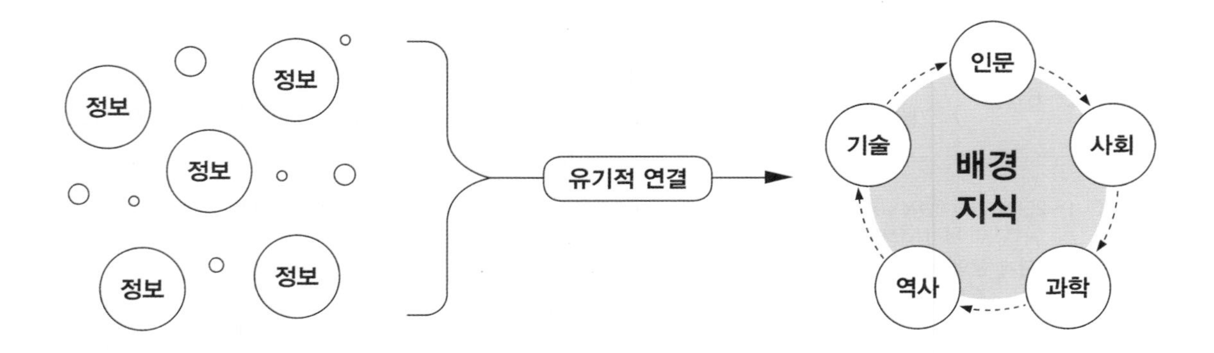

문학의 바른 독해 방법

문학은 갈래별 구성 요소를 이해하고 작품을 감상하는 것이 중요합니다.

문학은 소설, 시, 수필, 희곡 등 갈래에 따라 작품을 구성하는 요소가 다르기 때문에 갈래별 특징을 이해하고 작품을 감상하는 것이 중요합니다. 따라서 문학 작품을 읽고, 갈래에 따른 구성 요소를 중심으로 작품의 중요 내용을 정리하는 훈련이 필요합니다. 이때 온작품을 읽으면 작품 내용을 더욱 깊이 있게 이해할 수 있습니다.

갈래별 구성 요소

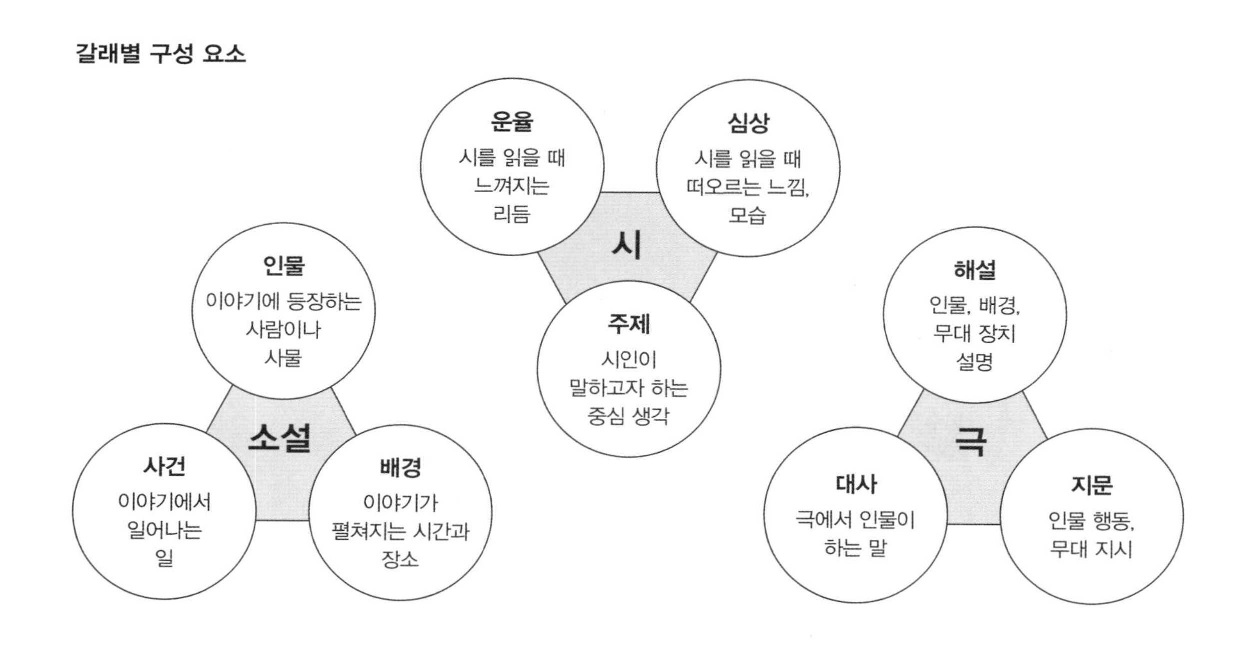

문학 작품을 감상하기 위해서 시대적 배경을 이해하고, 내용 흐름을 파악해야 합니다.

문학 작품을 읽을 때 작품이 쓰인 시대적 배경이나 작가의 삶과 관련지어 감상하면 작가가 전하고 싶은 주제를 파악하는 데 도움이 됩니다. 또 글의 내용 흐름을 제대로 파악하는 것도 중요합니다.

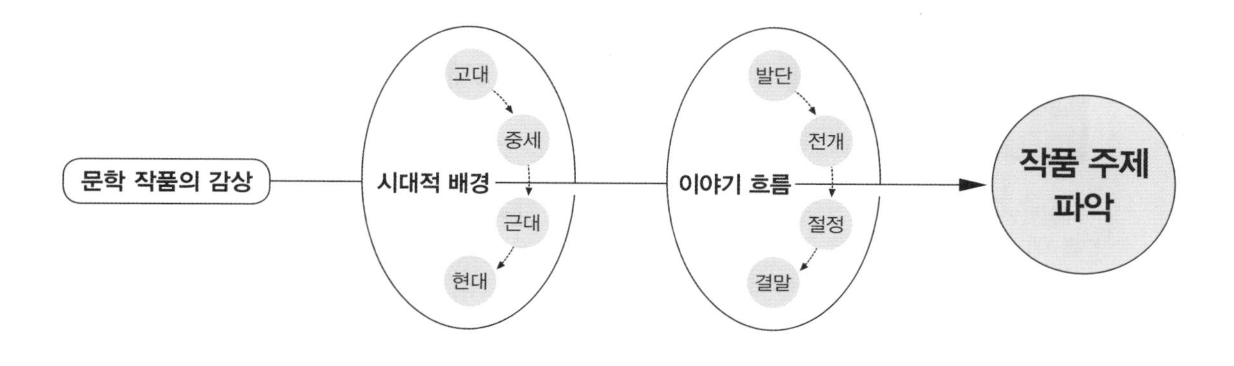

빠작 초등 국어 문학 독해 4단계

구성과 특징

빠작 초등 국어 문학 독해 4단계는 초등 3~4학년 학생들이 문학 작품을 읽고 내용을 정확하게 이해하는 훈련 중심으로 구성하였습니다. 특히 창작 동화, 전래 동화, 외국 동화, 시, 수필, 희곡 등 다양한 갈래의 작품을 읽고, 지문 분석 훈련을 통해 바른 독해 학습을 할 수 있습니다.

1 차별화된 문학 독해 지문 구성

3~4학년 필수 작품 20편 엄선

창작 동화 / 시 / 전래 동화 / 수필 / 외국 동화 / 희곡

2 구조화된 지문 독해 문제 구성

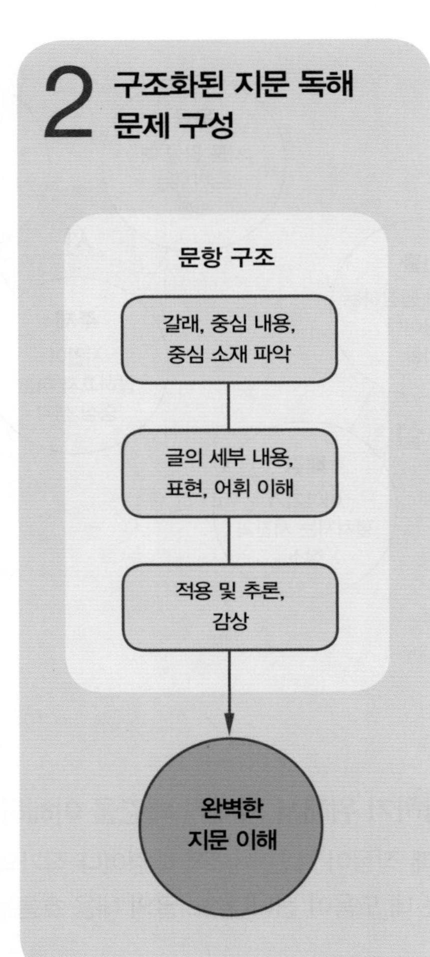

3 지문 분석을 통한 바른 독해 훈련

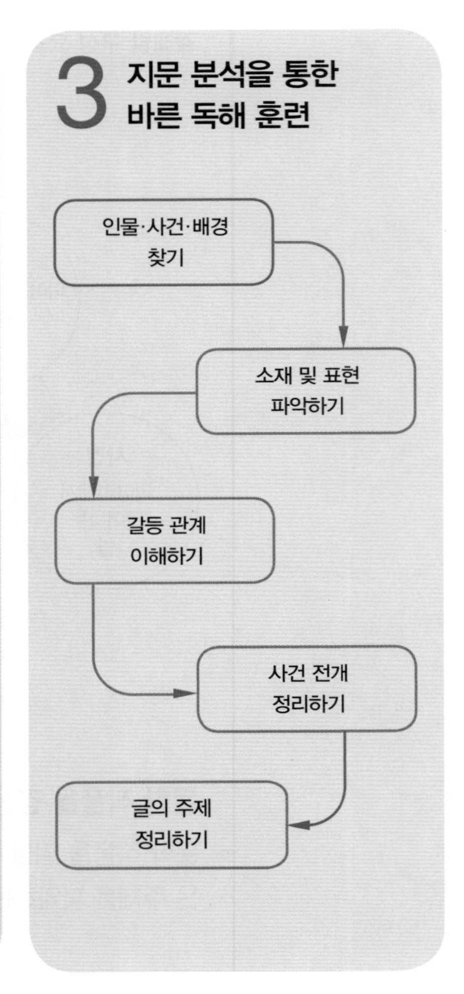

4 다양한 배경지식 습득

- 세밀화와 함께 작품과 관련한 이야기를 재미있게 읽을 수 있도록 구성
- 3~4학년 눈높이에 맞춰 쉽게 이해할 수 있도록 구성

5 지문별 5개 필수 어휘 학습

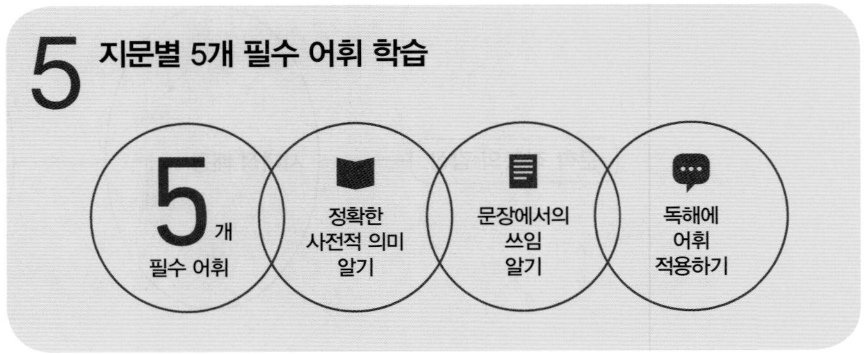

차별화된 독해 지문

구조화된 독해 문제

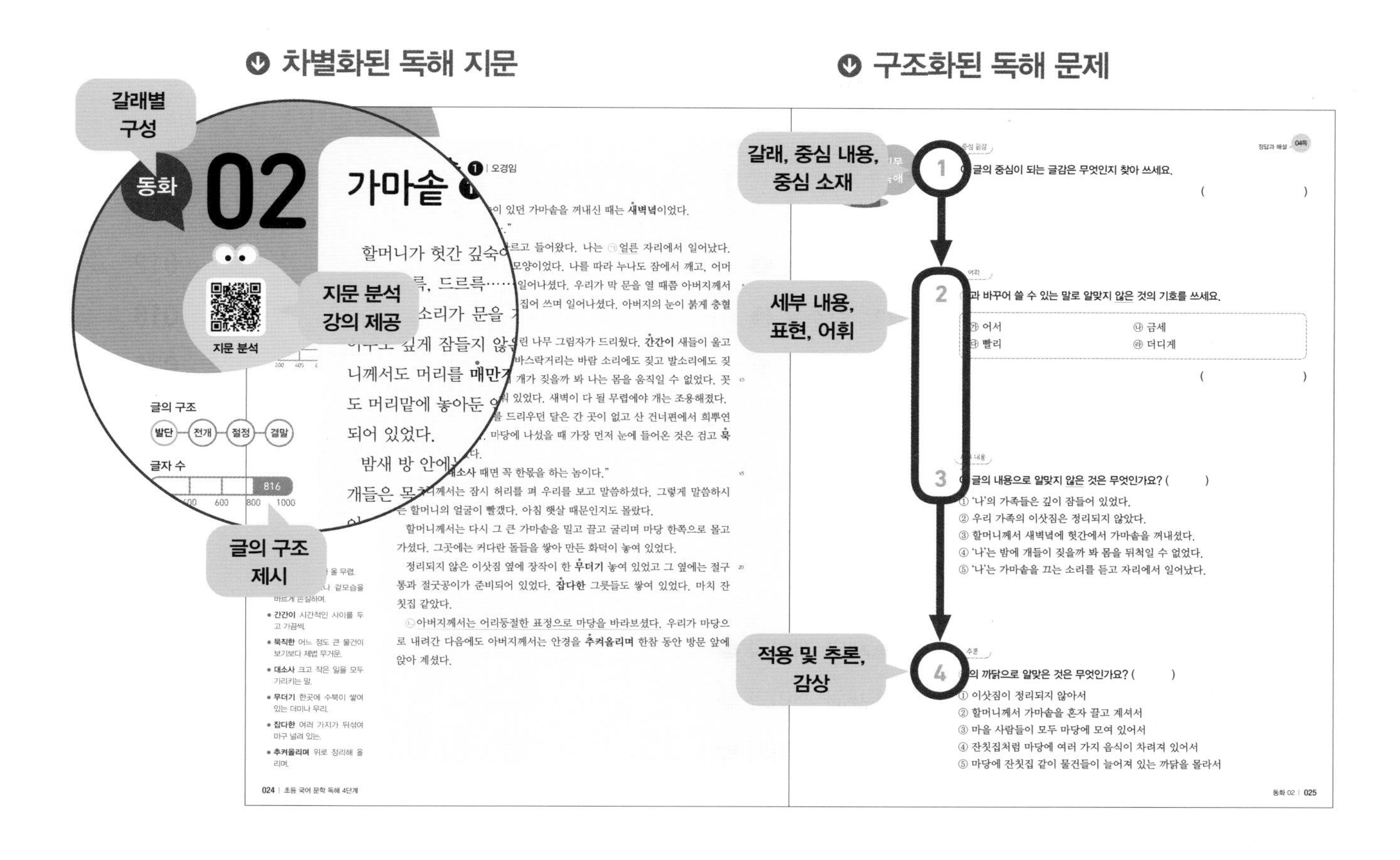

지문 분석 & 배경지식

오늘의 어휘

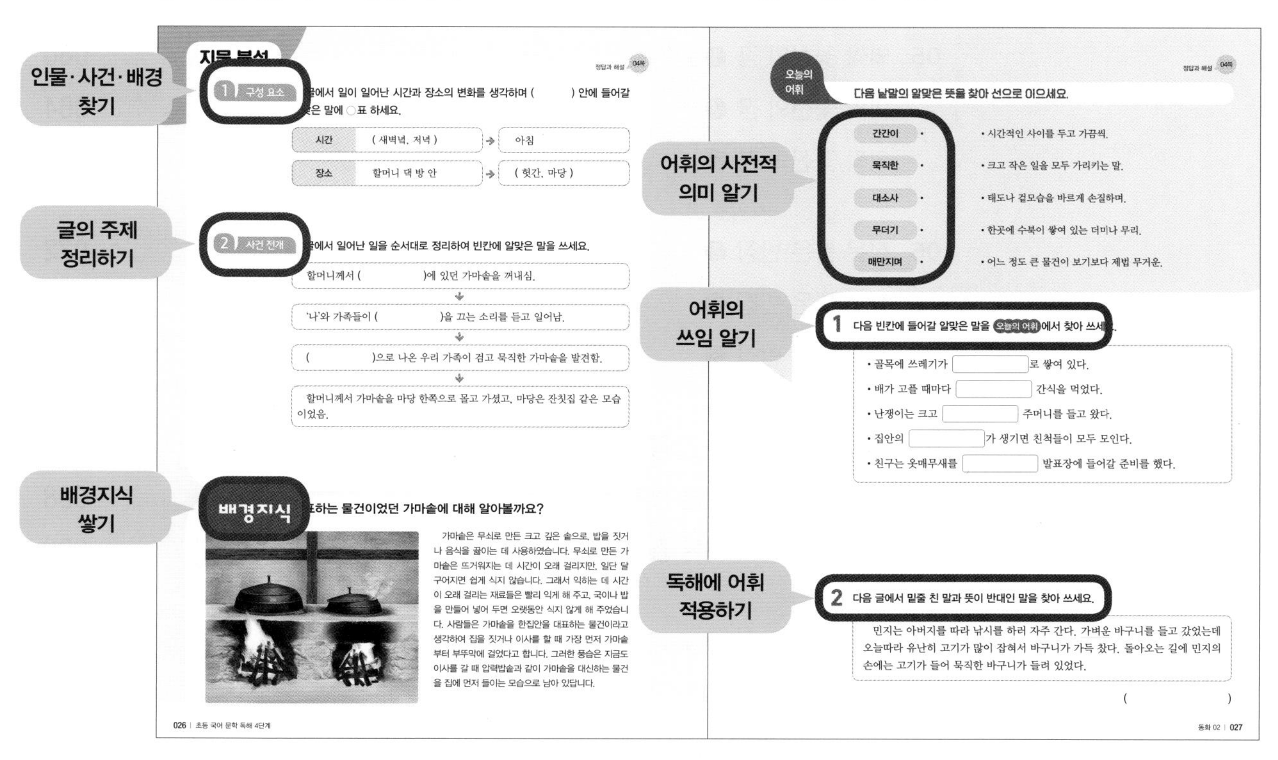

빠작 초등 국어 문학 독해 4단계

차례

동화

갈래

1 이 글에 대한 설명으로 알맞은 것은 무엇인가요? (　　　　)

① 행과 연으로 이루어진 글이다.
② 일정한 규칙에 따라 쓰여진 글이다.
③ 실제로 있었던 일을 사실대로 쓴 글이다.
④ 말하는 사람의 주장이 잘 드러나는 글이다.
⑤ 작가가 상상력을 발휘하여 만든 인물이 등장하는 글이다.

표현

2 ㉠에서 도시락 가방이 종민이 어깨 위에서 흔들리는 모습을 흉내 내는 말을 찾아 쓰세요.

(　　　　　　　　　　)

세부 내용

3 1교시 쉬는 시간에 일어난 일로 알맞지 않은 것은 무엇인가요? (　　　　)

① 종민이만 거지라고 정한 자리에서 오줌을 누었다.
② 거지라고 정한 자리에는 아이들이 줄을 서지 않았다.
③ 화장실에 들어온 아이들은 왕이라고 정한 자리에만 섰다.
④ 한 아이가 와서 소변기마다 '왕, 거지' 하며 이름을 붙였다.
⑤ 아이들이 종민이에게 소변기에 자리를 정한 까닭을 설명해 주었다.

추론

4 이 글을 읽고 짐작한 내용으로 알맞지 않은 것의 기호를 쓰세요.

㉮ 화장실에서 일어난 일을 보고, 어떤 상황인지 금방 파악하는 걸로 보아 종민이는 눈치가 무척 빠른 아이인 것 같아.
㉯ 덩치 큰 아이가 하는 말을 다른 아이들이 그대로 따르는 걸 보면 덩치 큰 아이가 친구들에게 영향력이 큰 것 같아.
㉰ 종민이는 전학을 와서 친한 친구가 없었기 때문에 교실에서 반 친구들과 어울리지 못하고 덩그러니 자리만 지키고 있었던 거야.

(　　　　　　　　　　)

지문 분석

1 인물 성격 **인물의 성격을 생각하며 (   ) 안에 들어갈 알맞은 말에 ○표 하세요.**

- **종민**: 새로운 반 친구들에게 쉽게 말을 걸지 못하는 것으로 보아 (적극적인, 소극적인) 성격임.
- **큰 덩치**: 장군이 전쟁터에서 호령하듯 아이들 앞에서 큰 소리로 외치는 것으로 보아 (적극적인, 소극적인) 성격임.

2 사건 전개 **일이 일어난 장소에 따라 일어난 일을 순서대로 정리하여 빈칸에 알맞은 말을 쓰세요.**

장소	일어난 일
종민이네 집	종민이가 학교에 갈 준비를 함.
↓	↓
( )	아이들이 모여 이야기를 나누는 동안 종민이는 덩그렇게 자리만 지키고 있음.
↓	↓
( )	아이들이 들어와 '왕, 거지'라고 외치더니 종민이가 거지 자리에서 오줌을 눈다며 놀림.

배경지식 이야기의 '배경'

이야기를 구성하는 데 '인물', '사건', '배경'은 꼭 필요한 요소입니다. '인물'은 이야기에서 어떤 일을 겪는 사람이나 사물이고, '사건'은 이야기에서 일어나는 일을 말합니다. '배경'은 인물이 등장해서 사건이 펼쳐지는 시간과 장소를 말하지요. '배경'은 다시 시간적 배경과 공간적 배경으로 나눌 수 있어요. '언제'에 해당하는 것을 시간적 배경이라고 하고, '어디에서'에 해당하는 것을 공간적 배경이라고 합니다. 「짜장, 짬뽕, 탕수육」에서는 종민이가 전학 간 새로운 학교가 공간적 배경이에요. 배경의 변화에 따라 인물의 마음이 변하기도 하니 글을 읽을 때는 배경이 어떻게 바뀌는지도 잘 살펴보아야 합니다.

오늘의 어휘

다음 낱말의 알맞은 뜻을 찾아 선으로 이으세요.

호령	몸의 부피.
눈치	무리를 다스리며 명령함.
덩치	즐겁고 재미나는 이야기.
낯설고	전에 본 기억이 없어 익숙하지 않고.
이야기꽃	남의 마음을 그때그때 상황으로 미루어 알아내는 것.

1 다음 빈칸에 들어갈 알맞은 말을 오늘의 어휘에서 찾아 쓰세요.

- 민수는 [ ]에 비해 겁이 무척 많다.
- 동혁이는 [ ]가 없어서 분위기 파악을 잘 못한다.
- 새로운 곳으로 이사 오니 모든 것이 [ ] 어색했다.
- 선생님의 [ ]이 떨어지자 아이들이 줄을 지어 섰다.
- 오랜만에 친척 집에 모여 식사를 하며 [ ]을 피웠다.

2 다음 글에서 밑줄 친 말과 뜻이 반대인 말을 찾아 쓰세요.

새로운 학교로 전학 온 희윤이는 모든 것이 낯설고 이상했다. 처음 보는 친구들과 선생님, 달라진 교실에 적응하려면 시간이 오래 걸릴 것 같았다. 희윤이는 아이들이 떠드는 소리로 왁자지껄한 복도를 물끄러미 바라보며 서 있었다. 그런데 갑자기 뒤에서 <u>익숙하고</u> 다정한 목소리가 들려왔다. 뒤돌아보니 작년에 전학을 갔던 유정이가 서 있었다.

(   )

짜장, 짬뽕, 탕수육 ❷ | 김영주

글의 구조

글자 수

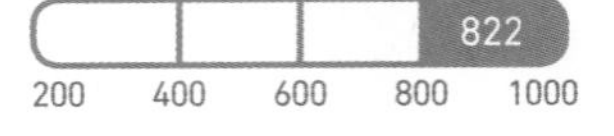

큰 덩치와 아이들은 종민이를 가리키며 **연방** 약을 올립니다.

"거지래요, 거지래요."

"종민이 거지, 얼마 줄까?"

종민이는 얼굴이 **불그스레**해져 화장실을 빠져나갑니다.

새 학교가 이렇게 힘들 줄은 꿈에도 몰랐습니다. 그저 새로운 친구들, 선생님만 생각하며 왔는데 너무 ㉠ 힘에 **부칩니다.**

점심시간에도 종민이 혼자 도시락을 꺼냅니다. 다른 아이들은 지난 학년 같은 반 친구들과 두세 명씩 모여 앉았습니다. 네모난 도시락과 짜장이 든 유리병을 꺼냅니다. 종민이는 까만 짜장을 몇 숟가락 떠서 밥과 골고루 비빕니다.

옆에 있는 아이들이 짜장 냄새를 맡고 쳐다봅니다. 큰 덩치도 쳐다봅니다. 그러고는 큰 덩치가 종민이 쪽으로 어기적어기적 다가옵니다.

몸은 느릿하지만 눈빛은 호랑이가 먹이를 찾을 때처럼 **매섭습니다.**

"야, 이거 커피 병 아니야. 넌 도시락 통도 없냐?"

큰 덩치는 커피 병에 짜장을 담아 온 걸 **꼬투리** 잡고 늘어집니다. 종민이는 당당하게 대답합니다.

"그래, 이거 우리 엄마가 깨끗이 씻어서 다시 쓴 거야. 왜? 뭐가 잘못됐어?"

"하긴 거지니까, 다르긴 다르다. 그래, 실컷 먹어."

이 말을 들은 종민이는 주먹을 쥐고 부르르 떱니다. 아는지 모르는지 큰 덩치는 아무 일도 없었던 것처럼 자기 자리로 돌아갑니다.

"종민아, 네가 참아."

앞에 앉은 누리가 다정하게 얘기합니다. 종민이는 이 소리를 듣자마자 주먹이 스르르 풀리며 자기도 모르게 누리 쪽으로 눈길을 옮깁니다. 처음으로 들어 보는 친절한 말입니다. 종민이는 물끄러미 누리를 바라봅니다.

"그래, 종민아. 걔들 원래 저래. 2학년 때도 얼마나 개구쟁이였는데."

누리 옆에 있던 아이도 거듭니다. 종민이 마음은 벌써 스르르 풀어졌습니다.

- **연방** 끊이지 않고 계속해서 자꾸.
- **불그스레** 조금 붉은 모양.
- **부칩니다** 모자라거나 미치지 못합니다.
- **매섭습니다** 성질이나 기세가 매몰차고 날카롭습니다.
- **꼬투리** 남을 괴롭히거나 헐뜯을 만한 거리.

중심 내용

1 **이 글에서 중심이 되는 장면은 무엇인가요? (　　　　)**

① 종민이와 누리가 점심을 같이 먹는 장면
② 종민이가 새 학교에서 새로운 친구들을 사귀는 장면
③ 큰 덩치가 점심시간에 종민이를 놀리고 괴롭히는 장면
④ 종민이가 화장실에서 아이들과 '왕, 거지' 놀이를 하는 장면
⑤ 종민이가 큰 덩치에게 윽박지르자 큰 덩치가 자리로 돌아간 장면

어휘

2 **㉠과 바꾸어 쓸 수 있는 말로 알맞은 것의 기호를 쓰세요.**

㉮ 힘이 납니다.	㉯ 힘이 듭니다.
㉰ 힘이 셉니다.	㉱ 힘이 됩니다.

(　　　　　　　　)

세부 내용

3 **이 글의 내용으로 알맞은 것에 모두 ○표 하세요.**

(1) 점심시간에 종민이는 혼자 점심을 먹었다. (　　　)
(2) 점심시간에 종민이는 누리와 친한 친구가 되었다. (　　　)
(3) 큰 덩치는 종민이의 도시락을 보고 시비를 걸었다. (　　　)

4 **이 글을 읽고 짐작할 수 있는 누리의 성격으로 알맞은 것은 무엇인가요? (　　　　)**

① 장난을 잘 친다.
② 성실하고 조용하다.
③ 냉정하고 쌀쌀맞다.
④ 다정하고 친절하다.
⑤ 적극적이지만 성격이 급하다.

짜장, 짬뽕, 탕수육 ❸ | 김영주

글의 구조

발단 – 전개 – 절정 – 결말

글자 수

746 (200 400 600 800 1000)

종민이는 잠시 뭔가를 **골똘히** 생각합니다.

'그렇지, 하하.'

뭐가 좋은지 종민이는 혼자 **히히덕거리며** 맨 앞 변기로 갑니다.

"짜장, 짬뽕, 탕수육, 짜장, 짬뽕, 탕수육, ……."

가 종민이는 있는 힘을 다하여 크게 외칩니다. 백 미터 달리기 선수처럼 끝 소변기까지 **잽싸게** 뛰어갑니다. 아이들은 **화들짝** 놀라며 모두 종민이를 이상하게 바라봅니다. 종민이는 다시 한 번 되풀이합니다.

"짜장, 짬뽕, 탕수육, ……."

그러고는 빨리 탕수육 자리에 섭니다. 다른 아이들은 잠시 **머뭇거리다** 짜장 자리에 섭니다. 아이들이 여기저기서 웅성거리기 시작합니다.

"짜장? 짬뽕? 탕수육? 어떤 게 더 좋은 거야?"

이때 큰 덩치가 다시 앞에서부터 '왕, 거지'를 크게 말합니다.

"왕, 거지, 왕, 거지, ……."

그런데 아이들은 별로 관심이 없습니다. 그저 짜장, 짬뽕, 탕수육에만 온 정신을 팔고 있습니다.

"난 짬뽕이 최고야."

"난 짜장이 좋아."

대부분 짜장이 좋은가 봅니다. 큰 덩치도 이제 분위기를 알았는지 개미만 한 소리로 말합니다.

"나도 짜장이 좋아."

왕 자리를 그만두고 짜장 자리로 옮깁니다. 이때 종민이가 큰 소리로 말합니다.

"짜장은 이천오백 원! 짬뽕은 삼천 원! 탕수육은 만이천 원!"

그러자 대부분의 아이들은 탕수육 자리에 가서 섭니다. 종민이 뒤에 죽 이어집니다. 그러더니 잠시 뒤에 다시 자기 자리를 찾아갑니다.

"난 그래도 짜장이 최고야!"

"난 얼큰한 짬뽕이 좋지!"

"비싼 탕수육도 먹고 싶어!"

나름대로 까닭이 있습니다.

종민이와 아이들은 **함박웃음**을 짓습니다.

- **골똘히** 한 가지 일에 모든 정신을 쏟아 딴생각이 없이.
- **히히덕거리며** (→ 시시덕거리며) 실없이 웃으며.
- **잽싸게** 동작이 매우 빠르고 날래게.
- **화들짝** 갑자기 펄쩍 뛸 듯이 놀라는 모양.
- **머뭇거리다** 말이나 행동을 딱 잘라서 하지 못하고 망설이다.
- **함박웃음** 크고 환하게 웃는 웃음.

갈래

1 **이 글에서 일이 일어난 장소는 어디인가요? (　　　　)**

① 집　　② 교실　　③ 화장실
④ 운동장　　⑤ 교무실

표현

2 **가에서 종민이가 맨 앞 변기에서 끝 소변기까지 뛰어가는 모습을 무엇에 빗대어 표현했는지 쓰세요.**

백 미터 (　　　　　　　　)

세부 내용

3 **이 글의 내용으로 알맞은 것은 무엇인가요? (　　　　)**

① 아이들은 종민이가 시킨 탕수육을 먹기 위해 줄을 섰다.
② 아이들은 종민이가 만든 놀이에 큰 관심을 보이지 않았다.
③ 큰 덩치가 '왕, 거지'를 크게 외치자 아이들이 관심을 가졌다.
④ 종민이가 '짜장, 짬뽕, 탕수육'이라는 새로운 놀이를 생각해 냈다.
⑤ '짜장, 짬뽕, 탕수육' 놀이에서는 가격이 비싼 탕수육 자리가 가장 좋다.

추론

4 **이 글의 인물에 대해 알맞게 말하지 않은 것은 무엇인가요? (　　　　)**

① 종민이는 어려움을 극복해 내는 방법을 스스로 알아냈어.
② 큰 덩치는 아이들이 자신의 놀이를 따르지 않아서 당황했어.
③ 종민이는 큰 덩치 대신에 반의 대장이 되고 싶어서 꾀를 냈어.
④ 아이들도 누군가를 놀리지 않아도 되는 놀이를 더 좋아한 것 같아.
⑤ 결국은 큰 덩치도 종민이를 놀리지 않고 종민이와 친하게 지낼 것 같아.

지문 분석

1 사건 전개

일이 일어난 순서대로 보기 에서 기호를 찾아 써넣어 글의 내용을 정리하세요.

보기
㉮ 종민이와 아이들이 함박웃음을 지음.
㉯ 아이들이 화들짝 놀라며 종민이를 이상하게 바라봄.
㉰ 아이들이 각자 자신이 좋아하는 음식 자리를 선택함.
㉱ 종민이가 변기에 '짜장, 짬뽕, 탕수육'이라는 자리를 정함.

(　　　) → (　　　) → (　　　) → (　　　)

2 주제

이 글에서 일어난 일과 주제를 정리하여 빈칸에 알맞은 말을 쓰고 (　　　) 안에 들어갈 알맞은 말에 ○표 하세요.

일어난 일	새 학교로 (　　　　　) 온 종민이가 아이들에게 놀림을 받다가 '(　　　　　), (　　　　　), (　　　　　)' 놀이를 통해 아이들과 친해짐.
주제	(답답한, 슬기로운) 방법으로 어려움을 극복하는 것의 중요성

배경지식 **「짜장, 짬뽕, 탕수육」 전체 줄거리**

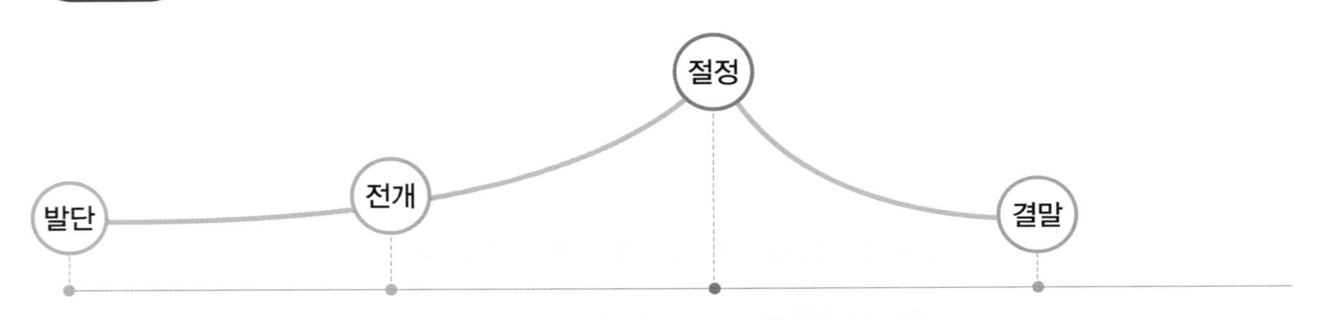

발단	전개	절정	결말
'장미반점'의 아들인 종민이는 도시로 이사를 오며 새 학교로 전학을 오게 됨.	아이들이 화장실에서 하던 '왕, 거지' 놀이를 몰랐던 종민이는 거지 자리에 섰다가 '거지'라고 놀림을 받음.	점심시간에도 큰 덩치가 '거지'라고 놀려서 종민이는 속이 상했지만 누리 덕분에 기분이 나아짐.	종민이가 변기에 '왕, 거지' 대신 '짜장, 짬뽕, 탕수육'이라는 자리를 정하는 새로운 놀이를 만들어 친구들과 친해짐.

정답과 해설 03쪽

오늘의 어휘

다음 낱말의 알맞은 뜻을 찾아 선으로 이으세요.

골똘히 •	• 크고 환하게 웃는 웃음.
화들짝 •	• 동작이 매우 빠르고 날래게.
잽싸게 •	• 갑자기 펄쩍 뛸 듯이 놀라는 모양.
함박웃음 •	• 한 가지 일에 모든 정신을 쏟아 딴생각이 없이.
머뭇거리다 •	• 말이나 행동을 딱 잘라서 하지 못하고 망설이다.

1 다음 빈칸에 들어갈 알맞은 말을 오늘의 어휘에서 찾아 쓰세요.

- 무슨 생각을 그렇게 [ ] 하니?
- 갑자기 들려온 천둥소리에 [ ] 놀랐다.
- 용기가 없어서 한참 [ ] 안으로 들어갔다.
- 수진이는 [ ]을 지으며 친구들을 맞이했다.
- 영민이는 점심시간에는 아주 [ ] 움직인다.

2 다음 글에서 밑줄 친 말과 뜻이 비슷한 말을 찾아 쓰세요.

드디어 토끼와 거북이 경주를 시작했다. 거북이 느리게 출발 지점을 지나는 동안 토끼는 잽싸게 달려 결승점 코앞에서 멈추었다. 거북은 느리지만 쉬지 않고 기어갔고, 토끼는 빠르게 달리는 자신의 능력을 믿고 거북을 느림보라고 놀리다가 나무 그늘 밑에서 낮잠을 청했다.

( )

가마솥 ❶ | 오경임

글의 구조

발단 — 전개 — 절정 — 결말

글자 수

816

200 400 600 800 1000

할머니가 헛간 깊숙이 있던 가마솥을 꺼내신 때는 **새벽녘**이었다.

"득, 드륵, 드르륵……."

거친 쇳소리가 문을 가르고 들어왔다. 나는 ㉠얼른 자리에서 일어났다. 아무도 깊게 잠들지 않은 모양이었다. 나를 따라 누나도 잠에서 깨고, 어머니께서도 머리를 **매만지며** 일어나셨다. 우리가 막 문을 열 때쯤 아버지께서도 머리맡에 놓아둔 안경을 집어 쓰며 일어나셨다. 아버지의 눈이 붉게 충혈되어 있었다.

밤새 방 안에는 달빛에 어린 나무 그림자가 드리웠다. **간간이** 새들이 울고 개들은 목청껏 짖어 댔다. 바스락거리는 바람 소리에도 짖고 발소리에도 짖어 댔다. 뒤척이는 소리에 개가 짖을까 봐 나는 몸을 움직일 수 없었다. 꼿꼿이 천장을 향한 채 누워 있었다. 새벽이 다 될 무렵에야 개는 조용해졌다.

어젯밤 나무 그림자를 드리우던 달은 간 곳이 없고 산 건너편에서 희뿌연 빛이 번지고 있었다. 마당에 나섰을 때 가장 먼저 눈에 들어온 것은 검고 **묵직한** 가마솥이었다.

"우리 집 **대소사** 때면 꼭 한몫을 하는 놈이다."

할머니께서는 잠시 허리를 펴 우리를 보고 말씀하셨다. 그렇게 말씀하시는 할머니의 얼굴이 빨갰다. 아침 햇살 때문인지도 몰랐다.

할머니께서는 다시 그 큰 가마솥을 밀고 끌고 굴리며 마당 한쪽으로 몰고 가셨다. 그곳에는 커다란 돌들을 쌓아 만든 화덕이 놓여 있었다.

정리되지 않은 이삿짐 옆에 장작이 한 **무더기** 놓여 있었고 그 옆에는 절구통과 절굿공이가 준비되어 있었다. **잡다한** 그릇들도 쌓여 있었다. 마치 잔칫집 같았다.

㉡아버지께서는 어리둥절한 표정으로 마당을 바라보셨다. 우리가 마당으로 내려간 다음에도 아버지께서는 안경을 **추켜올리며** 한참 동안 방문 앞에 앉아 계셨다.

- **새벽녘** 날이 밝아 올 무렵.
- **매만지며** 태도나 겉모습을 바르게 손질하며.
- **간간이** 시간적인 사이를 두고 가끔씩.
- **묵직한** 어느 정도 큰 물건이 보기보다 제법 무거운.
- **대소사** 크고 작은 일을 모두 가리키는 말.
- **무더기** 한곳에 수북이 쌓여 있는 더미나 무리.
- **잡다한** 여러 가지가 뒤섞여 마구 널려 있는.
- **추켜올리며** 위로 정리해 올리며.

지문 독해

중심 글감

1 이 글의 중심이 되는 글감은 무엇인지 찾아 쓰세요.

( )

어휘

2 ㉠과 바꾸어 쓸 수 있는 말로 알맞지 않은 것의 기호를 쓰세요.

㉮ 어서	㉯ 금세
㉰ 빨리	㉱ 더디게

( )

세부 내용

3 이 글의 내용으로 알맞지 않은 것은 무엇인가요? ( )

① '나'의 가족들은 깊이 잠들어 있었다.
② 우리 가족의 이삿짐은 정리되지 않았다.
③ 할머니께서 새벽녘에 헛간에서 가마솥을 꺼내셨다.
④ '나'는 밤에 개들이 짖을까 봐 몸을 뒤척일 수 없었다.
⑤ '나'는 가마솥을 끄는 소리를 듣고 자리에서 일어났다.

추론

4 ㉡의 까닭으로 알맞은 것은 무엇인가요? ( )

① 이삿짐이 정리되지 않아서
② 할머니께서 가마솥을 혼자 끌고 계셔서
③ 마을 사람들이 모두 마당에 모여 있어서
④ 잔칫집처럼 마당에 여러 가지 음식이 차려져 있어서
⑤ 마당에 잔칫집 같이 물건들이 늘어져 있는 까닭을 몰라서

가마솥 ❷ | 오경임

글의 구조

발단 — 전개 — 절정 — 결말

글자 수

810

200 400 600 800 1000

[중간 이야기] 할머니께서는 가마솥에 떡과 음식을 해서 마을 잔치를 준비하신다. 엄마와 누나는 부엌에서 준비를 돕고 나는 굴렁쇠를 굴리며 마당 밖으로 나간다. 길에서 아주머니들이 우리 집에 대해 이야기하는 것을 듣고, 아버지의 사업이 부도나서 시골로 이사 온 사실을 실감하며 그동안의 일을 떠올린다.

모든 일은 몇 달 사이에 일어났다.

경찰서에는 아주 나쁜 짓을 한 사람들만 잡혀가는 줄 알았다. 남의 돈을 훔치거나 아주 큰 거짓말을 한 사람, 강도짓을 하거나 남을 해친 사람만……. 그런데 그런 일을 한 적이 없는 우리 아버지께서 거의 한 달 동안이나 경찰서에 갇혀 계셨다. 5

푸른 잔디가 깔려 있던 우리 집 구석구석에 붉은 도장이 찍힌 종이가 **나붙었다**. 잠시도 가만히 있지 못하고 울려 대는 전화벨 소리 때문에 전화 코드를 빼어 놓아야 했다.

얼굴도 한 번 본 적 없는 사람들이 거실에서, 마당에서 어슬렁거렸다.

누가 뭐라고 하지도 않았는데 그 사람들 앞에서는 게처럼 옆으로 걷게 되었다. 고개도 **절로** 숙어졌다. 나만 그런 것이 아니었다. 가만히 보니 누나도 그렇고 엄마도 그랬다. 모두 쉬쉬거렸지만 그때처럼 내 귀가 활짝 열려 모든 소리를 받아들인 적은 없었다. '**어음**'이나 '**부도**'라는 말이 무슨 말인지도 알게 되었다. "나는 에프 학점이다." 하고 장난스럽게 말하던 '**아이엠에프**'라는 말이 하나도 장난스럽지 않았다. 〈중략〉 15

얼굴이 **사색**이 된 채 할머니께서 시골에서 올라오신 것은 그때쯤이었다. 모든 것이 정리되고 아버지께서 경찰서에서 풀려나오시자 할머니께서 말씀하셨다.

"㉠ 시골에 가서 살자. 아무나 농사를 짓는 것은 아니라지만 맘만 먹으면 누구라도 농사를 지을 수 있다." 20

"고향에 어떻게 가요. 다 망해서……. 저는 못 갑니다. 고향 사람들 얼굴을 어떻게 봅니까? ㉡ 죽고 싶어요. 그냥 죽고만 싶어요."

아버지께서는 울음을 터뜨리셨다. 아버지도 울 수 있다는 걸 그때 알았다. 할머니의 마디 굵은 손이 아버지의 어깨를 **쓰다듬었다**. 할머니의 손이 아버지 등을 다 덮고도 남을 만큼 크게 느껴졌다. 25

- **나붙었다** 밖으로 드러나게 붙었다.
- **절로** 다른 힘을 빌리지 않고 스스로. '저절로'의 줄임말.
- **어음** 돈을 주기로 약속하고 주는 표.
- **부도** 어음이나 수표를 가진 사람이 정한 날짜가 되어도 돈을 지급받지 못하는 일.
- **아이엠에프** 1997년에 있었던 한국의 외환 위기를 이르는 말.
- **사색**(死 죽을 사, 色 빛 색) 죽은 사람처럼 창백한 얼굴빛.
- **쓰다듬었다** 손으로 살살 쓸어 어루만졌다.

중심 내용

1 **이 글에서 중심이 되는 내용은 무엇인가요? (　　　　)**

① 아버지께서 농사를 짓게 되신 일
② 할머니께서 시골에서 올라오신 일
③ 아버지께서 경찰서에서 겪으신 험한 일
④ 나쁜 짓을 한 아버지 때문에 가족이 겪은 일
⑤ 아버지의 사업이 잘못되어서 우리 가족에게 일어난 일

세부 내용

2 **아버지의 상황이 안 좋아지며 우리 가족이 겪은 일로 알맞지 않은 것에 ×표 하세요.**

(1) 아버지께서 거의 한 달 동안 경찰서에 갇혀 계셨다. (　　　　)
(2) 우리 집 구석구석에 붉은 도장이 찍힌 종이가 붙었다. (　　　　)
(3) 얼굴도 한 번 본 적 없는 사람들이 집에서 어슬렁거렸다. (　　　　)
(4) 집으로 찾아오는 사람들을 피해서 할머니 댁으로 도망갔다. (　　　　)

어휘

3 **㉠을 통해 할머니께서 아버지에게 하고 싶은 말과 가장 관련 있는 속담은 무엇인가요? (　　　　)**

① 티끌 모아 태산
② 작은 고추가 더 맵다
③ 아니 땐 굴뚝에 연기 날까
④ 호랑이를 잡으려다가 토끼를 잡는다
⑤ 하늘이 무너져도 솟아날 구멍이 있다

추론

4 **㉡에서 알 수 있는 아버지의 마음으로 가장 알맞은 것은 무엇인가요? (　　　　)**

① 일이 원하는 대로 잘되어 즐겁다.
② 하던 일이 잘 안되어 절망스럽다.
③ 할머니가 마음을 알아주어서 고맙다.
④ 자신의 상황을 몰라주는 할머니가 원망스럽다.
⑤ 하는 일이 죽고 싶을 정도로 지루하고 재미없다.

지문 분석

정답과 해설 05쪽

1 구성 요소 이 이야기의 배경으로 알맞은 것을 찾아 선으로 이으세요.

일이 일어난 때 •	• 푸른 잔디가 깔려 있던 우리 집
일이 일어난 장소 •	• '아이엠에프'(한국의 외환 위기)

2 마음 변화 가족이 처한 상황과 그때 '나'의 마음을 생각하며 빈칸에 들어갈 알맞은 말을 보기 에서 찾아 쓰세요.

보기

증오　　사랑　　죽고　　살고

가족이 처한 상황		'나'의 마음
아버지께서 경찰서에 갇혀 계시고, 집이 난리가 남.	→	몹시 기가 (　　　　　), 행동을 조심스럽게 하게 됨.
할머니께서 아버지의 어깨를 쓰다듬는 모습을 봄.	→	아버지에 대한 할머니의 따뜻하고 큰 (　　　　　)을 느낌.

배경지식 「가마솥」의 시대적 배경은 언제일까요?

이 이야기는 1997년에 우리나라가 경제적으로 크게 어려워졌던 때를 시대적 배경으로 하고 있어요. 우리나라 정부나 한국은행이 가지고 있는 외국 돈을 '외환'이라고 하는데, 1997년에 우리나라는 가진 외환이 조금밖에 없어서 외국에서 빌린 돈을 갚지 못했지요. 그래서 외환 위기를 맞게 되었답니다. 이때 우리나라는 문제를 해결하기 위해 경제적인 어려움을 겪고 있는 나라에게 돈을 빌려 주는 국제기구인 IMF(아이엠에프)라는 국제 통화 기금의 도움을 받았어요. 외환 위기는 국가적으로 큰 위기가 될 수 있는 일이었지만 우리나라 사람들은 모두 힘을 합쳐 노력했고, 1년만에 어려움에서 벗어날 수 있었어요.

정답과 해설 05쪽

오늘의 어휘

다음 낱말의 알맞은 뜻을 찾아 선으로 이으세요.

절로 •	• 밖으로 드러나게 붙었다.
어음 •	• 손으로 살살 쓸어 어루만졌다.
사색 •	• 죽은 사람처럼 창백한 얼굴빛.
나붙었다 •	• 다른 힘을 빌리지 않고 스스로.
쓰다듬었다 •	• 돈을 주기로 약속하고 주는 표.

1 다음 빈칸에 들어갈 알맞은 말을 오늘의 어휘에서 찾아 쓰세요.

- 고양이의 등을 부드럽게 (   ).
- 담장에 여러 후보의 선거 벽보가 (   ).
- 그 회사는 (   )을 결제하지 못해서 부도가 났다.
- 사고 소식을 듣고 부모님이 (   )이 되어 달려오셨다.
- 오늘은 방학식을 하는 날이라 콧노래가 (   ) 나온다.

2 다음 글에서 밑줄 친 말과 뜻이 비슷한 말을 찾아 쓰세요.

지방 어느 지역에는 소원을 이루어 준다는 조각상이 있다. 사람들은 지나가며 모두 조각상을 한 번씩 쓰다듬었다. 소원이 이루어지기를 바라는 마음을 손길에 담아 조각상을 <u>어루만졌다</u>.

(   )

가마솥 ③ | 오경임

글의 구조

발단 — 전개 — 절정 — 결말

글자 수

823 (200 400 600 800 1000)

늦은 아침을 끝내고 마을 사람들이 모두 돌아갔을 때, 할머니는 다시 가마솥에 기름칠을 하셨다.

"할머니, 왜 가마솥에 기름칠을 하시는 거예요?"

할머니는 내 물음에 아버지를 쳐다보며 허리를 펴셨다.

"이렇게 큰 가마솥은 말이다, 늘 쓰는 냄비나 양은솥과는 다르단다. 큰일이 있을 때에 쓰는 솥이란다. 세상일이라는 것이 어떻게 될지 아무도 모르는 법이거든. 굴렁쇠처럼 잘 굴러가기만 한다면 아무런 문제가 없지. 다음 큰일을 위해서 이렇게 기름칠을 해 두는 거란다. 녹슬지 말라고 말이다. 가마솥이 없어 봐라. 큰일이 있을 때 어떻게 될지. 양은솥이나 냄비로는, 어휴, **어림도 없다.**"

정말 오랜만에 아버지의 입가에서 **잔잔한** 미소가 피어올랐다.

"득, 드륵, 드르륵……."

기름칠을 마친 할머니가 가마솥을 끄셨다. 아버지께서 얼른 가서 가마솥을 드셨다. 할머니께서는 말리지 않으셨다. 그렇다고 아버지께만 솥을 맡기지도 않으셨다.

나도 할머니와 아버지 옆에서 가마솥을 들었다. 미끌거리는 느낌이 그렇게 나쁘지 않았다. 쇠의 묵직한 느낌이 기분 좋게 다가왔다. 언제 오셨는지 어머니께서도 가마솥을 들고 계셨다. 누나도 옆에서 **거들었다.**

할머니만 빼고 우리 모두는 게처럼 옆으로 걸었다. 옆으로 엉금엉금 걷는 모습이 우스웠는지 누나가 '까르르' 웃음을 터뜨렸다. 누나의 웃음에 **전염**이 된 듯 할머니께서도 아버지와 어머니께서도 '허허, 하하, 호호' 웃음을 터뜨리셨다. 나도 괜히 누구보다 큰 소리로 웃었다. 큰 입을 벌린 가마솥도 함께 웃는 것 같았다.

온 식구가 같이 가마솥을 들어서인지 검고 묵직한 가마솥은 하나도 무겁지 않았다. 가마솥으로 지은 **고봉밥** 한 그릇을 다 비워서 그런지도 몰랐다.

- **어림도 없다** 도저히 될 가능성이 없다.
- **잔잔한** 태도가 차분하고 평온한.
- **거들었다** 남이 하는 일을 함께하면서 도왔다.
- **전염** 다른 사람의 습관이나 분위기, 기분 등에 영향을 받아 비슷해짐.
- **고봉밥** 그릇 위로 높이 담은 밥.

중심 내용

1 이 글에서 중심이 되는 장면으로 알맞은 것은 무엇인가요? (　　　　)

① 할머니께서 냄비를 닦으시는 장면
② 할머니께서 가마솥에 떡을 찌시는 장면
③ 온 가족이 가마솥을 함께 들어 옮기는 장면
④ 할머니께서 가마솥에 기름칠을 하시는 장면
⑤ 마을 사람들이 아침 식사를 하고 돌아가는 장면

세부 내용

2 할머니께서 다음에 생길 큰일을 위해서 하신 일은 무엇인가요? (　　　　)

① 가마솥을 마당 한쪽에 두셨다.
② 가마솥을 굴렁쇠와 함께 두셨다.
③ 냄비와 양은솥을 더 많이 마련하셨다.
④ 가마솥이 녹슬지 않게 기름칠을 하셨다.
⑤ 온 가족이 함께 가마솥을 마당 한가운데로 옮기게 하셨다.

표현

3 이 글에서 우리 가족이 가마솥을 들고 옆으로 걷는 모습을 무엇에 빗대어 표현했는지 쓰세요.

(　　　　　　　　　　)가 걷는 모습

추론

4 이 글을 읽고 생각이나 느낌을 알맞게 말하지 못한 친구는 누구인지 쓰세요.

유빈: 할머니께서 말씀하신 '큰일'은 가족에게 일어날 좋은 일들만 뜻하는 것 같아.
민지: '굴렁쇠처럼 잘 굴러가기만 한다면'이라는 말은 '좋은 일들만 생긴다면'과 바꾸어 쓸 수 있을 것 같아.
연호: 온 가족이 가마솥을 같이 옮기면서 웃는 모습을 보니까 가족이 함께 하면 어떤 힘든 일이 닥쳐도 잘 이겨 낼 수 있을 것 같다는 희망적인 생각이 들어.

(　　　　　　　　)

지문 분석

1 소재 의미

이 글에서 다음 대상이 무엇인지 생각하여 빈칸에 알맞은 말을 쓰세요.

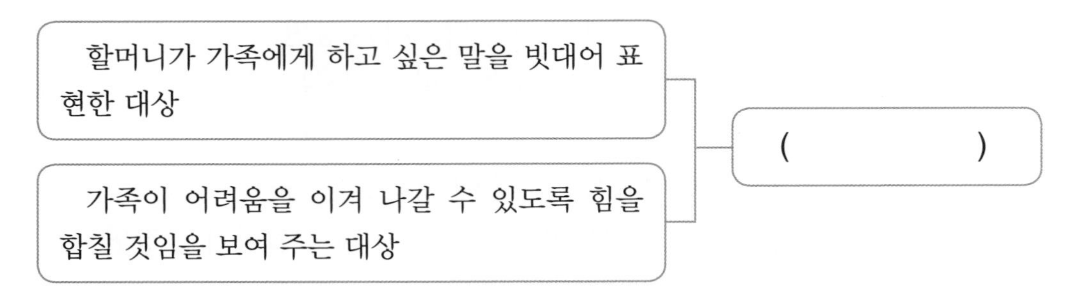

2 주제

이 글의 마지막 장면을 보고 보기 에서 알맞은 말을 찾아 써넣어 주제를 완성하세요.

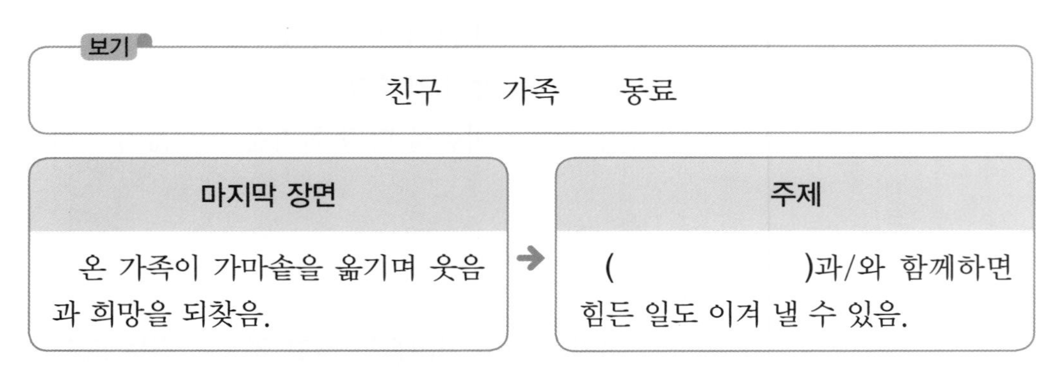

배경지식 「가마솥」 전체 줄거리

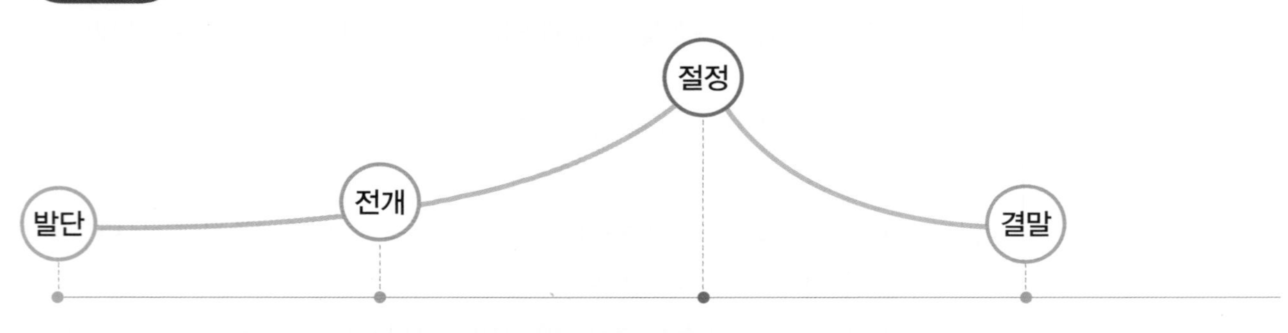

- **발단**: 아버지가 하던 사업이 부도나는 바람에 '나'의 가족은 할머니가 계신 시골로 이사 오게 됨.
- **전개**: 할머니가 가마솥을 꺼내고 떡과 음식을 해서 마을 사람들을 초대할 준비를 하심.
- **절정**: '나'는 굴렁쇠를 굴리다가 마을 아주머니들의 이야기를 듣고, 아버지가 하던 사업의 부도로 겪게 된 일들을 떠올림.
- **결말**: 마을 사람들이 밥을 먹고 집으로 돌아간 후, 온 가족이 함께 가마솥을 옮기며 웃고 삶의 희망을 다짐.

오늘의 어휘

다음 낱말의 알맞은 뜻을 찾아 선으로 이으세요.

온 •		• 전부. 모두의.
전염 •		• 그릇 위로 높이 담은 밥.
잔잔한 •		• 태도가 차분하고 평온한.
고봉밥 •		• 남이 하는 일을 함께하면서 도왔다.
거들었다 •		• 다른 사람의 습관이나 분위기, 기분 등에 영향을 받아 비슷해짐.

1 다음 빈칸에 들어갈 알맞은 말을 오늘의 어휘에서 찾아 쓰세요.

- 절에서 만난 스님이 [ ] 미소를 지으셨다.
- 방학이 되면 시골 집에 내려가 농사일을 [ ].
- 할머니께서 [ ]을 주시며 많이 먹으라고 하셨다.
- 웃음이 [ ]되었는지 모두 깔깔거리며 웃기 시작했다.
- [ ] 국민이 월드컵 경기를 응원하려고 거리로 몰려나왔다.

2 다음 글에서 밑줄 친 말과 뜻이 비슷한 말을 찾아 쓰세요.

남자는 구두를 훔친 범인으로 몰리자 몹시 황당해했다. 하지만 금세 잔잔한 얼굴로 사람들에게 자신은 범인이 아니며, 진짜 범인은 따로 있다고 말했다. 그 모습을 본 사람들은 너무나도 <u>차분한</u> 남자의 모습에 오히려 당황하며 남자의 말을 귀기울여 듣기 시작했다.

( )

왕치와 소새와 개미와 ❶ | 채만식

글의 구조

발단 – 전개 – 절정 – 결말

글자 수

820

200 400 600 800 1000

왕치는 머리가 훌러덩 벗어지고, 소새는 주둥이가 뚜우 나오고, 개미는 허리가 잘록 부러졌다. 왕치의 대머리와 소새의 주둥이 나온 것과 개미의 허리 부러진 데는 그럴 만한 사연이 있다.

옛날 옛적, 개미와 소새와 왕치가 한집에서 살고 있었다. 개미는 지금이나 그때나 다름없이 부지런하고 일을 잘하였다. 소새는 성질이 좀 **괴팍하여** 인정이 없고 **야박스러운** 구석은 있었으나, 본래 **재치**가 있고 부지런하여 제 앞길 하나는 넉넉히 꾸려 나가고도 남았다. 딱한 것은 왕치였다. 파리 한 마리 건드릴 힘도 없는 **약질**이라서 날마다 놀고먹었다. 놀고먹으면서도 배 속은 커서 먹기는 남의 배나 먹었다. 그것도 **염치** 아닌 노릇인데 ㉠속이 없고 성질까지 불량하였다.

부모 자식이나 같은 핏줄이라면 모를 텐데, 남남끼리 한집 **한울** 안에 살면서 그 모양이니, 눈치는 혼자 먹어야 하였다. 그래도 개미는 천성이 너그럽고 낙천적이어서 별로 **허물**을 탓하지 않았지만, 성미 까다로운 소새는 왕치를 영 못 볼 상으로 미워하였다. 걸핏하면 꽁하여 구박을 하고 눈치를 주었다.

어느 가을이었다. **백곡**이 풍성한 **식욕**의 계절이었다. 가을도 되고 하였으니 우리 잔치나 한번 차리는 것이 어떠냐고 셋이 모여 앉은 자리에서 소새가 말하였다.

"거, 참 좋은 말일세!"

잔치도 잔치이지만, 한편 저를 골려 주자는 계획인 줄은 모르고, 먹을 생각만 한 왕치가 **냉큼** 받아서 찬성하였다. **잠자코** 있었으나 개미도 반대는 없었다.

사흘 잔치를 하기로 하였다. 사흘 동안 계속하여 잔치를 하는데, 차리기는 하나가 하루씩 혼자 맡아서 차리기로 하였다. 첫날은 개미가 잔치를 차리면 둘째 날은 소새가, 그리고 마지막 날은 왕치가……. 이렇게.

- **괴팍하여** 붙임성이 없이 까다롭고 별나서.
- **야박스러운** 자기만 생각하고 남을 생각하는 마음이 없는.
- **재치** 어떤 상황에서 일을 눈치 빠르게, 슬기롭게 처리하는 솜씨.
- **약질** 허약한 체질.
- **염치** 부끄러움을 아는 마음.
- **한울** 온 세상.
- **허물** 모자라는 점이나 잘못된 점.
- **백곡**(百 일백 백, 穀 곡식 곡) 온갖 곡식.
- **식욕** 음식을 먹고 싶은 욕망.
- **냉큼** 망설이지 않고 가볍게 빨리.
- **잠자코** 아무 말 없이 가만히.

갈래

1 **이 글에 대한 설명으로 알맞은 것은 무엇인가요? (   )**

① 동물을 주인공으로 하는 글이다.
② 무대에서 공연하기 위해 쓴 글이다.
③ 실제로 살았던 인물의 이야기를 쓴 글이다.
④ 일을 하는 순서를 자세히 알려 주는 글이다.
⑤ 정해진 글자 수를 정확하게 지켜서 쓴 글이다.

세부 내용

2 **이 글의 내용으로 알맞지 않은 것은 무엇인가요? (   )**

① 개미는 왕치의 허물을 탓하지 않았다.
② 왕치와 소새, 개미는 한집에서 살았다.
③ 왕치는 놀기만 하면서 남보다 더 많이 먹었다.
④ 소새는 염치없는 왕치를 미워하고 눈치를 주었다.
⑤ 왕치와 소새, 개미는 나흘 동안 잔치를 열기로 하였다.

어휘

3 **㉠의 뜻으로 알맞은 것에 ○표 하세요.**

(1) 나쁜 뜻이 없고. (   )
(2) 감추어진 일의 내용이 없고. (   )
(3) 겉의 껍질만 있고 안에는 든 것이 없고. (   )
(4) 일의 앞뒤를 제대로 판단하여 깨닫지 못하고. (   )

추론

4 **이 글을 읽고 자신의 생각을 말한 것으로 알맞지 않은 것의 기호를 쓰세요.**

㉮ 소새는 왕치가 잔치를 준비할 수 없을 거라고 생각해서 왕치를 골려 줄 계획으로 잔치를 하자고 제안한 것 같아.
㉯ 소새가 잔치를 하자고 제안한 말에 개미가 한 행동을 보면 개미도 번갈아서 잔치를 준비하는 것에 반대하지 않은 거야.
㉰ 왕치는 백곡이 풍성한 가을이라서 어디에서든 먹을 것을 구할 수 있으니 자기도 잔치를 준비할 수 있다고 생각해서 냉큼 찬성을 한 걸 거야.

(   )

지문 분석

정답과 해설 07쪽

1 인물 특징 이 글에 나온 인물의 성격으로 알맞은 것을 찾아 선으로 이으세요.

왕치 •		• 부지런하고 일을 잘하며 남의 허물을 탓하지 않음.
소새 •		• 성질이 괴팍하며 인정이 없고 야박스러운 구석이 있으나 재치가 있고 부지런함.
개미 •		• 날마다 놀고먹으면서 속이 없고 성질이 불량함.

2 구성 요소 이야기의 내용을 정리하여 빈칸에 알맞은 말을 쓰세요.

일이 일어난 때	어느 (　　　　)
등장인물	(　　　　), (　　　　), (　　　　)
일어난 일	왕치와 소새와 개미가 사흘 동안 하루씩 돌아가면서 준비해 (　　　　)를 하기로 함.

배경지식 왕치와 소새는 어떤 모습일까요?

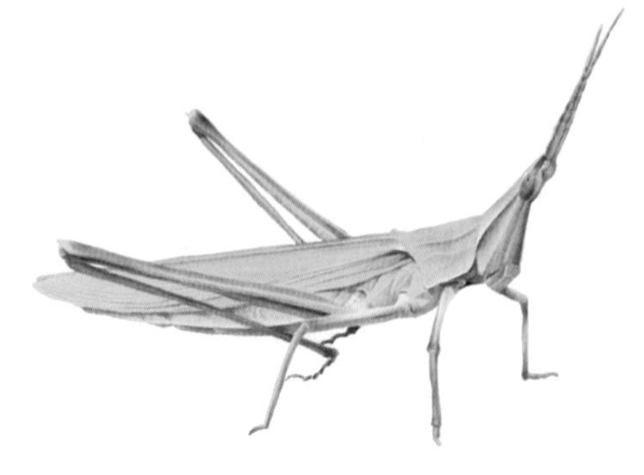

왕치는 방아깨비의 암컷을 말합니다. 방아깨비는 메뚜기과 곤충 중에서 가장 큰데 암컷이 수컷보다 훨씬 크기가 큽니다. 머리는 앞으로 길게 튀어나와 있으며 뒷다리가 길쭉하고 몸색깔은 녹색이나 갈색입니다.

소새는 원래 솔새라고 불리는 새로 참샛목 솔새과의 조류입니다. 솔새는 여름새로 5~9월 사이에 볼 수 있답니다. 주로 곤충을 먹고 사는데 가을철에는 식물의 열매를 먹기도 합니다.

오늘의 어휘

다음 낱말의 알맞은 뜻을 찾아 선으로 이으세요.

염치 •	• 부끄러움을 아는 마음.
허물 •	• 망설이지 않고 가볍게 빨리.
냉큼 •	• 모자라는 점이나 잘못된 점.
괴팍하여 •	• 붙임성이 없이 까다롭고 별나서.
야박스러운 •	• 자기만 생각하고 남을 생각하는 마음이 없는.

1 다음 빈칸에 들어갈 알맞은 말을 오늘의 어휘에서 찾아 쓰세요.

- 너는 (　　　　)도 없이 어떻게 나를 또 찾아오니?
- 우리 언니는 남의 (　　　　)을 덮어 주는 사람이다.
- 꼬마 아이가 생쥐처럼 (　　　　) 골목으로 뛰어갔다.
- 황 부자는 살림이 넉넉한데도 인심이 (　　　　) 데가 있다.
- 옆집 할아버지는 성격이 (　　　　) 사람들과 잘 지내지 못한다.

2 다음 글에서 밑줄 친 말과 뜻이 비슷한 말을 찾아 쓰세요.

빵집에서 빵 굽는 냄새가 맛있게 풍겨 왔다. 누추한 차림의 아이가 빵집 앞을 서성거리자 주인아저씨가 빵을 몇 개 내주었다. 아이는 배가 무척 고팠는지 빵을 받자마자 냉큼 입에 넣었다. 그 아이는 빵 하나를 빨리 먹어 치우고 또 하나를 집었다.

(　　　　　　　　)

왕치와 소새와 개미와 ❷ | 채만식

글의 구조

글자 수

첫날은 개미가 나섰다. 들로 나갔다. 들에서는 한창 벼를 걷기가 바빴다.

마침 보니, 촌 아주머니 한 명이 **새참**을 내느라고 한 **광주리** 가득 목이 오그라들게 하여 **이고**, 들 가운데로 지나고 있었다.

좋을씨구나, 개미는 뽀르르 다리 속으로 기어 올라가서는, 넓적다리를 사정없이 꽉 물어 떼었다. 5

"아이구머니나!"

죽는소리를 하면서 촌 아주머니는 머리의 밥 광주리를 **내동댕이치고는** 다리야 날 살려라 도망을 쳤다.

부연 흰쌀밥에, 얼큰한 풋김치에, 구수한 된장찌개에, 짭짤한 **자반** 갈치 도막에, 골콤한 새우젓에……. 몽땅 집으로 날라다 놓고는, 셋이 모여 앉아 맛있게 잘 먹었다. 보기 드문 큰 잔치였다. 10

이튿날은 소새가 나섰다. 물가로 갔다. 바닥이 들여다보이게 맑은 물에서 붕어도 뛰고 가물치도 놀고 있었다. 소새는 붕어나 가물치 등은 **거들떠보지도** 않고 말뚝 위에 **오도카니** 앉아서 기다렸다.

이윽고 **싯누런** 잉어 한 마리가 **굼실거리면서** 물 위로 머리를 솟구쳤다. 잔뜩 노리고 있던 소새는 휘익 날면서 주둥이로 잉어의 눈을 꿰어 들었다. 15

집으로 돌아오니 개미와 왕치가 손뼉을 치며 맞이하였다. 싱싱한 잉어를 놓고 둘러앉아서 먹는 맛 또한 특별하였다. 소새 차례의 둘째 날 잔치도 그렇게 **걸게** 지나갔다.

왕치는 뭐든 핑계를 대고 대충 넘어갈 생각이었으나, 보니 소새의 **팽팽한** 눈살이 안 될 말이었다. 잘 먹은 죄가 이렇게 크구나 생각하면서 무작정 집을 나섰다. 20

먼저, 들로 나가 보았다. 넓은 들에는 벼만 가득히 익고 농군들이 벼를 거두기에 바빴지, 보아야 만만히 건드릴 만한 것이라고는 없었다. 그렇다고 벼 이삭만 한 **움큼** 주워 갈 수도 없었다. 25

- **새참** 일을 하다가 잠깐 쉬면서 먹는 음식.
- **광주리** 대나무나 싸리로 엮어 만든 그릇.
- **이고** 물건을 머리 위에 얹고.
- **내동댕이치고는** 힘껏 마구 내던져 팽개치고는.
- **자반** 생선을 소금에 절여서 만든 반찬. 또는 그것을 굽거나 쪄서 만든 반찬.
- **거들떠보지도** 아는 척하거나 관심 있게 보지도.
- **오도카니** 가만히 한자리에 서 있거나 앉아 있는 모양.
- **싯누런** 매우 누런.
- **굼실거리면서** 부드럽고 느리게 자꾸 움직이면서.
- **걸게** 푸짐하고 배부르게.
- **팽팽한** 성질이 너그럽지 못하고 까다로운.
- **움큼** 손으로 한 줌 움켜쥘 만한 분량을 세는 단위.

갈래

1 **이 글을 읽는 방법으로 알맞지 않은 것은 무엇입니까? (　　　　)**

① 일어난 일을 정리하며 읽는다.
② 인물의 성격을 파악하며 읽는다.
③ 인물의 마음을 짐작하며 읽는다.
④ 모르는 단어의 뜻을 찾아보며 읽는다.
⑤ 실제로 일어난 사건과 비교하며 읽는다.

세부 내용

2 **잔치 음식을 준비한 인물의 순서대로 쓰세요.**

(　　　　　) → (　　　　　) → (　　　　　)

어휘

3 **잔치를 준비하는 왕치의 상황과 가장 관련 있는 고사성어는 무엇인가요? (　　　　)**

① 동고동락: 괴로움도 즐거움도 함께함.
② 일취월장: 나날이 다달이 자라거나 발전함.
③ 진퇴양난: 이러지도 저러지도 못하는 상황에 빠짐.
④ 과유불급: 정도를 지나치는 것은 모자란 것과 같음.
⑤ 개과천선: 지난날의 잘못이나 허물을 고쳐 올바르고 착하게 됨.

감상

4 **이 글의 인물에 대해 알맞게 평가한 것을 모두 고르세요. (　　,　　,　　)**

① 개미는 부지런하지만 왕치에게 깍쟁이처럼 굴었어.
② 남의 것을 얻어먹을 생각만 하는 왕치는 염치가 없어.
③ 개미는 왕치가 음식을 구해올 수 있도록 단호하게 행동했어.
④ 소새는 자신이 원하는 것을 얻기 위해 기다릴 줄 아는 인물이야.
⑤ 왕치의 행동을 봐주지 않는 걸로 보아 소새는 인정이 없고 깐깐해.

지문 분석

정답과 해설 08쪽

1 사건 파악 인물들이 잔치 음식을 구한 방법을 정리하여 빈칸에 알맞은 말을 쓰세요.

개미	소새	왕치
(　　　　　)을 이고 가는 촌 아주머니를 물어 아주머니가 들고 가던 음식을 가져옴.	맑은 물에 헤엄치던 싯누런 (　　　　　)를 주둥이로 꿰어 음식을 준비함.	무작정 집을 나서서 넓은 (　　　　　)로 갔지만 가져갈 것이 마땅치 않음.

2 마음 변화 일이 일어난 장소에 따라 왕치의 마음 변화를 정리하여 (　　　) 안에 들어갈 알맞은 말에 ○표 하세요.

일이 일어난 장소	왕치의 마음
집	대충 넘어가려고 했는데 소새의 (눈치, 염치)가 보임.
↓	
들	일단 음식을 구하러 나왔지만 가져갈 것이 마땅치 않아서 몹시 (피곤함, 곤란함).

배경지식 동물이 등장해서 이야기의 주제를 전하는 이야기, '우화'

왼쪽의 그림은 우리에게 잘 알려진 『이솝 우화』 중 「여우와 포도」의 한 장면이에요. 배고픈 여우는 높이 달려 있는 잘 익은 포도를 발견했어요. 하지만 너무 높은 곳에 있어 먹을 수 없자, 쉽게 포기하고 그곳을 떠나며 "저 포도는 익지 않아서 먹을 수 없어."라고 말했다는 내용이에요. 여우가 등장하는 짧은 이야기를 통해 인간은 자기의 힘이 모자라 일이 잘 안 되면 아직 때가 안 되었다는 것을 핑계로 삼는다는 교훈을 전달하는 이야기이지요. 이렇게 동물이나 식물, 사물처럼 사람이 아닌 인물을 사람처럼 행동하게 함으로써 교훈을 전달하는 이야기를 '우화'라고 해요. 우화는 짧은 내용을 통해 이야기를 읽는 사람에게 주는 교훈을 담는답니다.

오늘의 어휘

다음 낱말의 알맞은 뜻을 찾아 선으로 이으세요.

동무	어떤 일을 되풀이하여.
생색	혼자 마음속으로 은근히.
거듭	늘 친하게 어울리는 사람.
비위	어떤 것을 좋아하거나 싫어하는 성질이나 마음씨.
슬그머니	다른 사람 앞에 당당히 나설 수 있거나 자랑할 수 있는 체면.

1 다음 빈칸에 들어갈 알맞은 말을 오늘의 어휘 에서 찾아 쓰세요.

- 차를 조심하라고 몇 번이나 (　　　　) 말했다.
- 그 친구는 까다로워서 (　　　　)를 맞추기 힘들다.
- 동생은 생일 선물을 주면서 엄청 (　　　　)을 냈다.
- 나는 여행길에 처음 만난 사람과 (　　　　)가 되었다.
- 약속한 시간에서 30분이 지나자 (　　　　) 화가 나기 시작했다.

2 다음 글에서 밑줄 친 말과 뜻이 비슷한 말을 찾아 쓰세요.

한 방송사에서 올림픽 개회식을 중계하면서 국가를 소개할 때 부적절한 화면과 표현을 사용해 논란이 되었다. 이 방송사는 "부적절한 사진과 표현을 사용한 것을 거듭 사과드린다."며 공식 입장을 냈다. 또, "이번 일의 심각성을 인식하고 이런 일이 <u>또다시</u> 발생하지 않도록 하겠다"고 말했다.

(　　　　　　　　)

밤에 온 눈사람 ① | 이준연

유명한 축구 선수가 되겠다던 석이는 왼쪽 다리를 **시멘트**로 발라 돌다리가 되어 좁다란 병실 안에 갇혀 있었다.

하얀 벽과 코를 찌르는 약 냄새, 하루에도 몇 번씩 찾아와 주던 일남, 남우, 수영, 철이도 이젠 **코빼기도 보이지 않았다.**

석이는 지난가을 일이 떠올랐다.

석이는 저의 집 첫 골목에 사는 **연탄** 가겟집 아이, 박호를 호박이라고 불렀다. 〈중략〉

철이는 호의 엉덩이를 발길로 찼다.

"빨리 꺼져. 여기는 화랑과 충무의 **대결장**이란 말야. 너 같은 뚱뚱보 호박은 백 명이 있어도 소용없어. 저쪽 구석에 가서 구경이나 해."

"야아, 뚱뚱보는 공 못 차냐? 나도 시골에서는 우리 반 축구 선수로 이름났다. 나도 시켜 봐라. 내가 공을 한 번만 찼다 하면 꼴인이다. 한번 차 볼랑께 공 이리 줘."

호는 얼굴 하나 붉히지 않고 철이한테 챈 엉덩이를 한 손으로 만지면서 말했다.

"인마, 저리 비켜. 지금 우리 편이 지고 있는데 재수 없게 별 거지 같은 게 다 와서 **훼방**이야."

철이는 호를 라이트 훅으로 갈겼다.

"인마, 축구 하는 덴 얼씬도 말고, 연탄 **리어카**나 밀엇!"

㉠ 지금도 석이의 눈에는 고개를 푹 숙이고 뚜벅뚜벅 걸어가던 호의 뒷모습이 아른거렸다.

"호야 잘 왔다. 내가 병원에서 나가면 너를 우리 편으로 넣어 줄게, 기다려. 그때 미안했어."

석이는 지난가을에 있었던 일을 호에게 사과했다.

"아냐, 괜찮아, 나는 그때 일은 다 잊어버렸어. 너는 그때 잘못한 게 없잖아. 철이도 저의 편이 자꾸 지니까 화가 나서 그랬을 거야, 걱정 마."

글의 구조

글자 수

- **시멘트** 석회석과 진흙에 칼슘을 섞어 높은 열을 가해 빻은 것으로 물, 모래, 자갈 등을 섞어 건축물을 만드는 데 쓰는 재료.
- **코빼기도 보이지 않았다** 도무지 나타나지 않아 볼 수가 없었다.
- **연탄** 탈 때 연기가 나지 않는 석탄 가루를 눌러 덩어리로 만든 연료.
- **대결장** 어느 쪽이 나은지 가리려고 맞서서 겨루는 장소.
- **훼방** 남의 일이 잘되지 못하게 방해하는 것.
- **리어카** 손수레.

갈래

1 **이 글에서 일이 일어난 때와 일이 일어난 장소를 바르게 짝 지어 선으로 이으세요.**

(1) 현재 •　　　　• ㉮ 축구 대결장

(2) 지난가을 •　　　　• ㉯ 병실

세부 내용

2 **호에 대한 설명으로 알맞지 않은 것은 무엇인가요? (　　　　)**

① 시골에 살다 이사 왔다.
② 다친 석이의 병문안을 왔다.
③ 동네 친구들 중에 키가 가장 작다.
④ 석이에게 호박이라는 별명으로 불렸다.
⑤ 연탄 가겟집의 아이이며, 이름은 박호이다.

세부 내용

3 **지난가을에 있었던 일로 알맞은 것을 두 가지 고르세요. (　　　,　　　)**

① 호가 반 축구 선수가 되었다.
② 호가 뚱뚱보라고 놀리는 철이를 때렸다.
③ 호가 철이와 같이 축구를 하고 싶어 했다.
④ 철이는 호에게 지난가을에 한 자신의 행동을 사과했다.
⑤ 철이가 호에게 함부로 말하며 축구에 끼워 주지 않았다.

추론

4 **㉠의 까닭으로 알맞은 것은 무엇인가요? (　　　　)**

① 석이가 눈을 다쳐 아팠기 때문이다.
② 석이가 호를 무시하고 얕보았기 때문이다.
③ 석이가 호에게 고마운 마음이 들었기 때문이다.
④ 석이가 호를 보며 미안한 마음이 들었기 때문이다.
⑤ 친구들이 석이를 찾아오지 않아 심심했기 때문이다.

지문 분석

정답과 해설 10쪽

1 인물 성격 다음에서 알 수 있는 호의 성격으로 알맞은 것에 ○표 하세요.

친구가 한 일		호의 반응
철이가 호에게 뚱뚱보 호박은 필요 없다며 가라고 말함.	→	시골에서 자신도 축구 선수였다고 말함.
석이가 호에게 지난가을 일을 사과함.	→	그때 일은 다 잊었다고 말함.

- 마음이 넓고 너그러움. ( )
- 고집이 세지만 마음이 여림. ( )

2 마음 변화 석이의 마음을 생각하여 ( ) 안에 들어갈 알맞은 말에 ○표 하세요.

이야기의 흐름		석이의 마음
하루에도 몇 번씩 찾아와 주던 일남, 남우, 수영, 철이도 이젠 코빼기도 보이지 않았다.	→	찾아오지 않는 친구들에게 (서운한, 미안한) 마음이 듦.
"호야 잘 왔다. 내가 병원에서 나가면 너를 우리 편으로 넣어 줄게. 기다려. 그때 미안했어."	→	자신을 찾아와 준 호에게 (귀찮은, 고마운) 마음이 듦.

배경지식 추운 겨울, 우리를 따뜻하게 만들어 주던 연탄

우리나라 사람들은 예전에 겨울이 오면 연탄을 사용해서 방바닥을 데우고 따뜻하게 지냈어요. 연탄에 붙인 불을 이용해서 물을 데우기도 하고, 음식을 만들기도 했지요. 그래서 날이 많이 추워지기 전에 연탄 가게에서 연탄을 배달 받아 미리 준비해 두는 것이 겨울에는 무척 중요한 일이었어요.

요즘은 생활 수준이 향상되고 가스와 전기를 사용한 난방 기구가 많이 보급되어서 예전만큼 연탄을 많이 사용하지 않지만, 아직도 어딘가에서는 누군가의 겨울을 책임지는 든든한 동반자의 역할을 하고 있답니다.

오늘의 어휘

정답과 해설 10쪽

다음 낱말의 알맞은 뜻을 찾아 선으로 이으세요.

골목 •	• 이름이 널리 알려진.
훼방 •	• 무엇이 희미하게 보이는 듯했다.
유명한 •	• 남의 일이 잘되지 못하게 방해하는 것.
대결장 •	• 큰길에서 들어가 집들 사이로 난 좁은 길.
아른거렸다 •	• 어느 쪽이 나은지 가리려고 맞서서 겨루는 장소.

1 다음 빈칸에 들어갈 알맞은 낱말을 오늘의 어휘에서 찾아 쓰세요.

- 이 (　　　　)에는 유명한 음식점이 많다.
- 그리운 네 얼굴이 자꾸 눈앞에 (　　　　).
- 저 사람은 세계적으로 (　　　　) 영화배우야.
- 숙제하고 있으니 제발 (　　　　) 놓지 말아 줘.
- 태권도 학원이 영준이와 나의 (　　　　)이었다.

2 다음 밑줄 친 낱말과 뜻이 비슷한 말을 이 글에서 찾아 쓰세요.

아파트는 높고 큰 건물에 여러 가구가 사는 집이다. 그래서 시끄러운 소리를 내면 이웃의 생활을 <u>방해</u>할 수 있다. 따라서 집 안에서 쿵쿵 뛰거나, 밤늦게 청소기와 세탁기를 사용하여 다른 사람들을 훼방하지 않도록 해야 한다.

(　　　　　　　　)

밤에 온 눈사람 ② | 이준연

글의 구조

발단 – 전개 – 절정 – 결말

글자 수

744

200 400 600 800 1000

시골에서 올라온 호가 연탄 공장으로 와서 일을 하던 겨울, 연탄 공장 앞 빈터에는 겨울 내내 눈사람이 서 있었다.

석이 또래의 아이들은 눈사람을 잘 만드는 호를 부러워하면서 좋아했지만 눈이 오지 않는 봄과 여름과 가을엔 호를 거들떠보지도 않았다.

"석아, 걱정 말고 빨리 병원을 나와. 시골에 가 있더라도 네가 병원에서 나오면 서울로 놀러 올게. 눈이 많이 오면 편지를 해. 지난겨울에 만들었던 눈사람보다 더 큰 눈사람을 석이 너와 함께 만들자." 〈중략〉

"할아버지, 눈을 쓸지 마세요. 내 친구 호박이 와서 눈사람을 만들어 줄 거여요, 할아버지."

"에잉, 호박이 와서 눈사람을 만든다고?"

청소부 할아버지는 **통** 모르겠다는 듯이 고개를 저었다.

"에잉, **딱도** 하지. 혼자 병원에 너무 오래 있더니, 이제는 정신이 가물가물하는 모양이구나."

㉠ 청소부 할아버지는 석이의 말은 콧등으로 들어 넘기고 싹싹 눈을 쓸었다.

"할아버지 나빠요. 할아버지는 고집쟁이여요. 눈을 왜 쓰는 거여요?"

석이는 호에게 보내려고 썼던 편지를 **짝짝** 찢어서 창밖으로 내던졌다.

드르륵 탁.

그리고 창문을 닫아 버렸다.

싸리비를 들고 한동안 우두커니 서 있던 할아버지는 석이가 찢어 버린 편지를 주워서 주머니 속에 넣고 **수위실** 쪽으로 사라졌다.

수위실로 돌아온 청소부 할아버지는 석이가 찢어 버린 편지 종이를 하나씩 꺼내어 맞추어 보았다.

"눈사람이 보고 싶은 모양이군. 다리가 빨리 나아서 병원을 나가야 할 텐데…… 동네 아이들과 뛰어놀면서 눈사람을 만들고 싶겠구먼. 쯧쯧……."

- **통** 아무리 해도 조금도. 전혀.
- **딱도**(= 딱하기도) 사정이나 처지가 애처롭고 가엾기도.
- **짝짝** 종이나 천 등을 마구 찢는 소리.
- **싸리비** 싸리의 가지를 묶어 만든 빗자루로 주로 마당을 쓸 때 사용한다.
- **수위실** 관청, 학교, 공장 등의 경비를 맡아보는 사람이 있는 방.

중심 내용

1 **석이가 청소부 할아버지에게 눈을 쓸지 말라고 한 까닭은 무엇인지 빈칸에 알맞은 말을 쓰세요.**

눈이 많이 오면 호와 함께 (   )을 만들기로 했기 때문이다.

세부 내용

2 **이 글의 내용으로 알맞은 것은 무엇인가요? (   )**

① 호는 시골에서 살아 본 적이 없다.
② 호는 아이스크림 공장에서 일을 했다.
③ 연탄 공장 앞 빈터에는 겨울 내내 눈사람이 서 있었다.
④ 석이 또래의 아이들은 연탄을 잘 만드는 호를 부러워했다.
⑤ 눈이 오지 않는 봄과 여름과 가을에도 아이들은 호를 좋아했다.

어휘

3 **㉠과 가장 관련 있는 속담에 ○표 하세요.**

(1) 누워서 떡 먹기 (   )
(2) 바늘 도둑이 소도둑 된다 (   )
(3) 한 귀로 듣고 한 귀로 흘린다 (   )

추론

4 **청소부 할아버지에 대해 바르게 짐작한 것의 기호를 쓰세요.**

㉮ 석이 때문에 눈을 깨끗이 쓸지 못해서 화가 나신 것을 보니 엄한 분 같다.
㉯ 편지를 찢어서 창밖으로 내던지는 석이를 버릇없는 아이라고 여기시는 것을 보니 예의를 중요하게 생각하는 분 같다.
㉰ 석이가 찢은 편지를 읽고 아이들과 뛰어놀며 눈사람을 만들고 싶어 하는 석이의 마음을 이해하시는 것을 보니 따뜻한 마음을 가진 분 같다.

(   )

지문 분석

정답과 해설 11쪽

1 사건 전개 일이 일어난 순서대로 보기 에서 기호를 찾아 써넣어 글의 내용을 정리하세요.

보기

㉮ 청소부 할아버지가 석이가 찢어 버린 편지를 읽음.
㉯ 석이가 청소부 할아버지에게 눈을 쓸지 말라고 부탁함.
㉰ 호가 석이에게 눈이 오면 눈사람을 함께 만들자고 말함.
㉱ 청소부 할아버지가 석이의 부탁을 들어주지 않고 눈을 쓸어버림.
㉲ 화가 난 석이가 호에게 보내려고 썼던 편지를 찢어서 창밖으로 던짐.

(　　) → (　　) → (　　) → (　　) → (　　)

2 마음 변화 다음 상황에서 알 수 있는 석이의 마음 변화를 생각하며 (　　) 안에 들어갈 알맞은 말을 찾아 ○표 하세요.

상황		석이의 마음
석이가 눈이 오면 함께 눈사람을 만들자고 말한 호를 기다림.	→	호와 함께 눈사람을 만들 날을 (기대함, 실망함).
청소부 할아버지가 눈을 쓸지 말아 달라는 석이의 부탁을 무시하고 눈을 쓸어버림.	→	할아버지가 눈을 치워 버려서 (화가 남, 긴장됨).

배경지식 예전에는 학교도 못 가고 일을 해야 하는 친구들이 있었다고요?

여러분과 비슷한 나이의 호가 연탄 공장에서 일을 한다는 내용을 읽고 어떤 생각이 들었나요? 요즘 아이들은 모두 초등학교, 중학교, 고등학교까지 반드시 학교에 다녀야 하지만 불과 50~60년 전까지만 해도 학교를 다니지 못하고 일을 하는 어린아이들이 많았답니다. 하지만 현재 우리나라에서는 15세가 되지 않은 아이들을 '아동'으로 정하고, 아동에게는 돈을 주며 일을 시킬 수 없도록 법으로 정해 놓았답니다. 그동안 우리나라가 얼마나 많은 발전을 했는지, 그리고 우리가 얼마나 변화된 환경 속에 살고 있는지 느껴지지요?

오늘의 어휘

다음 낱말의 알맞은 뜻을 찾아 선으로 이으세요.

통 •	• 아무리 해도 조금도. 전혀.
내내 •	• 집이나 건물이 없는 빈 땅.
빈터 •	• 처음부터 끝까지 계속해서.
우두커니 •	• 정신, 기억이 흐릿해져 생각이 날 듯 말 듯한 모양.
가물가물 •	• 정신없이 한자리에 가만히 서 있거나 앉아 있는 모양.

1 다음 빈칸에 들어갈 알맞은 낱말을 오늘의 어휘에서 찾아 쓰세요.

- 마을의 [ ] 를 텃밭으로 꾸몄다.
- 개구리는 겨울 [ ] 겨울잠을 잔다.
- 시계를 어디에 두었는지 기억이 [ ] 하다.
- 그 이야기를 듣고 너무 놀라서 [ ] 서 있었다.
- 할머니께서는 저녁 내내 [ ] 입맛이 없다며 식사를 하지 않으셨다.

2 다음 글에서 밑줄 친 말과 뜻이 비슷한 말을 찾아 쓰세요.

> 매일같이 비가 내리더니 오늘은 날이 몹시 맑게 개었다. 학교가 끝나고 집으로 돌아가던 나는 파란 하늘에 둥둥 떠가는 그림 같은 구름이 너무 마음에 들어서 하늘을 보며 멍하니 서 있었다. 때마침 집에 오시던 아빠께서 그런 나를 보시고는 "채아야, 거기 우두커니 서서 뭐하니?" 하고 물으셨다.

( )

밤에 온 눈사람 ❸ | 이준연

글의 구조

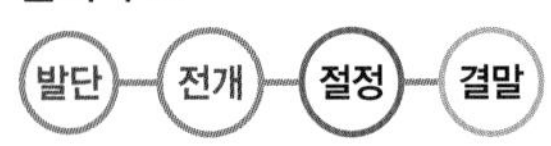

글자 수

"눈사람아, 너를 만든 사람이 누구니?"

몇 번을 물어봐도 눈사람은 **새하얀** 형광등 불빛을 받으면서 우두커니 서 있기만 했다.

다음 날 아침, 시골에서 편지가 왔다. 호가 보낸 편지였다. 저희 할머니 **병간호** 때문에 서울에 올 수 없다는 내용이었다.

"눈사람은 누가 만들었을까?"

이상한 일이었다.

눈이 쌓이면 한 번도 빠지지 않고 눈사람은 석이가 누워 있는 삼호실 창밖에 와 있었다. 더욱더 이상한 것은 눈이 오는 밤에만 와 있는 눈사람이다.

낮에는 **온데간데없고**, 눈송이들이 자애 병원 **뒤뜰**을 하얗게 덮으면, 눈사람은 약속이나 한 듯이 석이의 창 앞에 서 있었다.

가

석이는 커튼을 반쯤 열어 놓고 왼쪽 다리를 질질 끌면서 밖으로 나갔다.

〈중략〉

"아니, 청소부 할아버지가!"

청소부 할아버지는 하얀 옷을 입고 눈사람 모양을 한 탈을 쓰고 성큼성큼 걸어와서 은행나무 앞에 쭈그리고 앉아 있었다.

"할아버지, 할아버지!"

석이는 왼쪽 다리가 아직도 불편하다는 것을 **까마득하게** 잊어버리고 눈사람이 된 청소부 할아버지를 향해 뛰어갔다.

"으악."

석이는 하얀 눈 위에 쓰러졌다.

"석아!"

"할아버지!"

눈사람이 된 청소부 할아버지는 석이를 꼭 껴안았다.

밤하늘은 할아버지와 석이를 눈사람으로 만들어 놓기라도 할 듯이 자꾸자꾸 **함박눈**을 뿌려 주었다.

- **새하얀** 매우 하얀.
- **병간호** 병을 앓아 아픈 사람을 잘 보살핌.
- **온데간데없고** 감쪽같이 사라져 찾을 수가 없고.
- **뒤뜰** 집이나 건물의 뒤쪽에 있는 뜰.
- **까마득하게** 전혀 알지 못하거나 기억이 안 나서 막막하게.
- **함박눈** 큰 송이로 펑펑 내리는 눈.

중심 내용

1 석이가 겪은 일은 무엇인지 빈칸에 알맞은 말을 쓰세요.

석이는 눈이 오는 (   )에만 자신이 누워 있는 삼호실 병실 창밖에 와 있는 (   )의 정체에 대해 알게 되었다.

세부 내용

2 눈사람에 대해 석이가 이상하게 생각한 점으로 알맞은 것을 두 가지 고르세요.

(,   )

① 있던 자리를 계속 옮긴다.
② 낮에는 온데간데없이 사라진다.
③ 석이가 보지 못할 때만 나타난다.
④ 1년 내내 녹지 않고 그대로 있다.
⑤ 자신이 누워 있는 삼호실 창밖에만 나타난다.

표현

3 다음 설명에 알맞은 흉내 내는 말을 가에서 찾아 쓰세요.

(1) 다리가 바닥에 늘어지거나 닿아서 느리게 끌리는 소리나 모양.

(   )

(2) 다리를 계속 높이 들어서 크게 움직이는 모양. (   )

적용

4 청소부 할아버지에 대한 석이의 마음과 비슷한 마음을 느꼈을 친구를 찾아 쓰세요.

경수: 팔을 다쳐서 글씨를 쓸 수가 없었는데 짝꿍이 내 공책에 대신 필기를 해 주었어.

나림: 어제 숙제를 하고 분명히 공책을 가방에 챙겼는데, 학교에 와 보니 책가방에 공책이 없었어.

진희: 동생이 장난치다가 유리를 깼는데, 동생을 제대로 돌보지 못했다고 엄마가 나를 꾸중하셨어.

(   )

외짝 꽃신의 꿈 ❶ | 박성배

글의 구조

글자 수

사람이 잘 다니지 않는 풀숲에 **외짝** 꽃신이 하나 떨어져 있었습니다. 아침 나절에는 다람쥐 한 마리가 외짝 꽃신을 툭 건들고 지나갔습니다. 낮 무렵에는 개미 몇 마리가 꽃신 안을 돌아보고 물어 갈 먹이가 없자 곧 나가 버렸습니다. 외짝 꽃신은 자기 안에 아무것도 없어서 **허전했습니다**.

다음 날 찬 가을비가 내리자 그 꽃신 안에 빗물이 반쯤 담겼습니다. 5

"난 너희들을 품게 되어서 정말 기뻐!"

외롭게 지내던 외짝 꽃신이 신이 나서 빗물들에게 말했습니다.

"왜 내가 이런 엉뚱한 곳에 있는 거야?"

꽃신 안에 담긴 빗물들은 기뻐하는 꽃신과는 반대로 매우 불만스런 눈치였습니다. 10

"나하고 함께 있는 것이 싫어서 그러니?"

꽃신이 걱정이 되어 물었습니다.

"보면 모르겠니? 넌 우리 꿈을 망가뜨려 놓았어."

"내가 어떻게 너희들의 꿈을 망가뜨릴 수 있겠니?"

뜬금없이 빗물들의 **원망**을 들은 외짝 꽃신은 안타까운 마음으로 말했습니다. 15

"우리들이 하얀 구름이었을 때는 **널따란** 하늘을 마음껏 날아다녔어."

"그때 가졌던 꿈은 이런 것이 아니었지." 〈중략〉

"난 힘차게 쏟아져 내리는 폭포가 되고 싶었어."

"난 항상 즐겁게 노래 부르며 산골짜기를 따라 여행을 하는 시냇물이 되고 싶었지." 20

"난 넓은 바다로 가는 게 소원이었어. 커다란 배를 힘껏 밀어 보고 싶었거든."

"난 맑은 샘물이 되고 싶었어."

빗물들의 말을 들은 꽃신은 **여간** 미안하지가 않았습니다.

"내가 여기에 없었더라면 너희들은 지금쯤 너희들 꿈대로 되어 있을지도 모를 텐데……." 25

꽃신은 스스로 움직일 수만 있다면 빗물들을 모두 쏟아 주고 싶었습니다.

- **외짝** 짝을 이루지 못하고 단 하나만 있는 것.
- **허전했습니다** 주위에 아무것도 없어서 텅 빈 느낌이 있었습니다.
- **뜬금없이** 갑작스럽고도 엉뚱하게.
- **원망**(怨 원망할 원, 望 바랄 망) 못마땅하게 여겨 싫은 소리를 하거나 불평을 품고 미워함.
- **널따란** 꽤 넓은.
- **여간** 꽤 많이 생각할 정도로.

갈래

1 이 글에 대한 설명으로 알맞지 않은 것은 무엇인가요? (   )

① 등장인물이 직접 자신의 이야기를 하고 있다.
② 작가가 상상력을 발휘하여 꾸며낸 이야기이다.
③ 시간의 흐름에 따라 이야기를 풀어 나가고 있다.
④ 인물의 말과 행동을 통해 마음을 짐작할 수 있다.
⑤ 사람이 아닌 사물이 등장인물로 나와 이야기를 끌어간다.

세부 내용

2 이 글의 내용으로 알맞지 않은 것은 무엇인가요? (   )

① 외짝 꽃신은 빗물들을 보고 반가워했다.
② 꽃신은 사람이 잘 다니지 않는 풀숲에 있었다.
③ 찬 가을비가 내린 후 빗물이 꽃신에 반쯤 담겼다.
④ 다람쥐는 혼자 있는 외짝 꽃신의 친구가 되어 주었다.
⑤ 빗물들은 꽃신이 자신들의 꿈을 망가뜨렸다고 말했다.

세부 내용

3 빗물들의 원래 모습은 무엇인지 찾아 쓰세요.

(   )

감상

4 이 글을 읽고 말한 감상으로 알맞지 않은 것의 기호를 쓰세요.

㉮ 외짝 꽃신처럼 친구도 없이 혼자 있으면 나도 허전하고 외로운 마음이 들었을 것 같아서 슬펐어.
㉯ 하늘을 자유롭게 돌아다니던 구름들도 갑자기 빗물이 되어 생각하지도 못한 곳에 담기게 되니까 당황스러웠을 거야.
㉰ 외짝 꽃신이 스스로 움직일 수 있다면 빗물들을 모두 쏟아 주고 싶다고 생각하는 것을 보니 자기 자신만 생각하는 성격인 것 같아.

(   )

지문 분석

정답과 해설 13쪽

1 마음 변화 외짝 꽃신의 마음 변화를 생각하며 (   ) 안에 들어갈 알맞은 말에 ○표 하세요.

빗물들을 처음 만났을 때	→	빗물들과 대화를 나눈 후
혼자 있다가 빗물들과 함께 있게 되어서 몹시 (기쁨, 불쾌함).	→	자신이 빗물들의 꿈을 이루지 못하게 한 것 같아 (그리움, 안타까움).

2 인물 특징 외짝 꽃신과 빗물들의 행동을 생각하여 보기 에서 알맞은 말을 찾아 빈칸에 쓰세요.

보기

꿈　　원망　　미안　　절망

외짝 꽃신	↔	빗물들
빗물들에게 ( )해 하며 빗물들의 ( )을 이루어 주고 싶어 함.	↔	외짝 꽃신에 담기는 바람에 꿈이 망가졌다고 꽃신을 ( ) 하며 투덜거림.

배경지식 아이들을 위한 따뜻하고 아름다운 동화를 쓴 박성배 작가

박성배 작가는 1946년 전라남도 무안에서 태어나 초 · 중 · 고등학교를 목포에서 다닌 후 1968년 서울 교육대학교를 졸업했습니다. 이후 초등학교 교단에서 아이들을 가르치며 작가로 활동하여 한국 아동 문학 작가상, 대한민국 문학상 우수상, 한국 동화 문학상 등을 수상했습니다. 대표적인 작품으로는 「달밤에 탄 스케이트」, 「천사의 눈」, 「꿈꾸는 아이」 등이 있습니다. 이 이야기는 박성배 작가의 책 『행복한 비밀 하나』에 실린 작품으로, 상대방을 배려하고 주위에 감사하는 마음을 가질 수 있게 해 주는 따뜻하고 아름다운 동화입니다. 이 이야기를 읽고 재미있었다면 박성배 작가의 다른 이야기들도 한번 찾아서 읽어 보면 어떨까요?

오늘의 어휘

다음 낱말의 알맞은 뜻을 찾아 선으로 이으세요.

외짝 •	• 꽤 많이 생각할 정도로.
원망 •	• 갑작스럽고도 엉뚱하게.
여간 •	• 짝을 이루지 못하고 단 하나만 있는 것.
뜬금없이 •	• 아침밥을 먹은 뒤부터 점심밥을 먹기 전까지의 동안.
아침나절 •	• 못마땅하게 여겨 싫은 소리를 하거나 불평을 품고 미워함.

1 다음 빈칸에 들어갈 알맞은 말을 오늘의 어휘에서 찾아 쓰세요.

- 오늘은 날씨가 [ ] 추운 게 아니다.
- 아저씨는 도깨비처럼 [ ] 나타났다.
- [ ]에 친구가 놀자며 집으로 찾아왔다.
- 영수는 신발 한 짝을 잃어버리고 [ ] 신발로 걸어갔다.
- 백성들은 흉년에도 세금을 걷는 관리들을 몹시 [ ]했다.

2 다음 글에서 밑줄 친 말과 뜻이 비슷한 말을 찾아 쓰세요.

자연재해는 뜬금없이 우리를 덮치지 않는다. 산사태, 지진과 같은 자연재해는 발생하기 전에 우리에게 반드시 신호를 준다. 그래서 그 신호를 먼저 파악하고 자연재해를 피할 수 있게 해 주는 기술도 점차 발전하고 있다. 그럼에도 불구하고, <u>갑작스럽게</u> 오는 자연재해를 완벽하게 막을 수는 없으므로 위험 상황을 피할 수 있는 방법도 미리 알아 두는 것이 중요하다.

( )

외짝 꽃신의 꿈 ❷ | 박성배

글의 구조

글자 수

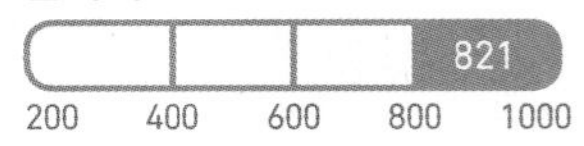

외짝 꽃신은 **단꿈**을 꾸듯 옛날을 생각하며 말하기 시작했습니다.

"어느 날 엄마 품에 업혀 외갓집에 가던 꼬마가 깜빡 잠이 들어 버렸어. 내가 떨어진 줄도 모르고 말이야. 난 있는 힘을 다해 데려가 달라고 소리쳤어. 하지만 사람들이 나의 목소리를 들을 수 있어야지. 결국 난 이렇게 **외톨이**가 되고 말았어." 5

"그랬었구나."

빗물들은 자기들 생각만 하고 투덜거린 것이 미안했습니다.

"너도 꿈이 있었니?"

빗물들이 **착** 가라앉은 분위기를 바꾸려는 듯 물었습니다.

"꼬마의 귀여운 발을 품고 있을 때는 다른 꿈이 없었어. 난 꼬마의 예쁜 발을 품고 사는 것만으로 행복했거든." 10

"그럼 지금은 다른 꿈이 생겼다는 말이니?"

"응! 아주 작은 꿈이야!"

"어떤 꿈인데?" / "꼬마가 나를 잊지 않고 생각해 주었으면 하는 거야."

〈중략〉 15

"참, 또 하나 방금 생긴 꿈이 있어."

외짝 꽃신이 갑자기 생각난 듯 말했습니다.

"그게 뭔데?" / 빗물들이 한꺼번에 물었습니다.

"너희들이 행복해지는 거야." / "우리들이 행복해지는 거라고?"

빗물들은 **난처했습니다**. 자기들이 이 작은 꽃신 안에 갇혀서는 **도저히** 행복해질 수가 없다고 생각했기 때문입니다. 20

그때 빗물 밑에 조용히 있던 작은 풀잎이 혼잣말처럼 중얼거렸습니다.

"행복이란 남을 위해 무슨 일인가 할 때 생기는 거야."

빗물들은 자기 밑에 있는 풀잎들을 바라보았습니다. 바싹 마르고 **볼품**이 없어서 빗물들도 관심을 두지 않았던 풀잎이었습니다. 〈중략〉 25

"난 더운 여름도 이겨 내고 **폭풍우**도 이겨 내며 작은 풀씨를 만들었지. 그 풀씨들은 내년 봄이면 싹이 터서 이 풀밭을 푸르게 만들 거야. 그럼 동물들과 곤충들이 행복하게 살 수 있게 될 거야."

마른 풀잎은 자랑스럽게 말했습니다.

- **단꿈** 기분 좋은 달콤한 꿈.
- **외톨이** 묶여 있는 곳도 없고 도움을 받을 데도 없는 혼자인 사람.
- **착** 분위기나 감정 등이 가라앉는 모양.
- **난처했습니다** 이럴 수도 없고 저럴 수도 없어 행동하기 어려웠습니다.
- **도저히** 아무리 해도.
- **볼품** 겉으로 드러나 보이는 모습.
- **폭풍우** 몹시 바람이 세게 불면서 쏟아지는 큰비.

갈래

1 이 글에 나온 인물은 누구인지 모두 ○표 하세요.

풀잎	풀씨	외짝 꽃신	곤충	빗물들

세부 내용

2 이 글의 내용으로 알맞지 않은 것은 무엇인가요? (   )

① 외짝 꽃신은 꼬마와 함께 있을 때는 꿈이 없었다.
② 외짝 꽃신은 원래 꼬마가 신고 다니던 신발이었다.
③ 빗물들은 바싹 마르고 볼품없는 풀잎에게 관심이 없었다.
④ 마른 풀잎은 더운 여름과 폭풍우를 이기고 풀씨를 만들어냈다.
⑤ 꽃신의 주인은 데려가 달라는 외짝 꽃신의 목소리를 한참 후에 들었다.

세부 내용

3 외짝 꽃신의 꿈을 들은 빗물들이 난처해한 까닭은 무엇인가요? (   )

① 행복하다는 것이 무슨 뜻인지 잘 몰라서
② 풀잎이 말하는 도중에 갑자기 끼어들어서
③ 자기들은 꽃신 안에서는 행복해질 수 없다고 생각해서
④ 자기들 생각만 하고 꽃신에게 투덜거린 것이 미안해서
⑤ 꽃신의 원래 주인을 찾아 주는 것은 들어주기 어려운 일이어서

적용

4 이 글의 '풀잎'과 가장 비슷한 생각으로 행동한 친구는 누구인지 기호를 쓰세요.

㉮ 매일 공부를 열심히 해서 시험에서 좋은 성적을 받은 현수
㉯ 용돈을 모아서 갖고 싶었던 휴대 전화를 사고 뛸 듯이 기뻐하는 윤지
㉰ 몰래 설거지를 하고 엄마가 기뻐하시는 모습을 보며 행복해하는 지민

(   )

지문 분석

정답과 해설 14쪽

시간의 흐름에 따라 외짝 꽃신의 꿈이 어떻게 바뀌었는지 정리하여 (   ) 안에 들어갈 알맞은 말에 ○표 하세요.

일이 일어난 때	외짝 꽃신의 꿈
꼬마의 귀여운 발을 품고 있을 때	(행복, 불행)했기 때문에 다른 꿈이 없었음.
꼬마의 발에서 떨어진 뒤	(빗물, 꼬마)이/가 자신을 잊지 않고 생각해 주기를 바람.
빗물들을 품었을 때	(풀잎, 빗물들)이 행복해지기를 바람.

2 인물 특징

꽃신과 풀잎이 한 말을 생각하며 보기에서 알맞은 말을 찾아 빈칸에 쓰세요.

보기

자신　　남

꽃신과 풀잎	( )을 위해 무슨 일인가 할 때 행복하다고 생각함.

배경지식 우리나라의 전통 옷인 한복과 짝을 이루는 꽃신, '수혜'

이 이야기에 등장하는 '꽃신'은 옛날 우리나라의 전통 옷인 한복에 갖추어 신던 신발인 '수혜'를 말합니다. 수혜는 여러 가지 모양으로 장식했는데, 주로 여성들이 멋을 부리기 위해 신었습니다. 옛날에 양반들은 가죽으로 만든 신발을 신었습니다. 이 가죽 신발은 손으로 수십 번을 만져야 만들 수 있었습니다. 양반들이 신는 가죽 신발을 만들어 주는 기술을 가진 사람을 '갖바치'라고 불렀는데, 갖바치는 나이와 성별에 맞추어 각각의 사람의 발에 맞는 신발을 만들어 주었고, 이런 가죽 신발은 신으면 신을수록 주인의 발에 꼭 맞는 좋은 신발이 되었다고 합니다.

오늘의 어휘

정답과 해설 14쪽

다음 낱말의 알맞은 뜻을 찾아 선으로 이으세요.

볼품 •	• 아무리 해도.
외톨이 •	• 겉으로 드러나 보이는 모습.
혼잣말 •	• 말을 하는 상대가 없이 혼자서 하는 말.
도저히 •	• 몹시 바람이 세게 불면서 쏟아지는 큰비.
폭풍우 •	• 묶여 있는 곳도 없고 도움을 받을 데도 없는 혼자인 사람.

1 다음 빈칸에 들어갈 알맞은 말을 오늘의 어휘에서 찾아 쓰세요.

- 동생은 들리지 않게 [　　　　]을 중얼거렸다.
- 저 나무는 구석에 [　　　　]처럼 홀로 서 있다.
- 거센 [　　　　]가 치는 바람에 배가 뜨지 못했다.
- 이 수학 문제는 어려워서 [　　　　] 풀 수가 없다.
- 낡고 [　　　　]이 없어 보이지만 나에게는 무척 소중한 가방이다.

2 다음 글에서 밑줄 친 말과 뜻이 비슷한 말을 찾아 쓰세요.

'문화재' 하면 떠올리는 것은 거대한 건축물이나 금관처럼 겉모습이 화려한 국보급 문화재일 것이다. 그러나 문화재 중에서 낡은 나무 궤짝이나 녹슬고 오래된 숟가락 같이 보기에 볼품이 없는 물건들도 있다. 값비싸고 귀한 것뿐만 아니라, 조상의 삶과 지혜가 담긴 물건이라면 무엇이든 문화재가 될 수 있기 때문이다.

(　　　　　　　　)

외짝 꽃신의 꿈 ❸ | 박성배

글의 구조

발단 — 전개 — 절정 — 결말

글자 수

856

200 400 600 800 1000

밤이 되었습니다.

"이것 봐. 별님이 찾아왔어!"

외짝 꽃신은 신기해하며 **마냥** 좋아했습니다. 꼬마의 **보드라운** 발 대신 몇 **움큼**의 빗물을 안은 꽃신은 옛날처럼 행복했습니다. 그러나 곧 빗물들의 눈치를 보며 작은 소리로 말했습니다. 5

"하지만 난 다시 외톨이가 되어도 좋아. 너희들의 꿈만 이루어질 수 있다면 말이야."

빗물들은 서로 약속이라도 한 듯이 한목소리로 말했습니다.

"우린 여기 갇혀서 아무짝에도 쓸모가 없는 물이 되는 줄 알았어."

빗물들은 행복해하는 꽃신을 보며 **덩달아** 흐뭇했습니다. 10

다음 날은 햇빛이 쨍쨍 **내리쬐었습니다**. 꽃신 안에 담겼던 빗물들의 몸이 가벼워지기 시작했습니다. 그러다가 아주 작은 **수증기**가 되어 조금씩 떠오르기 시작했습니다.

"우리가 구름이 되어 다시 꿈을 갖게 된다면 네 안에 담겨서 너를 행복하게 해 주는 것이 될지도 모르겠어." 15

수증기가 된 빗물들은 이렇게 말하며 햇살을 타고 하늘로 올라갔습니다.

"고마워, 고마워, 정말 고마워!"

외짝 꽃신은 자기를 생각해 준 빗물들의 말에 정말 행복했습니다.

그날 오후였습니다. 무대의 막이 올라가듯 구름이 **걷히고** 햇살이 비쳤습니다. 그러자 외짝 꽃신이 놓여 있는 풀밭 위로 예쁜 무지개가 떴습니다, 외짝 꽃신의 색깔을 닮은 예쁜 무지개였습니다. 20

풀숲에 버려진 외짝 꽃신은 두근거리는 마음으로 무지개를 바라보고 있었습니다. 자기를 위해 예쁜 무지개를 만들어 준 빗물들이 고마웠습니다.

풀숲 아래 마을에선 인형처럼 예쁜 여자아이가 무지개를 바라보고 있었습니다. 그 여자아이는 풀숲에 떨어진 꽃신과 똑같은 외짝 꽃신을 들고 있었습니다. 25

"엄마, 꽃신. 내 꽃신."

여자아이는 무지개를 가리키며 소리쳤습니다.

여러분은 그 여자아이가 누구인지 아시겠지요?

참, 외짝 꽃신의 꿈은 어떻게 되었나요? 30

- **마냥** 보통의 정도를 넘어 몹시.
- **보드라운** 닿거나 스치는 느낌이 거칠거나 뻣뻣하지 않은.
- **움큼** 손으로 한 주먹 움켜쥘 만한 분량을 세는 단위.
- **덩달아** 어떤 사정인지 모르고 남이 하는 대로 따라.
- **내리쬐었습니다** 햇볕이 세차게 아래로 비치었습니다.
- **수증기** 물이 액체 상태에서 기체 상태로 바뀐 것.
- **걷히고** 구름이나 안개가 흩어져 없어지고.

중심 내용

1 **이 글에서 가장 중요한 일은 무엇인가요? (　　　　)**

① 외짝 꽃신 안에 별님이 찾아온 일
② 빗물들이 떠나고 외짝 꽃신이 외톨이가 된 일
③ 외짝 꽃신이 꼬마의 보드라운 발을 다시 찾은 일
④ 빗물들이 외짝 꽃신 안에 다시 돌아오기로 약속한 일
⑤ 빗물들이 외짝 꽃신의 마음을 이해하고 외짝 꽃신을 행복하게 해 준 일

세부 내용

2 **빗물들은 무엇이 되어 하늘로 올라갔는지 찾아 쓰세요.**

아주 작은 (　　　　　　　　)

세부 내용

3 **하늘로 올라가게 된 빗물들이 구름이 된다면 가지게 될 것 같다고 말한 꿈은 무엇인가요? (　　　　)**

① 외짝 꽃신이 자기들을 잊지 않는 것
② 다시 흰색 구름이 되어 꽃신에 비치는 것
③ 외짝 꽃신의 색깔을 닮은 무지개가 되는 것
④ 예쁜 꽃신으로 태어나 여자아이를 만나는 것
⑤ 다시 꽃신 안에 담겨 꽃신을 행복하게 하는 것

추론

4 **이 글을 읽고 알맞게 짐작하여 말하지 못한 친구는 누구인지 쓰세요.**

규민: 하늘로 올라갔던 빗물들이 외짝 꽃신의 행복을 바라면서 무지개를 만든 거야.
현우: 무지개를 보며 꽃신을 떠올린 여자아이는 아마 꽃신을 잃어버린 외짝 꽃신의 주인일 거야.
유정: 무지개를 보고 여자아이가 외짝 꽃신을 찾으러 왔으니 결국 외짝 꽃신의 꿈이 이루어진 것 같아.

(　　　　　　　　)

지문 분석

정답과 해설 15쪽

1 사건 파악 **이 글에서 일어난 일을 순서대로 정리하여 빈칸에 기호를 쓰세요.**

보기
㉮ 구름이 걷히며 햇살이 비쳤고, 무지개가 뜸.
㉯ 빗물에 비친 별을 보고 행복해하는 꽃신을 보며 빗물들이 흐뭇해함.
㉰ 햇빛이 쨍쨍 내리쬐고, 꽃신 안에 담긴 빗물들이 수증기가 되어 하늘로 올라감.
㉱ 외짝 꽃신은 무지개를 만들어 준 빗물에게 고마워하고, 풀숲 아래 마을의 여자아이는 무지개를 보며 외짝 꽃신을 떠올림.

밤	→	다음 날

2 주제 **이 글의 내용을 보고 빈칸에 알맞은 말을 써넣어 주제를 완성하세요.**

글의 내용	→	이 글의 주제
자신보다 남의 행복을 먼저 생각하고 바라는 (　　　　　)과 풀잎 모습을 보며, (　　　　　)도 외짝 꽃신이 행복해지기를 바람.		• (　　　　　)이란 남을 위해 무슨 일인가 할 때 생기는 것임. • 자신보다 남을 먼저 위할 줄 알아야 함.

배경지식 **「외짝 꽃신의 꿈」 전체 줄거리**

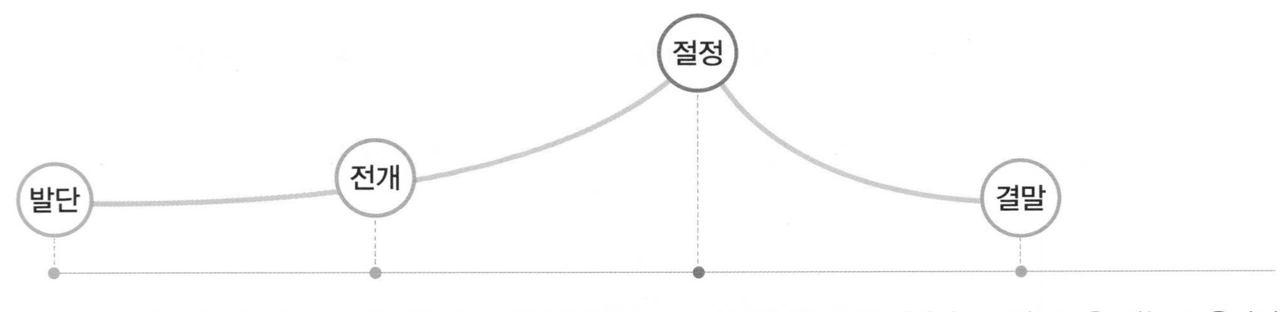

발단	전개	절정	결말
어느 날 비가 온 후 풀숲에 버려져 있던 외짝 꽃신 안에 빗물이 담김.	꽃신은 자신 안에 빗물이 담겨 기뻐하지만, 빗물은 꽃신이 자신들의 꿈을 망쳤다며 투덜거림.	남의 행복을 먼저 생각하는 외짝 꽃신과 풀잎의 이야기를 듣고 빗물들도 생각이 바뀜.	빗물들은 하늘로 올라가서 꽃신을 위해 무지개를 만들고, 외짝 꽃신의 꿈이 이루어짐.

오늘의 어휘

다음 낱말의 알맞은 뜻을 찾아 선으로 이으세요.

낱말	뜻
움큼 •	• 여럿이 함께 내는 하나의 목소리.
수증기 •	• 물이 액체 상태에서 기체 상태로 바뀐 것.
덩달아 •	• 어떤 사정인지 모르고 남이 하는 대로 따라.
보드라운 •	• 손으로 한 주먹 움켜쥘 만한 분량을 세는 단위.
한목소리 •	• 닿거나 스치는 느낌이 거칠거나 빳빳하지 않은.

1 다음 빈칸에 들어갈 알맞은 말을 오늘의 어휘에서 찾아 쓰세요.

- 물을 끓이면 (   )가 생긴다.
- 이 담요는 만지면 굉장히 (   ) 느낌이 든다.
- 모두들 웃는 모습에 나도 (   ) 크게 웃었다.
- 고양이의 몸에서 매일 털이 한 (   )씩 빠진다.
- 여러 사람이 부르는 노랫소리가 (   )처럼 들렸다.

2 다음 글에서 밑줄 친 말과 뜻이 비슷한 말을 찾아 쓰세요.

등산을 가시는 아버지를 따라 가을 산에 올랐다. 산에 오르니 나무에서 떨어진 밤이 여기저기에 떨어져 있었다. 신이 나서 가방 한 가득 주웠는데, 아버지께서 한 줌 정도만 가져가라고 하셨다. 산에 살며 도토리나 밤을 주워 겨울을 준비해야 하는 동물들을 위해서 하신 말씀이었다. 가방에 담았던 밤을 바닥에 다시 잘 내려놓고, 예쁜 알들로 한 움큼 주워 산에서 내려왔다.

(   )

잘못 뽑은 반장 ❶ | 이은재

[앞부분 이야기] 말썽꾸러기에 꼴통으로 불리던 로운이는 2학기가 되어 대광이와 함께 장난삼아 반장 선거에 나가기로 한다. 선거에 나간다는 말에 주변 친구들이 빈정거리자 오기가 생긴 로운이는 다섯 표를 얻는 것을 목표로 하여 반 친구들에게 선거 운동을 하고, 반장 선거 연설을 하게 된다.

글의 구조: 발단 – 전개 – 절정 – 결말

글자 수: 905 (200 / 400 / 600 / 800 / 1000)

"다음 후보, 이로운!"

여기저기서 킥킥대는 소리가 났다. 약이 올랐지만 꾹 참고 앞으로 성큼성큼 걸어 나갔다. 교탁 앞에 서서 보니 반 아이들 얼굴이 무척 낯설었다. 창가 쪽에서 제하가 보기 싫게 **느물느물** 웃고 있었다. 내가 어떻게 하는지 두고 보자는 얼굴이었다. 언제 봐도 기분 나쁜 녀석이었다. 5

'그래, 어디 한번 봐라. 나도 **망신**만 당하고 떨어지지는 않을 거야!'

나는 마음을 굳게 먹었다. 이럴 때 텔레비전에 나오는 사회자들처럼 사람들 혼을 쏙 뺄 만큼 재미있게 말을 할 수 있으면 얼마나 좋을까. 나는 어쩜 이렇게 내세울 재주가 하나도 없는지 모르겠다. 그래도 뭐든지 말을 해야만 하였다. 교실 안의 눈동자들이 모두 나를 보고 있었다. 다리가 후들거리고 10 눈앞이 캄캄하였다. 에라, 모르겠다.

"안녕하세요, 이로운입니다."

우선 교실이 **들썩일** 정도로 **우렁차게** 인사하였다. 아이들이 와르르 웃었다.

"누가 모르나?" / 코앞에 앉은 정규가 중얼거렸다. 저걸 그냥!

"저를 반장으로 뽑아 주시면 여러분의 **머슴**이 되겠습니다. 머슴처럼 시키 15 는 일은 뭐든지 다 하고, 언제 어디서나 여러분을 돕겠습니다. 머슴이 필요하신 분은 저를 꼭 뽑아 주세요. 부탁드립니다."

㉠ 아이들은 더 큰 소리로 웃기 시작하였다. 손바닥으로 책상을 탕탕 치는 아이들이 있었다.

"아, 진짜예요. 거짓말이 아닙니다. 믿어 주세요. 반장으로 뽑아 주기 싫 20 으면 부반장이라도 괜찮습니다."

나는 아까보다 더 큰 소리로 말하였다. 배에 힘을 주고 말하다 보니 떨리는 마음도 사라졌다. 아이들은 여전히 교실이 흔들리도록 웃기만 하였다. 선생님도 고개를 절레절레 흔들면서 웃었다. 이상하였다. 내 연설이 그렇게 우습나! 모두들 나를 웃음거리로 여기는 것 같아서 속상하였다. 하지만 그게 25 아주 나쁜 일은 아닌 것 같았다. 후보들 중에 나처럼 아이들을 신나게 웃긴 사람도 없었으니까.

- **느물느물** 행동이나 말을 자꾸 엉큼하게 하는 모양.
- **망신** 말이나 행동을 잘못하여 자기의 지위, 명예, 체면이 상함.
- **들썩일** 들렸다 내려앉았다 할.
- **우렁차게** 매우 씩씩하고 힘차게.
- **머슴** 주로 농가에 고용되어 그 집의 농사일이나 여러 가지 일을 해 주고 돈을 받는 남자.

중심 내용

1 **이 글에서 가장 중요한 일은 무엇인지 빈칸에 알맞은 말을 쓰세요.**

이로운이 (   )에 나가서 연설을 한 일

세부 내용

2 **이 글의 내용으로 알맞지 않은 것은 무엇인가요? (   )**

① 로운이는 장난삼아 반장 선거에 나갔다.
② 후보들 중에 로운이만큼 아이들을 웃긴 친구는 없었다.
③ 로운이는 연설을 하러 나가서 큰 목소리로 인사를 했다.
④ 로운이는 반장이 아니라 부반장이 되어도 괜찮다고 했다.
⑤ 아이들은 로운이가 연설에 나와 무슨 말을 할지 숨을 죽이고 기다렸다.

세부 내용

3 **로운이의 말을 들은 아이들이 ㉠처럼 행동한 까닭은 무엇인가요? (   )**

① 로운이가 재미있는 농담을 해서
② 로운이가 부반장으로라도 뽑아 달라고 해서
③ 로운이가 긴장해서 떨고 있는 모습이 우스워서
④ 로운이가 텔레비전에 나오는 사회자처럼 말을 잘해서
⑤ 말썽꾸러기 로운이가 반장이 되면 반 아이들의 머슴이 되겠다고 해서

추론

4 **이 글에 등장하는 인물에 대해 알맞게 말하지 않은 것은 무엇인가요? (   )**

① 로운이는 평소에 제하를 별로 좋아하지 않았어.
② 로운이는 자신을 바라보는 제하를 보고 기분 나빠했어.
③ 제하는 반장 선거에 나간 로운이를 떨리는 마음으로 응원했어.
④ 로운이는 정규가 빈정거리듯이 말하는 것을 듣고 기분이 상했어.
⑤ 반 아이들은 로운이가 반장 선거에 나간 것을 장난처럼 생각했어.

지문 분석

정답과 해설 16쪽

1 인물 특징 이 글의 중심인물인 로운이에 대해 생각하며 (   ) 안에 알맞은 말에 ○표 하세요.

이로운

- (반장, 회장) 선거에 나감.
- 같은 반인 제하와 사이가 (좋음, 좋지 않음).
- 선거 연설에서 아이들을 (웃김, 울림).
- 반장이 되면 반 아이들의 (주인, 머슴)이 되겠다고 함.

2 마음 변화 상황에 따른 로운이의 마음 변화를 생각하여 (   ) 안에 들어갈 알맞은 말에 ○표 하세요.

상황	로운이의 마음
연설을 하기 위해 교탁 앞에 섬.	(긴장되어서, 무서워서) 다리가 후들거리고 눈앞이 캄캄함.
↓	
연설을 마무리함.	떨리는 마음은 사라졌지만, 아이들이 자신을 웃음거리로 여기는 것 같아서 (속상함, 부끄러움).

배경지식 이야기 속에서 일어나는 '갈등'이란 무엇일까요?

이야기 속에서의 '갈등'은 인물이 다른 주변 인물들과 생각이나 의견이 맞지 않아 발생하는 충돌을 말합니다. 갈등은 한 인물의 마음 속에서 일어나기도 하고, 인물과 인물 사이에서 일어나기도 합니다. 이야기에서 갈등은 인물 사이의 관계를 이해할 수 있도록 해 주고, 읽는 이에게 긴장감과 흥미를 불러일으킵니다. 또한 갈등에 대해 파악하고 해결하는 과정을 통해 우리가 겪는 갈등을 풀어 나가는 방법을 찾을 때에 도움을 얻을 수 있습니다. 이 이야기에서는 로운이와 제하, 로운이와 선생님 사이의 갈등을 찾아볼 수 있습니다.

정답과 해설 16쪽

오늘의 어휘

다음 낱말의 알맞은 뜻을 찾아 선으로 이으세요.

낱말	뜻
오기	들렸다 내려앉았다 할.
망신	매우 씩씩하고 힘차게.
들썩일	남에게 지기 싫어하는 마음.
우렁차게	팔다리나 몸이 자꾸 크게 떨리고.
후들거리고	말이나 행동을 잘못하여 자기의 지위, 명예, 체면이 상함.

1 다음 빈칸에 들어갈 알맞은 말을 오늘의 어휘에서 찾아 쓰세요.

- 운동장에 모인 아이들이 ( ) 함성을 질렀다.
- 친구는 잘난 척을 하다가 톡톡히 ( )을 당했다.
- 소희는 어깨가 ( ) 만큼 크게 소리를 내며 웃었다.
- 꼴찌로 달리던 나는 ( )가 생겨 더 열심히 달렸다.
- 친구들 앞에 나가 발표하려니 몸이 ( ) 몹시 긴장되었다.

2 다음 글에서 밑줄 친 말과 뜻이 비슷한 말을 찾아 쓰세요.

사람들은 예로부터 작은 몸집에 뼈대가 부실한 꼴뚜기를 별 볼 일 없고 가치가 낮은 것에 비유하였다. 그래서 '어물전 망신은 꼴뚜기가 시킨다'는 속담은 못난 사람이 주변 사람을 망신시킨다는 뜻이다. 화려한 수산물이 가득한 어물전에서 생김새가 볼품없는 꼴뚜기가 함께 있는 것만으로도 다른 수산물의 가치가 떨어져 창피하다고 생각한 것이다.

( )

잘못 뽑은 반장 ❷ | 이은재

[중간 이야기] 로운이가 반장이 된 후 1학기 반장인 황제하가 반장 도우미를 맡게 된다. 처음에는 반장 역할을 엉망으로 하던 로운이는 친구들을 도우며 점점 반장으로 인정받게 되지만, 제하와는 여전히 사이가 좋지 않다. 어느 날 미술 시간에 로운이는 제하가 친구들의 그림을 베끼는 것을 보게 된다.

글의 구조
발단 — 전개 — 절정 — 결말

글자 수
871
200 400 600 800 1000

"역시 황제하는 다르구나. 좋아, 좋아. 오늘도 네 그림이 제일 좋다. 최고야, 최고. 이 그림은 미술실에 **당분간** 걸어 놔야겠다."

선생님은 ㉠ 입에 침이 마르도록 칭찬을 쏟아냈다. 아이들은 부러운 눈으로 제하를 쳐다보았고, 제하는 어깨를 더 꼿꼿이 폈다. 그 꼴을 보고 있으려니 속이 뒤틀려서 가만히 있을 수가 없었다. 5

"선생님, 제하는 다른 애들이 그린 그림을 보고 잘된 부분만 그대로 베껴 그렸어요. 그렇게 그린 그림이 뭐가 좋아요?"

나는 벌떡 일어나서 소리쳤다.

"이로운, 너 지금 무슨 소리를 하는 거야?"

선생님은 오히려 나에게 화를 냈다. 10

"진짜예요. 아까 저 자식이 다른 애들 그림 베끼는 걸 다 봤단 말이에요."

"너 자꾸 이상한 소리 할래? 제하가 어디 그런 짓을 할 애야?"

선생님은 끝까지 제하를 편들고 나섰다. 하지만 제하는 달랐다. 내 말을 들은 그 순간부터 당황하는 **기색**이 **역력했다**. 내가 조금도 움츠러들지 않자 선생님은 고개를 갸웃거리다가 말했다. 15

"제하야, 로운이 말이 사실이니?"

"아, 아니에요." / 제하는 떨리는 목소리로 대답했다.

"그럼 그렇지. 로운이 너, 뭣 때문에 그런 거짓말을 하는 거야? 제하한테 무슨 **앙심**이라도 품은 거니?"

"거짓말이 아니에요. 진짜라고요." 20

나는 답답해서 가슴을 탕탕 쳤다. 하지만 선생님은 고개를 절레절레 흔들면서 내 말을 무시했다. 그 때 채영이가 **쭈뼛거리며** 자리에서 일어났다.

"선생님, 사실은 저도 제하가 제 그림을 베끼는 걸 알고 있었어요. 자꾸 제 그림을 **흘낏거려서** 좀 이상하다고 생각했는데 나중에 보니까 제가 그린 나무를 똑같이 그렸지 뭐예요! 전에도 그런 적이 있었는데……." 25

다들 채영이 말에 놀란 토끼처럼 눈을 크게 떴다. 아, 채영이가 내 편을 들어 주다니! 나는 백만대군이라도 얻은 것처럼 기운이 솟았다.

- **당분간** 앞으로 어느 정도의 시간 동안.
- **기색** 생각이나 감정이 얼굴이나 행동에 나타나는 것.
- **역력했다** 흔적이나 기억 등이 환히 알 수 있게 또렷했다.
- **앙심**(怏 원망할 앙, 心 마음 심) 원한을 품고 똑같이 갚아 주려고 단단히 먹은 마음.
- **쭈뼛거리며** 자꾸 머뭇거리거나 망설이며.
- **흘낏거려서** 못마땅하게 여겨서 눈동자를 옆으로 굴려 노려보면서.

갈래

1 **이 글에 대한 설명으로 알맞지 않은 것은 무엇인가요? (　　　　)**

① 이 글의 말하는 이는 주인공인 '나'이다.
② 있음 직한 이야기를 상상하여 쓴 글이다.
③ 영화를 찍기 위해 장면을 나누어서 쓴 글이다.
④ 인물들 사이에 갈등이 일어나며 이야기가 펼쳐진다.
⑤ 인물의 말과 행동을 통해서 인물의 성격을 알 수 있다.

세부 내용

2 **제하가 칭찬 받는 모습을 본 로운이의 행동으로 알맞은 것은 무엇인가요? (　　　　)**

① 채영이에게 제하가 한 일을 밝히라고 말했다.
② 제하를 못마땅해하며 선생님 앞에서 괴롭혔다.
③ 제하가 한 일을 자신이 본 대로 선생님께 말씀드렸다.
④ 제하에게 네가 한 일을 솔직하게 밝히라며 소리를 쳤다.
⑤ 제하가 친구들의 그림에서 베껴 그린 부분을 찾아 선생님께 보여드렸다.

표현

3 **㉠의 뜻으로 알맞은 것은 무엇인가요? (　　　　)**

① 침을 마구 튀기며
② 처음 듣는 말을 하며
③ 전혀 관련 없는 말을 하며
④ 같은 말을 여러 번 반복해서 하며
⑤ 듣는 사람을 혼란스럽게 하는 말을 하며

추론

4 **이 글을 읽고 내용을 짐작하여 말한 것으로 알맞지 않은 것의 기호를 쓰세요.**

㉮ 채영이가 말한 내용을 보니 제하가 친구들의 그림을 베낀 건 이번이 처음이었던 것 같아.
㉯ 제하가 로운이의 말을 듣고 당황하고, 선생님께도 당당하게 아니라고 말하지 못하는 걸 보니 친구들의 그림을 베낀 게 사실이었나 봐.
㉰ 선생님께서는 제하를 믿고 있었기 때문에 오히려 로운이에게 화를 내셨는데, 채영이까지 제하가 그림을 베꼈다고 말해서 당황스러우셨을 것 같아.

(　　　　　　　　)

지문 분석

정답과 해설 17쪽

1 사건 전개 일이 일어난 순서대로 보기 에서 기호를 찾아 써넣어 글의 내용을 정리하세요.

보기
㉮ 선생님이 제하의 그림을 칭찬하심.
㉯ 선생님은 오히려 로운이에게 화를 내고 제하의 편을 듦.
㉰ 채영이는 제하가 자신의 그림을 베꼈다며 로운이의 편을 듦.
㉱ 로운이는 선생님에게 제하가 다른 아이들의 그림을 베꼈다고 말함.

(　　　) → (　　　) → (　　　) → (　　　)

2 갈등 이 글에 나타난 인물의 관계를 생각하며 보기 에서 알맞은 말을 찾아 빈칸에 쓰세요.

보기
친구들　　선생님　　거짓말　　갈등　　협조

이로운	선생님
제하가 한 일을 사실대로 말했지만 (　　　　)이 믿지 않아 답답해함.	제하에 대한 믿음이 있으며, 로운이가 (　　　　)을 한다고 생각함.

↓

이로운과 선생님은 서로 (　　　　)하는 관계에 놓여 있음.

배경지식 남의 그림을 베끼면 법으로 처벌 받을 수 있다고요?

제하는 친구들의 그림에서 잘된 부분만 그대로 베껴서 자신의 그림으로 만들었습니다. 그런데 이런 행동이 법으로 처벌 받을 수 있는 잘못된 행동이라는 것을 알고 있나요? 바로 '저작권 침해'에 해당하기 때문입니다.

저작권은 어떤 저작물을 만든 사람이 갖는 권리로, 저작물에는 글, 미술 작품, 영화, 음악, 사진, 컴퓨터 프로그램 등 다양한 것이 있습니다. 우리가 숙제를 하면서 무심코 찾아서 베낀 블로그의 글, 사진 등도 주인이 없다고 생각하고 마음대로 사용하면 절대로 안 되는 것이 그 이유입니다. 다른 사람의 저작물을 이용할 때에는 만든 사람의 허락을 반드시 받고, 출처를 정확히 표시해 주어야 한답니다.

오늘의 어휘

다음 낱말의 알맞은 뜻을 찾아 선으로 이으세요.

낱말	뜻
앙심 •	• 자꾸 머뭇거리거나 망설이며.
당분간 •	• 앞으로 어느 정도의 시간 동안.
역력했다 •	• 흔적이나 기억 등이 환히 알 수 있게 또렷했다.
쭈뼛거리며 •	• 원한을 품고 똑같이 갚아 주려고 단단히 먹은 마음.
흘깃거려서 •	• 못마땅하게 여겨서 눈동자를 옆으로 굴려 노려보면서.

1 다음 빈칸에 들어갈 알맞은 낱말을 오늘의 어휘에서 찾아 쓰세요.

- 친구의 얼굴에 피곤한 기색이 ( ).
- 병이 나으려면 ( ) 집에서 푹 쉬어야 한다.
- 옆 사람이 우리를 자꾸 ( ) 자리를 옮겼다.
- 동생은 ( ) 내 옆으로 와서 미안하다고 사과했다.
- 그 남자는 지난 일에 ( )을 품고 복수를 하러 왔다.

2 다음 글에서 밑줄 친 말과 뜻이 비슷한 말을 찾아 쓰세요.

먼 옛날, 어느 나라의 왕이 공주가 태어난 것을 축하하기 위해 연회를 열고 12명의 마법사를 초대했다. 초대된 마법사들이 공주에게 갖가지 축복을 내렸고, 마지막 마법사가 축복을 내리려는데 초대 받지 못한 13번째 마법사가 앙심을 품고 나타났다. 왕에게 <u>원한</u>을 품은 13번째 마법사는 공주가 16살이 되는 해에 물레에 찔려 죽을 것이라는 저주를 걸었다.

( )

잘못 뽑은 반장 ③ | 이은재

글의 구조

발단 — 전개 — 절정 — 결말

글자 수

893 (200 400 600 800 1000)

[중간 이야기] 제하가 친구들의 그림을 베낀 것이 밝혀진 이후, 제하는 로운이와 주먹다짐을 하며 싸운다. 선생님께 혼이 난 후 제하는 학교에서 아무것도 하지 않고 뚱한 얼굴로 그림자처럼 학교를 오가다가 며칠 동안 결석을 한다. 제하가 걱정이 된 로운이는 제하의 집에 찾아가서 학교에 나오라고 말하고, 다음 날 제하가 학교에 다시 나온다.

"너, 전학 안 가기로 한 거냐?"

내 말에 녀석은 잠깐 뜸을 들이다가 천천히 고개를 끄덕였다.

오, 신이시여! 황제하가 이렇게 멋져 보이는 순간이 다 있다니!

"잘 생각했다. 당연히 그래야지. 반장 도우미가 반장 허락도 없이 전학 간다는 게 말이 되냐?" 5

나는 농담처럼 말하면서 느물느물 웃었다. 녀석도 피식 웃었다. 우리는 똑같이 뒷머리를 긁적거리면서 잠깐 동안 소리 없이 웃었다. 기분이 이상했다.

"생각해 봤는데, 네 말이 맞는 것 같아. 나도 **비겁한** 놈은 되기 싫거든. 사실은 네 덕분에 내가 잘못 생각한 게 많다는 걸 알았어. 전엔 뭐든지 무조건 잘하기만 하면 다들 나를 **깔보지** 못할 거라고 생각했거든. 아빠가 없어도……." 10

아빠가 없다는 말에 나는 깜짝 놀랐다.

"우리 아빠와 엄마, 오래전에 이혼했어. 난 엄마랑 외할머니랑 같이 살아."

내 마음을 읽었는지 제하가 묻지도 않은 말을 했다. 나는 아무 **대꾸**도 하지 못하고 **우두커니** 서 있었다. 녀석이 그런 말까지 하리라고는 **짐작**도 하지 못했다. 완벽하게만 보이던 녀석에게 그런 아픔이 있었다니 뜻밖이었다. 15

"힘들겠구나. 난 아빠랑 잠깐 떨어져 있는 것도 싫어서 **투덜거리는데**."

나도 모르게 목소리가 기어들어 갔다. 제하가 **나지막이** 웃었다.

"그래도 넌 나처럼 잘 못하는 걸 잘하는 척하지는 않잖아. 난 항상 내 생각만 했어. 그런데 네가 그게 부끄러운 일이라는 걸 알려 줬어. 이제 나도 너처럼 못하는 건 못한다고 솔직하게 말할 거야. 그게 진짜 당당해지는 방법이라는 걸 알았어." 20

"난 진짜 잘하는 게 없고, 못하니까 못한다고 한 건데……."

나는 또다시 뒷머리를 긁적였다. / "우리 이제부터 한번 잘 지내보자."

제하가 내 어깨를 툭 치더니 한쪽 손을 쑥 내밀었다. 제하의 말투가 너무 다정해서 귀가 간질거렸다. 나는 망설이지 않고 녀석의 손을 **덥석** 잡았다. 25

- **비겁한** 하는 짓이 떳떳하지 않고 용감하지 않은.
- **깔보지** 남의 재주나 능력을 낮추어 보지.
- **대꾸** 남의 말을 듣고 대답하거나 자기 생각을 나타내는 말.
- **우두커니** 넋이 나간 듯이 가만히 한자리에 서 있거나 앉아 있는 모양.
- **짐작** 사정이나 형편 등을 대충 헤아림.
- **투덜거리는데** 남이 알아듣기 어려울 정도의 낮은 목소리로 자꾸 불평을 하는데.
- **나지막이** 소리가 좀 낮고 작게.
- **덥석** 갑자기 달려들어 한 번에 물거나 잡는 모양.

중심 내용

1 **이 글에서 중심이 되는 장면은 무엇인가요? (   )**

① 제하가 전학 가는 장면
② '나'와 제하가 다투는 장면
③ '나'와 제하가 화해하는 장면
④ 제하가 선생님께 혼나는 장면
⑤ '내'가 제하네 집에 찾아가는 장면

세부 내용

2 **제하에 대한 설명으로 알맞지 않은 것은 무엇인가요? (   )**

① 반에서 반장 도우미 역할을 했다.
② 엄마랑 외할머니랑 같이 살고 있다.
③ 잘 못하는 것도 잘하는 척하려고 했다.
④ 자신의 마음을 '나'에게 솔직하게 말했다.
⑤ 잘못한 행동을 반성하거나 고칠 줄 모른다.

세부 내용

3 **'나'와 제하 사이에 일어난 일과 가장 관련 있는 고사성어에 ○표 하세요.**

(1) 과유불급: 지나친 것은 모자란 것만 못함. (   )
(2) 간담상조: 서로 속마음을 털어놓고 친하게 사귐. (   )
(3) 반면교사: 다른 사람의 나쁜 면을 보고 가르침을 얻음. (   )

추론

4 **이 글을 읽고 짐작한 내용을 알맞게 말하지 못한 친구는 누구인지 쓰세요.**

우림: 제하는 '나'처럼 잘 못하는 것도 잘하는 것처럼 보이게 하는 것이 중요하다는 것을 깨닫고 변화한 것 같아.
지민: 제하는 아빠가 없이 엄마랑 외할머니와 사는 자신의 처지를 알면 남들이 자기를 깔볼 거라고 생각했던 것 같아.
수연: '나'와 제하는 대화를 하고 난 이후 서로의 생각과 마음을 이해할 수 있게 되어서 앞으로 더 좋은 친구가 되었을 것 같아.

(   )

지문 분석

정답과 해설 18쪽

1 인물 특징

인물이 한 일로 알맞은 것을 찾아 선으로 이으세요.

'나' •	• 자신의 사정을 솔직히 말하고 친구의 사과를 받아들임.
제하 •	• 먼저 찾아가서 화해하고 싶은 마음을 표현함.

2 주제

로운이의 변화된 모습을 보고 보기 에서 알맞은 말을 찾아 써넣어 주제를 완성하세요.

보기

화해 우정 친구 반장

로운이의 변화된 모습

말썽꾸러기였던 로운이가 (   )들을 돕고 제하와 (   ) 하며 책임감 있는 (   )의 모습을 갖추게 됨.

↓

주제

(   )의 소중함과 진정한 지도자의 역할을 알려 줌.

배경지식 「잘못 뽑은 반장」 전체 줄거리

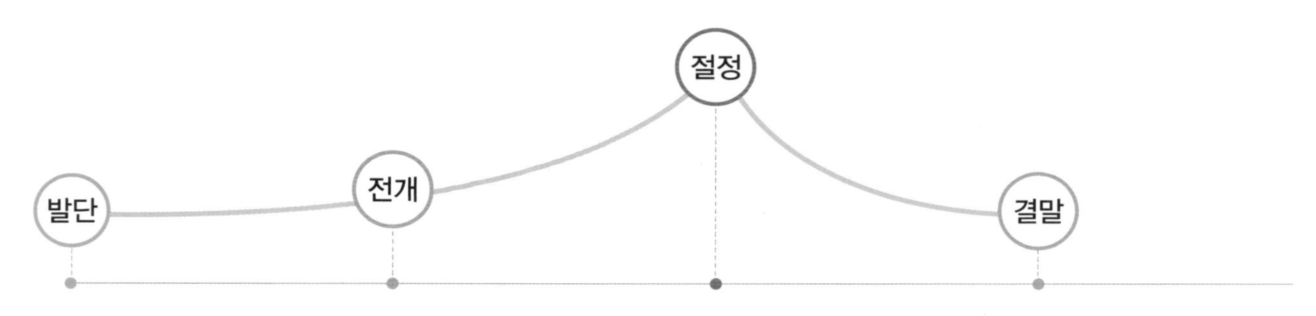

발단	전개	절정	결말
말썽꾸러기 이로운이 장난삼아 나간 반장 선거에서 뽑혀 2학기 반장이 되고, 1학기 때 반장이었던 황제하가 반장 도우미가 됨.	'잘못 뽑은 반장'이라고 놀림 받던 로운이가 책임감 있는 반장의 모습을 보이며 친구들과 사이가 좋아지고, 제하가 질투함.	로운이는 제하가 거짓으로 했던 행동들을 밝히고, 제하는 충격을 받아 며칠 동안 학교에 나오지 않음.	로운이는 제하와 화해하고 한마당 잔치 합창을 멋지게 완성해 내며 2학기 반장 역할을 잘 마무리함.

정답과 해설 18쪽

오늘의 어휘

다음 낱말의 알맞은 뜻을 찾아 선으로 이으세요.

낱말	뜻
대꾸 •	• 소리가 좀 낮고 작게.
짐작 •	• 남의 재주나 능력을 낮추어 보지.
깔보지 •	• 사정이나 형편 등을 대충 헤아림.
비겁한 •	• 하는 짓이 떳떳하지 않고 용감하지 않은.
나지막이 •	• 남의 말을 듣고 대답하거나 자기 생각을 나타내는 말.

1 다음 빈칸에 들어갈 알맞은 말을 오늘의 어휘에서 찾아 쓰세요.

- 나는 짝꿍에게만 들릴 정도로 [ ] 속삭였다.
- 이곳에서 무슨 일이 일어날지 [ ]도 할 수 없었다.
- 잘못을 인정하지 않고 핑계만 대는 건 [ ] 행동이야.
- 친구는 묻는 말에 아무 [ ]도 하지 않고 나가 버렸다.
- 상대가 어리다고 [ ] 말고 최선을 다해 경기를 해야 해.

2 다음 글에서 밑줄 친 말과 뜻이 비슷한 말을 찾아 쓰세요.

'열 길 물속은 알아도 한 길 사람의 속은 모른다'는 말이 있다. '한 길'은 보통 사람의 키 정도 되는 길이로, '열 길'은 사람 키의 열 배나 되는 길이를 뜻한다. 이것은 물은 아무리 깊어도 그 속을 추측할 수 있지만, 사람의 마음 속은 어떤 방법을 써도 짐작하기 어렵다는 뜻이다.

( )

좁쌀 한 톨로 장가든 총각 ❶ | 전래 동화

글의 구조

발단 — 전개 — 절정 — 결말

글자 수

870

200 400 600 800 1000

옛날 어느 시골 마을에 가난한 총각이 살았습니다. 총각은 무엇이든 아끼고 소중하게 여기는 사람이었어요.

어느 날 총각이 마을 길을 터덜터덜 걷다가 땅에 떨어져 있는 작은 것을 하나 발견하고 주웠어요. 그것은 바로 자세히 보지 않으면 찾기 힘든 좁쌀 한 톨이었지요. 5

"이건 단지 작은 알갱이 하나가 아니랍니다. 누군가가 오랜 시간 동안 땀을 흘려 농사지은 덕분에 얻은 소중한 좁쌀인걸요."

총각은 **흐뭇하게** 웃으며 좁쌀 한 톨을 가지고 **유유히** 길을 떠났습니다.

금세 날이 **저물었어요**. 총각은 더 길을 가기 어렵겠다는 생각이 들어 한 **주막**에 들렀어요. 그리고 총각은 주인 부부에게 **간곡히** 부탁했어요. 10

"이 좁쌀은 저에게 아주 소중한 것입니다. 그러니 잘 맡아 두었다가 내일 아침에 제가 떠날 때 꼭 주십시오."

주인 부부는 금은보화도 아니고, 송아지도 아니고, 너무나 작고도 작은 좁쌀을 그것도 딱 하나를 맡아 달라고 부탁해 오니, 그저 황당할 뿐이었습니다.

'이까짓 좁쌀 한 톨을 맡아 달라고?' 15

주인 부부는 총각에게서 받은 좁쌀을 대수롭지 않게 여기고는 아무 데나 휙 던져 버렸지요.

다음 날 아침이 밝았어요. 총각이 일어나 주막집 주인 부부에게 바로 찾아가 말했습니다.

"어제 제가 두 분에게 맡긴 좁쌀을 내어 주십시오." 20

㉠<u>"좁쌀이라고요? 아, 그거 간밤에 생쥐가 먹어 버린 모양이네. 내 다른 좁쌀 한 톨을 드릴게요."</u>

"안 됩니다. 그건 누군가 땀 흘려 농사지은 소중한 좁쌀이란 말입니다."

"아니 글쎄. 생쥐가 먹어 버린 걸 난들 어떡합니까?"

"네? 그렇다면 그 좁쌀을 먹은 생쥐라도 저에게 주셔야겠습니다." 25

주인 부부는 총각의 단호한 말투에 당황했지만 또 무엇이라도 총각에게 주지 않기에는 **겸연쩍었어요**. 그래서 온 집 안 마당을 들썩이며 생쥐 한 마리를 잡아다 주었습니다.

- **흐뭇하게** 마음이 넉넉하여 만족스럽게.
- **유유히** 움직임이 여유가 있고 느리게.
- **저물었어요** 해가 져서 어두워졌어요.
- **주막** 시골 길가에서 밥과 술을 팔며, 돈을 받고 나그네를 묵게 하는 곳.
- **간곡히** 마음 씀씀이가 정성스러운 태도나 자세로.
- **겸연쩍었어요** 쑥스럽거나 미안하여 어색했어요.

갈래

1 이 글에 대한 설명으로 알맞은 것은 무엇인가요? (　　　)

① 글쓴이가 누구인지 알려진 글이다.
② 실제로 살았던 인물에 대한 글이다.
③ 글쓴이의 경험을 바탕으로 쓴 글이다.
④ 일의 차례를 순서대로 설명한 글이다.
⑤ 전해져 내려오는 이야기를 바탕으로 쓴 글이다.

세부 내용

2 이 글의 내용으로 알맞지 않은 것은 무엇인가요? (　　　)

① 주인 부부는 총각의 좁쌀을 아무 데나 던져버렸다.
② 총각은 무엇이든 아끼고 소중하게 여기는 사람이다.
③ 주인 부부는 총각이 준 좁쌀을 생쥐가 먹었다고 말했다.
④ 총각은 주막의 주인 부부에게 자신의 좁쌀을 먹은 생쥐라도 달라고 했다.
⑤ 총각은 자신이 땀 흘려 농사지은 좁쌀을 주인 부부에게 맡아 달라고 했다.

어휘

3 ㉠과 가장 관련 있는 고사성어로 알맞은 것에 ○표 하세요.

(1) 오리무중: 어떤 일의 앞날이나 행방을 알 수 없음. (　　　)
(2) 자포자기: 자신을 스스로 포기하고 돌아보지 않음. (　　　)
(3) 임기응변: 그때그때 처한 상황에 맞추어 바로 반응함. (　　　)

추론

4 주인 부부에 대해 알맞게 짐작하여 말하지 않은 것의 기호를 쓰세요.

㉮ 금은보화나 송아지처럼 값이 나가는 물건만 가치가 있다고 생각해.
㉯ 아무리 작은 것이어도 누군가 노력해서 얻은 것의 가치를 잘 알고, 소중하게 아껴 주는 마음이 있어.
㉰ 자신의 가치에 맞지 않으면 다른 사람의 간곡한 부탁도 가볍게 여기고 제대로 듣지 않는다는 것을 알 수 있어.

(　　　　　　　)

지문 분석

정답과 해설 19쪽

1 인물 특징

인물이 한 일을 생각하며 ( ) 안에 들어갈 알맞은 말에 ○표 하세요.

	한 일		생각
총각	좁쌀 한 톨을 주인 부부에게 맡아 달라고 부탁함.	→	좁쌀 한 톨처럼 쉽게 얻을 수 있는 작은 것도 (소중하게, 대수롭지 않게) 여김.
주인 부부	총각이 맡긴 좁쌀 한 톨을 아무 데나 던져 버림.	→	좁쌀 한 톨처럼 쉽게 얻을 수 있는 작은 것은 (소중하게, 대수롭지 않게) 여김.

2 사건 전개

일이 일어난 때에 따라 일어난 일을 정리하여 빈칸에 알맞은 말을 쓰세요.

옛날 시골 마을에 살던 한 총각이 ( ) 한 톨을 주워 길을 떠남.

↓

날이 저물자 한 주막에 들러 ( )에게 좁쌀을 맡김.

↓

다음 날 ( ), 총각이 좁쌀을 찾자 주인 부부는 총각의 좁쌀을 생쥐가 먹었다고 함.

↓

총각은 좁쌀 대신 ( ) 한 마리를 받음.

배경지식 '전래 동화'와 '창작 동화'는 어떻게 다를까요?

'전래 동화'는 '오래전부터 전해 내려오는 이야기'로 지은이가 누구인지 알려져 있지 않은 경우가 많습니다. 그리고 대부분의 전래 동화는 '착한 사람은 복을 받고 나쁜 사람은 벌을 받는다.'라는 것과 '부모에 대한 효'를 주제로 합니다. 「호랑이와 곶감」, 「혹부리 영감」, 「콩쥐 팥쥐」, 「효성스러운 호랑이」 등은 잘 알려진 전래 동화이지요.

'창작 동화'는 전래 동화와 반대로 지은이가 누구인지 확실히 알려져 있는 이야기입니다. 창작 동화에는 다양한 성격의 인물이 등장하며, 전래 동화에 비해 다양한 주제로 이야기를 풀어 나간답니다.

오늘의 어휘

다음 낱말의 알맞은 뜻을 찾아 선으로 이으세요.

낱말	뜻
간밤 •	• 바로 어젯밤.
유유히 •	• 마음이 넉넉하여 만족스럽게.
간곡히 •	• 움직임이 여유가 있고 느리게.
단호한 •	• 행동이나 마음을 딱 잘라 결정하는.
흐뭇하게 •	• 마음 씀씀이가 정성스러운 태도나 자세로.

1 다음 빈칸에 들어갈 알맞은 말을 오늘의 어휘에서 찾아 쓰세요.

- [ ]에 비가 왔는지 땅이 축축했다.
- 도둑은 사건 현장을 [ ] 빠져나갔다.
- 할머니는 동생의 재롱을 [ ] 바라보셨다.
- 친구는 자기를 도와달라고 [ ] 부탁했다.
- 수지는 내 부탁을 [ ] 표정으로 거절했다.

2 다음 글에서 밑줄 친 말과 뜻이 비슷한 말을 찾아 쓰세요.

그동안 비가 많이 오지 않아서 사람들의 걱정이 많았는데, 오늘 아침 드디어 비가 내려 땅을 촉촉하게 적셔 주었다. 비로소 안심한 농부는 비 오는 모습을 즐겁게 바라보았다. 비가 와서인지 보리밭이 더욱 푸르게 느껴졌다. 농부는 보리밭을 흐뭇하게 보며 풍작을 기원했다.

( )

좁쌀 한 톨로 장가든 총각 ❷ | 전래 동화

글의 구조
발단—전개—절정—결말

글자 수
870
200 400 600 800 1000

총각은 그 생쥐 한 마리를 들고서 다시 또 길을 떠났어요. 날이 저물었고, 총각은 또 다음 주막에 들르게 되었습니다. 이번에도 총각은 두 번째 주막의 주인아주머니에게 부탁을 했어요.

"이 생쥐는 저에게 ㉠몹시 소중한 것입니다. 그러니 잘 맡아 두었다가 내일 아침에 제가 이곳을 떠날 때 꼭 챙겨 주십시오." 5

'생쥐 한 마리를 맡아 달라고?'

두 번째 주막의 아주머니 역시 총각의 말과 행동에 당황한 **기색**을 보였어요. 하지만 주막에 **머무르는** 손님이 부탁한 것이니 어쩔 수 없이 생쥐를 받아들였지요. 그리고 마당에 **널브러져** 있는 바구니 속에 넣어 두었어요.

다음 날 아침이 밝았어요. 총각은 **어김없이** 자리에서 일어나자마자 두 번째 주막의 아주머니를 찾았어요. 아주머니는 **아궁이** 앞에 앉아 불을 피우고 있었습니다. 총각은 망설임 없이 아주머니에게 말을 건넸습니다. 10

"어제 제가 맡긴 생쥐를 주십시오."

"생쥐라고요? 아, 그거 간밤에 고양이가 잡아먹은 모양인데요. 내 다른 생쥐 한 마리를 잡아 드리지요." 15

"안 됩니다. 그건 누군가 땀 흘려 농사지은 소중한 좁쌀을 먹은 생쥐란 말입니다."

"아니 글쎄, 고양이가 잡아먹어 버린 걸 어떡합니까?"

"그럼 그 고양이라도 대신 주셔야겠습니다."

아주머니는 하는 수 없이 주막에서 기르던 고양이를 총각에게 내어 주었어요. 총각은 고양이를 옆구리에 끼고, 또다시 길을 떠났습니다. 20

날이 저물자, 총각은 세 번째 주막에 들렀습니다. 그리고 **앞서** 만난 주막 사람들에게 한 것과 마찬가지로 세 번째 주막의 주인아저씨에게 간곡히 부탁했어요.

"이 고양이는 제게 아주 소중한 것입니다. 그러니 잘 맡아 두었다가, 내일 아침 떠날 때 주십시오." 25

'겨우 고양이 한 마리를 맡아 달라고?'

세 번째 주막의 주인아저씨는 고양이를 **마구간**에 두었습니다.

- **기색** (氣 기운 기, 色 빛 색) 생각이나 감정이 얼굴이나 행동에 나타나는 것.
- **머무르는** 길을 가는 중간에 멈추거나 잠시 어떤 곳에 묵는.
- **널브러져** 지저분하게 흐트러지거나 흩어져.
- **어김없이** 시간이나 약속을 어기는 일이 없이.
- **아궁이** 방이나 솥에 불을 때기 위하여 만든 구멍.
- **앞서** 지금보다 앞선 때에.
- **마구간** 말을 기르는 곳.

중심 내용

1 **이 글에서 가장 중요한 일은 무엇인가요? (　　　　)**

① 총각이 맡긴 생쥐를 고양이가 잡아먹은 일
② 총각이 맡겨 놓은 생쥐 대신 고양이를 받은 일
③ 주막 아주머니가 생쥐를 바구니 속에 넣어 둔 일
④ 총각이 맡긴 생쥐가 사라져 주막 아주머니가 당황한 일
⑤ 총각이 주막 아주머니에게 맡겨 놓은 생쥐를 달라고 한 일

어휘

2 **㉠과 바꾸어 쓸 수 있는 말로 알맞지 않은 것은 무엇인가요? (　　　　)**

① 매우　　② 무척　　③ 아주
④ 적당히　　⑤ 굉장히

세부 내용

3 **총각이 다른 생쥐를 대신 잡아 주겠다는 주막 아주머니의 제안을 거절한 까닭은 무엇인가요? (　　　　)**

① 맡긴 생쥐와 함께 지내며 정이 많이 들어서
② 주막 아주머니의 태도가 마음에 들지 않아서
③ 주막 아주머니가 기르는 고양이가 탐이 나서
④ 첫 번째 주막 주인 부부와의 인연을 소중하게 생각해서
⑤ 자신이 소중하게 생각하는 좁쌀을 먹은 생쥐가 아니어서

추론

4 **첫 번째 주막과 두 번째 주막에서 총각에게 일어난 일을 바탕으로 이 글 뒤에 이어질 내용을 가장 알맞게 짐작한 것의 기호를 쓰세요.**

㉮ 주막 주인이 총각의 고양이를 잘 돌보아 주고 아침에 돌려준다.
㉯ 주막 주인이 총각의 고양이를 잃어버려 총각과 함께 찾느라 고생한다.
㉰ 주막 주인이 총각의 고양이를 잃어버리고 총각은 고양이 대신 마구간에서 기르던 말을 받는다.

(　　　　　　　　)

지문 분석

정답과 해설 20쪽

1 인물 특징 인물들이 한 일을 생각하며 빈칸에 알맞은 말을 쓰세요.

두 번째 주막의 주인아주머니	총각이 맡긴 (　　　　　)를 마당에 널브러져 있는 (　　　　　) 속에 넣어 둠.
세 번째 주막의 주인아저씨	총각이 맡긴 (　　　　　)를 (　　　　　)에 둠.

2 사건 전개 이 이야기에서 반복되는 흐름을 생각하여 (　　　) 안에 들어갈 알맞은 말에 ○표 하세요.

총각이 길을 떠난 후 날이 저물면 주막에 들러서 자신이 갖고 있는 것을 주인에게 (맡김, 되찾음).

다음 날 아침 주인에게 찾아가서 자신이 맡긴 것을 달라고 하지만, 주막 주인은 총각이 맡긴 것을 (돌려줌, 잃어버림).

총각은 자신이 맡긴 것보다 더 (허름한, 값진) 것을 대신 받음.

배경지식 좁쌀 한 톨로 장가든 총각처럼 빨간 클립 한 개로 집을 산 사람이 있다고요?

좁쌀 한 톨로 장가든 총각이 실제로 존재한다고요? 책『빨간 클립 한 개』의 주인공인 카일 맥도널드가 바로 그 사람입니다. 카일 맥도널드는 자신의 블로그에 집에 굴러다니던 빨간 클립 한 개를 언젠가는 집 한 채와 바꾸겠다는 목표를 올립니다. 그리고 그 일을 시작한 지 1년 만에 정말로 물물교환을 통해 클립 하나를 집 한 채로 바꾸어 내는 데 성공합니다. 누군가에게는 허무맹랑한 소리로 들릴 수도 있었던 맥도널드의 목표는 실제로 그것을 행동으로 옮기고, 실천하며 이루어진 것이지요. 우리도 미래를 걱정하기만 하고, 가만히 있기보다는 우리만의 빨간 클립을 찾아서 실행으로 옮겨 보면 어떨까요?

오늘의 어휘

다음 낱말의 알맞은 뜻을 찾아 선으로 이으세요.

기색 •	• 더할 수 없이 심하게.
몹시 •	• 지저분하게 흐트러지거나 흩어져.
머무르는 •	• 시간이나 약속을 어기는 일이 없이.
널브러져 •	• 생각이나 감정이 얼굴이나 행동에 나타나는 것.
어김없이 •	• 길을 가는 중간에 멈추거나 잠시 어떤 곳에 묵는.

1 다음 빈칸에 들어갈 알맞은 말을 오늘의 어휘에서 찾아 쓰세요.

- 이 곳에 [   ] 동안 편하게 쉬세요.
- 배가 [   ] 고파서 허겁지겁 밥을 먹었다.
- 오늘 경기도 [   ] 우리 팀이 이길 것이다.
- 방을 정리하지 못해서 옷과 물건들이 [   ] 있었다.
- 주인은 우리를 보며 아주 반가운 [   ]을 나타냈다.

2 다음 글에서 밑줄 친 말과 뜻이 비슷한 말을 찾아 쓰세요.

점심때 엄마께서 전을 부쳐 주셨다. 금방 부친 따뜻한 전이라 그런지 정말 맛있었다. 배가 부르도록 실컷 먹었지만 이제 얼마 안 남았다는 엄마 말씀에 우리는 실망한 얼굴빛을 드러냈다. 나도 더 먹고 싶었는데 형은 마지막 하나를 나에게 양보할 기색이 없어 보였다.

(   )

좁쌀 한 톨로 장가든 총각 ❸ | 전래 동화

글의 구조

발단 — 전개 — 절정 — 결말

글자 수

782 (200 400 600 800 1000)

[중간 이야기] 세 번째 주막 주인아저씨는 총각이 맡긴 고양이를 잃어버리고 대신 말을 준다. 또 길을 떠나 들른 네 번째 주막에서 총각은 주인아주머니에게 말을 맡겼는데, 주인아주머니가 말을 잃어버려 대신 늙은 황소를 받는다.

날이 저물자, 총각은 다섯 번째 주막에 들렀습니다. 그리고 다섯 번째 주막의 주인아저씨에게 간곡히 부탁했어요.

"이 황소는 제게 아주 소중한 것입니다. 그러니 잘 맡아 두었다가, 내일 제가 떠날 때 주십시오."

'다 늙은 황소 한 마리를 맡아 달라고?' 5

주인아저씨는 황소를 어디에 둘지 고민하다가 **외양간**에 매어 두었어요.

총각이 일어나 주인아저씨에게 말했습니다.

"어제 맡긴 황소를 주십시오."

"황소라고요? 아, 그 황소를 지난밤에 제 아들 녀석이 **구두쇠** 황 부자 **댁** 잔치에 쓸 고기로 팔아 버렸는데……. 내 다른 황소로 **물어** 드리지요." 10

"안 됩니다. 그건 누군가 땀 흘려 농사지은 소중한 좁쌀을 먹은 생쥐를 잡아먹은 고양이를 발로 찬 말을 뿔로 **받은** 황소입니다."

"글쎄, 아들 녀석이 제게 말도 없이 황 부자 댁에 팔아 버린 걸 어떡합니까?"

총각은 황 부자 댁에 가서 황소를 돌려 달라고 했습니다. 15

"그 황소는 잔치에 쓰려고 지난밤에 이미 잡아 버렸소. 내 다른 황소로 물어 주겠네."

"안 됩니다. 그건 누군가 땀 흘려 농사지은 소중한 좁쌀을 먹은 생쥐를 잡아먹은 고양이를 발로 찬 말을 뿔로 받은 황소입니다."

"글쎄, 벌써 국을 끓인 걸 어떡하란 말인가?" 20

"그럼 그 고깃국을 먹은 사람이라도 대신 주셔야겠습니다."

"고깃국을 먹은 사람을 달라고?"

고깃국을 먹은 사람은 바로 황 부자의 딸이었습니다. 황 부자와 그의 딸은 총각의 말에 깜짝 놀라 총각을 쳐다보았고, 총각은 그간의 좁쌀 한 톨이 황소가 된 이야기를 들려주었어요. 25

비록 총각의 **차림새**는 **초라했지만**, 구두쇠 황 부자는 총각이 마음에 들었습니다.

- **외양간** 말이나 소를 기르는 곳.
- **구두쇠** 돈이나 재물을 몹시 아끼는 사람.
- **댁** 남의 집이나 가정을 높여 부르는 말.
- **물어** 남에게 준 손해를 돈으로 갚아 주거나 원래대로 해 주어.
- **받은** 머리나 뿔 등으로 세차게 부딪친.
- **차림새** 옷이나 물건을 입거나 꾸려서 갖춘 상태.
- **초라했지만** 겉모양이나 옷차림이 보기 좋지 않았지만.

지문 독해

갈래

1 이 이야기에서 일이 일어난 장소는 어떻게 바뀌었는지 쓰세요.

( ) → ( )

세부 내용

2 이 글의 내용으로 알맞은 것에 모두 ○표 하세요.

(1) 황 부자는 잔치에 쓰려고 총각의 황소를 잡았다. ( )
(2) 다섯 번째 주막의 주인이 황 부자 댁에 황소를 팔았다. ( )
(3) 다섯 번째 주막의 주인은 황소를 외양간에 매어 두었다. ( )
(4) 황 부자와 딸은 좁쌀 한 톨로 황소를 얻은 총각의 이야기를 믿지 않았다. ( )

세부 내용

3 총각이 좁쌀 한 톨로 황소를 얻게 된 과정의 순서대로 기호를 쓰세요.

㉮ 생쥐 ㉯ 말 ㉰ 황소 ㉱ 고양이 ㉲ 좁쌀 한 톨

㉲ → ( ) → ( ) → ( ) → ㉰

감상

4 총각이 한 일을 보고, 자신의 생각을 말한 것으로 알맞지 않은 것의 기호를 쓰세요.

㉮ 총각이 좁쌀을 황소로 바꾸는 과정을 보면 총각은 배짱이 있는 사람인 것 같아.
㉯ 총각이 계속해서 자신이 원하는 것을 얻는 걸 보면, 결국 황 부자의 딸과 결혼하게 될 것 같아.
㉰ 자신의 황소를 넣어 만든 고깃국을 먹은 사람을 달라는 요구를 하는 걸 보니 총각은 속이 좁고 자신감이 없는 사람인 것 같아.

( )

지문 분석

정답과 해설 21쪽

1 마음 변화 황 부자의 마음을 생각하며 (   ) 안에 들어갈 알맞은 말에 ○표 하세요.

상황		황 부자의 마음
총각이 황 부자에게 자신의 황소를 넣어 만든 고깃국을 먹은 사람을 대신 달라고 함.	→	총각의 말에 (속상함, 놀람).
총각이 좁쌀 한 톨로 황소를 얻게 된 과정을 들음.	→	총각이 (마음에 듦, 신기함).

2 주제 이 글에 이어지는 내용을 보고 보기에서 알맞은 말을 찾아 써넣어 주제를 완성하세요.

보기

귀중한　　하찮은　　소중하게　　당당하게　　소심하게

이어지는 내용	구두쇠 황 부자는 작은 것도 아끼고 소중하게 여기고, 가난하지만 기죽지 않는 당당한 총각의 모습에 감탄하였어요. 황 부자는 작은 좁쌀도 소중하게 여기는 총각은 사람도 더욱 소중하게 여길 것이라며 총각과 자신의 딸을 결혼시켰고, 두 사람은 결혼하여 평생 행복하게 살았답니다.

↓

주제	( ) 것이라도 ( ) 여기고, 어떤 상황에서도 ( ) 행동하는 것이 좋다.

배경지식 「좁쌀 한 톨로 장가든 총각」 전체 줄거리

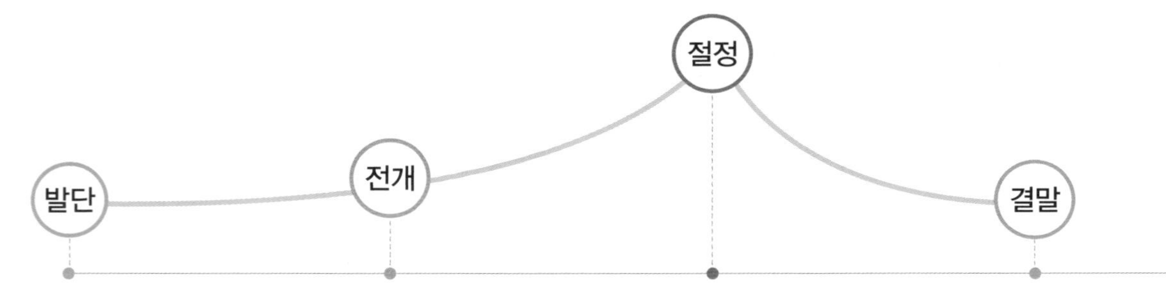

발단	전개	절정	결말
옛날 어느 마을에 무엇이든 아끼고 소중하게 여기며 살던 총각이 땅에서 주운 좁쌀 한 톨을 가지고 길을 떠남.	총각은 주막에 들러 주인에게 좁쌀 한 톨을 맡겼는데 주인이 잃어버리는 바람에 좁쌀 한 톨을 먹은 생쥐를 받음.	길을 떠나 들른 다른 주막에서 생쥐를 고양이, 말, 황소의 순서로 바꾸어 가며 얻음.	다섯 번째 주막에서 황소를 맡겼다가, 그 황소를 넣고 끓인 국을 먹은 황 부자의 딸과 결혼함.

정답과 해설 21쪽

오늘의 어휘

다음 낱말의 알맞은 뜻을 찾아 선으로 이으세요.

댁 •	• 돈이나 재물을 몹시 아끼는 사람.
물어 •	• 남의 집이나 가정을 높여 부르는 말.
차림새 •	• 옷이나 물건을 입거나 꾸려서 갖춘 상태.
구두쇠 •	• 겉모양이나 옷차림이 보기 좋지 않았지만.
초라했지만 •	• 남에게 준 손해를 돈으로 갚아 주거나 원래대로 해 주어.

1 다음 빈칸에 들어갈 알맞은 말을 오늘의 어휘에서 찾아 쓰세요.

- 할머니 [ ] 에서 하루를 보냈다.
- 스크루지는 동화에 나오는 지독한 [ ] 이다.
- 나그네는 [ ] 가 지저분했지만 눈빛이 무척 맑았다.
- 빌린 책을 잃어버려서 도서관에 책값을 [ ] 주었다.
- 그 사람은 옷차림이 [ ] 사람들 앞에 당당하게 나섰다.

2 다음 글에서 밑줄 친 말과 뜻이 비슷한 말을 찾아 쓰세요.

친구와 골목에서 축구를 하다가 우리가 찬 공에 옆집 창문이 깨졌다. 옆집 할머니께서 무척 화를 내셨고, 엄마께서 창문을 고치는 비용을 물어 주셨다. 엄마는 이번에는 잘못을 묻지 않고 넘어가겠지만 다음에도 또 이런 일이 생기면 비용을 대신 갚아 주는 일은 없을 거라고 단호하게 말씀하셨다.

( )

멸치의 꿈 ❶ | 전래 동화

글의 구조

발단 — 전개 — 절정 — 결말

글자 수

888

200 400 600 800 1000

옛날 동쪽 바다에 삼천 년 묵은 멸치가 살았단다.

멸치는 몸집이 작고, 생김새도 보잘것없었어. 하지만 멸치는 워낙 나이가 많고 큰 부자라 바닷속에 살던 이들이 모두 멸치를 떠받들었지. 그야말로 멸치의 **위엄**과 **권세**가 대단했던 거야.

어느 날 하루는 멸치가 꿈을 꾸었어. 그런데 멸치의 그 꿈은 참말로 이상하고도 이상했지. 멸치의 꿈 이야기 한번 들어 볼래?

멸치가 힘차게 하늘로 훨훨 날아올랐어.

그러다가 땅으로 홱 **곤두박질쳤지**.

그러고는 갑자기 멸치가 누군가에 이끌려 어디론가 한참 가게 되었지.

그곳에 가니 흰 구름이 뭉게뭉게 **일다가** 흰 눈이 또 펑펑 쏟아지는 것이 아니겠어?

거기다 웬 **변덕**인지 날씨가 더웠다가 추웠다가 했어.

분명히 보통 꿈은 아닌데…….

멸치는 '이게 도대체 무슨 꿈인지 알 수가 없구나…….' 하고 생각했어.

꿈에서 깨어난 멸치는 여전히 자신의 꿈이 무엇을 뜻하는지 알 길이 없어 답답했어. 본래 꿈풀이는 세상 경험이 풍부한 늙은이가 하는 것인데, 멸치가 워낙 나이가 많다 보니 그럴 **상대**가 없었어.

멸치는 바다에 사는 동물들을 모두 불러 모았어. 그리고 꿈풀이를 할 만한 이가 있느냐고 물었지. 그랬더니 누군가 저 멀리 있는 서쪽 바다에 팔백 년 묵은 망둥이가 제법 꿈풀이를 잘한다고 일러 주는 거야. 물론 망둥이는 멸치에게 손자뻘도 채 되지 않지만 물고기들 사이에서는 꽤 나이를 먹은 늙은이였지.

멸치는 누구를 서쪽 바다로 보내 망둥이를 불러올까 **궁리하다가** 때마침 멸치 옆으로 헤엄쳐 가는 가자미를 불렀지.

"어서 서쪽 바다로 가서 망둥이 어른을 모셔 오게. 나이가 많으신 어른이니, 예의 바르게 행동해야 하네."

가자미는 멀고 먼 길을 다녀와야 한다는 생각에 이내 눈앞이 캄캄해졌어. 하지만 멸치가 내린 명령을 따를 수밖에 없었지. 그래서 허위허위 헤엄을 쳐 머나먼 길을 떠났어.

- **위엄** 존경할 만한 지위와 권세가 있어 점잖고 엄숙함.
- **권세** 권력과 세력을 함께 이르는 말.
- **곤두박질쳤지** 몸이 뒤집혀 갑자기 거꾸로 내리박혔지.
- **일다가** 없던 것이 새로 생기다가.
- **변덕** 이랬다저랬다 잘 변하는 태도나 성질.
- **상대** 서로 마주 대하는 대상.
- **궁리하다가** 마음속으로 이리저리 따져 깊이 생각하다가.

갈래

1 이 글에 대한 설명으로 알맞은 것을 두 가지 고르세요. (　　,　　)

① 시간의 흐름에 따라 사건이 진행된다.
② 말하는 이가 자신의 감정을 자세히 이야기한다.
③ 말하는 이가 작품 속 등장인물과 대화를 나눈다.
④ 인물이 한 말이나 생각이 직접 드러나지 않는다.
⑤ 말하는 이가 이야기에서 일어난 일을 직접 들려준다.

표현

2 이 글에서 사람이나 사물의 모양을 흉내 낸 말로 알맞지 않은 것은 무엇인가요?

(　　　)

① 훨훨　　② 답답　　③ 펑펑
④ 뭉게뭉게　　⑤ 허위허위

세부 내용

3 이 글의 내용으로 알맞은 것은 무엇인가요? (　　　)

① 멸치는 나이가 팔백 살 정도이다.
② 동쪽 바다에 멸치의 꿈을 풀이해 줄 동물이 있었다.
③ 바다에 사는 동물들은 모두 멸치의 말을 잘 따랐다.
④ 멸치는 자신이 꾼 꿈이 어떤 내용인지 알고 있었다.
⑤ 망둥이는 동쪽 바다와 서쪽 바다를 합쳐 가장 오래 산 동물이다.

추론

4 이 글을 읽고, 생각이나 느낌을 알맞게 말하지 못한 친구는 누구인지 쓰세요.

주이: 멸치의 위엄과 권세가 대단해서 가자미는 멸치의 명령을 따를 수밖에 없었을 거야.
수지: 바닷속에 살던 물고기들은 대부분 멸치보다 나이가 적고 세상 경험이 풍부하지 않은 것 같아.
선호: 멸치가 망둥이를 불러오기 위해 가자미를 보낸 것을 보면 가자미에 대한 멸치의 신뢰가 큰 것 같아.

(　　　　　　)

지문 분석

정답과 해설 22쪽

1 구성 요소 이 글의 배경과 인물을 생각하여 보기 에서 알맞은 말을 찾아 빈칸에 쓰세요.

보기

현재 옛날 동쪽 서쪽 멸치

일이 일어난 때	( )
일이 일어난 장소	( ) 바다
중심인물	삼천 년 묵은 ( ), 가자미

2 사건 전개 일이 일어난 순서대로 보기 에서 기호를 찾아 써넣어 글의 내용을 정리하세요.

보기

㉮ 멸치가 꿈풀이를 하려고 바다에 사는 동물들을 불러 모음.
㉯ 누군가 서쪽 바다의 망둥이가 꿈풀이를 잘한다고 일러 줌.
㉰ 멸치가 가자미를 서쪽 바다로 보내 망둥이를 모셔 오게 함.
㉱ 옛날 동쪽 바다에 살던 삼천 년 묵은 멸치가 이상한 꿈을 꿈.

( ) → ( ) → ( ) → ( )

배경지식 작지만 생태계에서 중요한 역할을 하는 물고기, 멸치

우리가 아는 멸치는 매우 작고 약해 보이는 물고기예요. 그런데 이 이야기에서는 제일 어른이면서도 권세가 높은 인물로 그려지고 있어요. 그럼 멸치의 진짜 모습은 어떠할까요?

멸치는 바다에 사는 물고기로 몸은 긴 원통 모양이며, 은빛 비늘을 갖고 있어요. 수명은 일 년 반 정도이며, 종류에 따라 다르지만 몸의 길이는 15cm 정도까지 자란다고 해요. 멸치는 수많은 해양 동물들의 먹잇감이 되며, 바다 생태계에서 매우 중요한 존재입니다. 또, 우리의 식탁에도 올라 사람들의 칼슘 공급을 책임져 주기도 하니 정말 여러 가지로 많은 도움을 주는 존재라는 것을 알 수 있지요?

정답과 해설 22쪽

오늘의 어휘

다음 낱말의 알맞은 뜻을 찾아 선으로 이으세요.

위엄 •	• 서로 마주 대하는 대상.
상대 •	• 이랬다저랬다 잘 변하는 태도나 성질.
변덕 •	• 일정한 때를 지나서 오래된 상태가 된.
묵은 •	• 마음속으로 이리저리 따져 깊이 생각하다가.
궁리하다가 •	• 존경할 만한 지위와 권세가 있어 점잖고 엄숙함.

1 다음 빈칸에 들어갈 알맞은 말을 오늘의 어휘 에서 찾아 쓰세요.

- 이 숲에는 수백 년 [　　　] 나무들이 많다.
- 황제는 [　　　]에 찬 목소리로 명령을 내렸다.
- 한참을 [　　　] 문제를 풀 방법을 생각해 냈다.
- 날씨가 [　　　]을 부리더니 갑자기 세찬 비가 내렸다.
- 세계 1위인 유도 선수가 강한 [　　　]를 만나 시합에서 졌다.

2 다음 글에서 밑줄 친 말과 뜻이 비슷한 말을 찾아 쓰세요.

옛날 어느 마을에 의좋은 형제가 살았다. 형과 아우는 서로 도와 가며 농사를 지었는데, 추수를 끝내고 보니 두 사람이 쌓은 볏단의 높이가 같았다. 하지만 형은 살림이 늘어난 아우를 위해 어떤 일을 할 수 있을지 생각하다가 아우를 위해 볏단을 아우의 집으로 몰래 옮겨 놓았다. 그런데 아우도 식구가 많은 형을 위해 어떻게 할지 궁리하다가 형의 집에 볏단을 옮겨 놓았다.

(　　　　　　　　)

멸치의 꿈 ❷ | 전래 동화

글의 구조

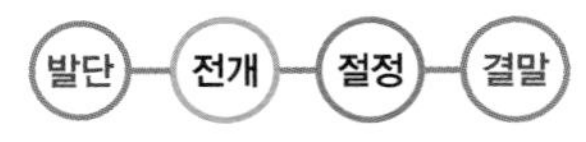

글자 수

가자미가 망둥이와 함께 동쪽 바다로 돌아오자, 멸치는 아주 크게 잔치를 벌였어. 온갖 **산해진미**를 가득 차려 놓고, 집 앞으로 망둥이 마중까지 나왔지.

"이토록 먼 길을 오시게 해서 **송구스럽습니다.**"

"별말씀을요. 말씀 낮추십시오."

멸치와 망둥이는 술잔을 주고받으며 서로 온갖 좋은 말들을 늘어놓았어. 하지만 멸치는 자신의 부탁을 받고 망둥이를 데려온 가자미에게는 수고했다는 말 한 마디가 없는 거야. 가자미는 그만 팩 **토라지고** 말았지.

망둥이는 술 몇 잔을 마시고 나서 불그스름해진 얼굴로 멸치에게 어서 꿈 이야기를 해 보라며 재촉했어.

"어서 말씀해 보십시오. 그래야 저도 얼른 한 말씀 드리고, 시원하게 한 잔 더 먹을 수 있지 않겠습니까?"

멸치는 마지못해 말하는 척 시늉을 하며 자신의 **괴상망측한** 꿈 이야기를 천천히 풀어냈어. 망둥이는 **공손히** 꿇어앉은 채, 머리를 조아리고 멸치의 이야기를 귀 기울여 다 들었지.

"어르신, 그야말로 **상서로운** 꿈이올시다. 그 꿈은 어르신께서 용이 되시어 온갖 부귀영화를 누리실 꿈입니다."

"오, 그러한가? 그럼 하나씩 자세히 **일러** 주게."

"하늘로 올라갔다는 건 뭐냐, 용이 되어 하늘로 오른다는 뜻입니다. 땅으로 곤두박질쳤다는 건 뭐냐, 용이 비를 내리게 하려고 땅으로 내려온다는 뜻입니다. 누군가에게 실려 갔다는 건 뭐냐, 용이 구름을 타고 다닌다는 뜻입니다. 흰 눈이 쏟아지는 건 뭐냐, 날씨가 추워져서 비가 눈이 된다는 뜻이지요. 날씨가 더웠다 추웠다 했다는 건 또 뭐냐, 바로 어르신이 용이 되어 사계절을 다스린다는 뜻이지요."

멸치는 망둥이의 설명에 몹시 흐뭇해하며 점잖게 대꾸를 했지.

㉠"내가 어찌 그러기를 바라겠소?"

- **산해진미**(山 산 산, 海 바다 해, 珍 보배 진, 味 맛 미) 산과 바다에서 나는 온갖 귀한 물건으로 차린 맛이 좋은 음식.
- **송구스럽습니다** 두려워서 마음이 편하지 않습니다.
- **토라지고** 마음에 들지 않아서 싹 돌아서고.
- **괴상망측한** 말할 수 없이 이상한.
- **공손히** 겸손하고 예의 바른 말이나 행동으로.
- **상서로운** 좋은 일이 일어날 듯한 느낌이 드는.
- **일러** 무엇이라고 말해.

중심 내용

1 이 글에서 중심이 되는 장면은 무엇인가요? (   )

① 멸치가 아주 크게 잔치를 벌인 장면
② 멸치가 가자미를 극진히 대접하는 장면
③ 망둥이가 멸치의 꿈풀이를 해 주는 장면
④ 가자미가 망둥이와 함께 동쪽 바다로 돌아오는 장면
⑤ 망둥이가 술 몇 잔을 마시고 나서 얼굴이 불그스름해진 장면

세부 내용

2 이 글의 내용으로 알맞은 것에 모두 ○표 하세요.

(1) 망둥이는 멸치의 꿈을 거들먹거리는 자세로 들었다. (   )
(2) 멸치는 산해진미를 차려 놓고 집 앞으로 망둥이를 마중 나왔다. (   )
(3) 멸치와 망둥이는 술잔을 주고받으며 서로 온갖 좋은 말들을 하였다. (   )

세부 내용

3 동쪽 바다로 돌아온 가자미가 토라진 까닭은 무엇인가요? (   )

① 멸치가 집 앞으로 망둥이를 마중 나와서
② 멸치가 자신을 위한 진수성찬을 차려 놓지 않아서
③ 망둥이가 멸치에게 꿈 이야기를 해 보라고 재촉해서
④ 멸치가 자신에게는 수고했다는 말을 한 마디도 안 해서
⑤ 망둥이가 자신에게 데려다주어서 고맙다는 인사를 하지 않아서

추론

4 ㉠에서 알 수 있는 멸치의 마음으로 가장 알맞은 것의 기호를 쓰세요.

㉮ 자신이 앞으로 해야 할 많은 일을 생각하니 긴장됨.
㉯ 망둥이가 자신의 꿈을 좋게 평가해 준 까닭이 궁금함.
㉰ 망둥이가 자신이 한 일들을 잘 알아주는 것 같아 뿌듯함.
㉱ 자신의 꿈을 좋게 해석해 준 망둥이의 꿈풀이가 만족스러움.

(   )

지문 분석

정답과 해설 23쪽

1 인물 특징 인물이 한 일을 생각하여 (   ) 안에 들어갈 알맞은 말에 ○표 하세요.

가자미	멸치	망둥이
서쪽 바다에 사는 망둥이를 (동쪽, 남쪽) 바다로 데려옴.	(가자미, 망둥이)에게 극진한 대접을 하고 꿈풀이를 들음.	멸치의 꿈을 다 듣고 (좋은, 나쁜) 꿈풀이를 해 줌.

2 사건 파악 망둥이는 멸치의 꿈을 어떻게 풀이했는지 빈칸에 알맞은 말을 쓰세요.

멸치의 꿈 내용	망둥이의 꿈풀이
하늘로 올라갔다.	( )이 되어 하늘로 오른다.
땅으로 곤두박질쳤다.	용이 ( )를 내리게 하려고 땅으로 내려온다.
누군가에게 실려 갔다.	용이 ( )을 타고 다닌다.
흰 눈이 쏟아진다.	날씨가 추워져서 비가 ( )이 된다.
날씨가 더웠다 추웠다 했다.	멸치가 용이 되어 ( )을 다스린다.

배경지식 바닷속 물고기와 관련 있는 이야기, 「준치가시」

「준치가시」는 백석 시인이 바닷속 고기들 중 가시가 많은 준치에 대한 이야기를 시로 쓴 작품이에요. 가시 없는 물고기 준치는 다른 물고기들의 가시를 무척 부러워했습니다. 그래서 준치는 이웃 물고기들을 찾아가 가시를 꽂아 달라고 부탁했는데, 가시를 나누어 주던 이웃들은 준치가 가시를 많이 얻은 후에도 자신의 가시를 나누어 주는 것을 멈추지 않았어요. 물고기들은 달아나는 준치를 따라가며 계속 준치 꼬리에 가시를 꽂았고, 그렇게 준치는 가시가 많은 물고기가 되고 말았답니다.

오늘의 어휘

다음 낱말의 알맞은 뜻을 찾아 선으로 이으세요.

일러 •	• 무엇이라고 말해.
마중 •	• 오는 사람을 나가서 맞이함.
공손히 •	• 마음에 들지 않아서 싹 돌아서고.
토라지고 •	• 좋은 일이 일어날 듯한 느낌이 드는.
상서로운 •	• 겸손하고 예의 바른 말이나 행동으로.

1 다음 빈칸에 들어갈 알맞은 말을 오늘의 어휘에서 찾아 쓰세요.

- 옆집 아저씨께 [　　　　] 인사를 드렸다.
- 장군의 주위에 [　　　　] 기운이 감돌았다.
- 나는 사소한 일에 화를 내며 [　　　　] 말았다.
- 다시는 도둑질을 하지 말라고 엄하게 [　　　　] 말했다.
- 아빠께서 출장에서 돌아오시는 날 공항으로 [　　　　]을 나갔다.

2 다음 글에서 밑줄 친 말과 뜻이 비슷한 말을 찾아 쓰세요.

세계 여러 문화마다 <u>길한</u> 기운을 가지고 있다고 여기는 동물과 흉한 기운을 가지고 있다고 여기는 동물이 있다. 우리나라에서는 까치를 상서로운 새라고 여긴다. 반면에 일본에서는 까치를 불길한 새라고 여긴다. 이렇게 같은 동물이라도 각 나라의 문화에 따라서 의미하는 바가 다르다.

(　　　　　　　　)

멸치의 꿈 ③ | 전래 동화

글의 구조

발단 — 전개 — 절정 — 결말

글자 수

799

200 400 600 800 1000

바로 그때까지 가자미는 밥 한 술 못 뜨고 **심통**이 잔뜩 난 채로 있었어. 그러고는 가자미 입이 앞으로 툭 튀어나오며 말했어.

"아무래도 망둥이 님의 꿈풀이가 잘못된 것 같소. 하늘로 올라갔다가 땅으로 곤두박질쳤다는 건 어부의 그물에 걸려 휙 올라갔다가 땅에 **패대기쳐**진다는 뜻이고, 누군가가 실어 갔다는 건 수레에 실려 간다는 뜻이고, 뭉게뭉게 구름이 일었다는 건 불에서 연기가 난다는 뜻이고, 흰 눈이 내리는 건 사람들이 구워 먹으려고 소금을 솔솔 뿌린다는 뜻이고, 더웠다 추웠다 하는 건 숯불에 구워질 때 몸이 더웠다 추웠다 하는 것 아니겠습니까?"

멸치는 가자미의 말을 듣고, 기가 막혀서 얼굴이 **붉으락푸르락**했지. 그러고는 벌떡 일어나 가자미의 눈을 **냅다** 후려쳤어.

"이 천하의 고얀 놈! 뭐가 어쩌고 어째?"

그런데 가자미가 어찌나 세게 얻어맞았던지 눈이 그만 한쪽으로 **죄다** 몰리고 만 거야.

이때 이 모습을 구경하던 메기가 가자미를 밟는 바람에 가자미의 몸은 납작해졌어. ㉠ **설상가상**으로 메기는 자신이 가자미를 밟은 것도 모르고 크게 웃다가 그만 입이 쭉 찢어졌어.

또 다른 이들은 어떻게 되었냐고?

옆에 있던 꼴뚜기는 자기도 멸치에게 괜히 얻어맞을까 봐 걱정이 되었대. 그래서 얼른 자기 눈을 빼서 몸 아래에 달았어.

그리고 병어는 이러한 상황들이 너무나 우스웠지만 마음껏 소리 내어 웃을 수가 없었지. 그래서 자기 입을 꼭 움켜쥐고 웃다가 그만 입이 조그마해졌어.

이 **소동**을 구경해 보겠다고 온갖 물고기들이 다 달려왔지.

그 물고기들 사이에서 새우는 막 웃다가 그만 허리가 꼬부라졌고, 물고기들에게 온몸이 밟힌 갈치는 몸이 납작해졌단다.

- **심통** 마땅치 않게 여기는 나쁜 마음.
- **패대기쳐** 매우 짜증 나거나 못마땅하여 어떤 일이나 물건을 내던져.
- **붉으락푸르락** 몹시 화가 나거나 흥분하여 얼굴빛이 붉게 또는 푸르게 변하는 모양.
- **냅다** 몹시 빠르고 세차게.
- **죄다** 남김없이 모조리.
- **설상가상** (雪 눈 설, 上 윗 상, 加 더할 가, 霜 서리 상) 눈 위에 서리가 덮인다는 뜻으로, 안 좋은 일이 계속 일어남을 이르는 말.
- **소동** 사람들이 놀라거나 흥분하여 시끄럽게 떠들고 행동하는 일.

중심 내용

1 이 글에서 일어난 가장 중요한 일로 알맞은 것의 기호를 쓰세요.

㉮ 멸치에게 심통이 난 가자미가 망둥이의 꿈풀이가 잘못되었다며 다시 꿈풀이를 해서 물고기들에게 한바탕 소동이 일어났다.

㉯ 가자미가 망둥이의 꿈풀이가 잘못되었다고 해서 망둥이가 노발대발하였고, 그 이야기를 들은 물고기들에게 한바탕 소동이 일어났다.

( )

세부 내용

2 이 글의 내용으로 알맞지 않은 것은 무엇인가요? ( )

① 멸치는 가자미의 꿈풀이를 듣고 몹시 화가 났다.
② 메기가 가자미를 밟는 바람에 가자미의 몸이 납작해졌다.
③ 멸치가 가자미를 때려서 가자미의 눈이 한쪽으로 몰렸다.
④ 가자미는 멸치의 꿈을 안 좋은 일이 일어날 꿈이라고 풀이했다.
⑤ 가자미의 말을 들은 다른 물고기들도 모두 가자미의 꿈풀이가 맞다고 생각했다.

어휘

3 ㉠과 바꾸어 쓸 수 있는 말로 알맞은 것은 무엇인가요? ( )

① 말이 씨가 된다고
② 가재는 게 편이라고
③ 떡 본 김에 제사 지낸다고
④ 엎친 데 덮친 격이라고
⑤ 믿는 도끼에 발등 찍힌다고

추론

4 이 글에 등장하는 인물과 그 인물의 생각이 알맞게 연결되지 않은 것의 기호를 쓰세요.

㉮ 꼴뚜기: 나도 멸치에게 얻어맞으면 어떻게 하지? 빨리 눈을 빼서 아래에 다 달아야겠다.

㉯ 새우: 지금 상황이 너무 우습지만 멸치 앞에서 소리 내서 웃을 수는 없지. 입을 꼭 잡고 있어야겠어.

㉰ 가자미: 서쪽 바다까지 먼 길을 힘들게 다녀왔는데 멸치는 어떻게 밥 한 술 뜨라는 말도 하지 않을 수가 있지? 정말 너무하네.

( )

지문 분석

정답과 해설 24쪽

1 사건 파악 멸치의 꿈에 대한 망둥이와 가자미의 꿈풀이로 알맞은 것을 찾아 선으로 이으세요.

망둥이의 꿈풀이 •	• 멸치가 어부의 그물에 걸려 숯불에 구워지는 꿈임.
가자미의 꿈풀이 •	• 멸치가 용이 되어 사계절을 다스리는 꿈임.

2 주제 이 글의 주요 사건을 보고, 주제를 완성하세요.

주요 사건	멸치의 꿈 이야기를 듣고 망둥이와 가자미가 서로 다른 내용으로 ( )를 함.
↓	
주제	같은 일도 ( )을 어떻게 먹는지에 따라 좋게 생각할 수도 있고, 나쁘게 생각할 수도 있음.

배경지식 「멸치의 꿈」 전체 줄거리

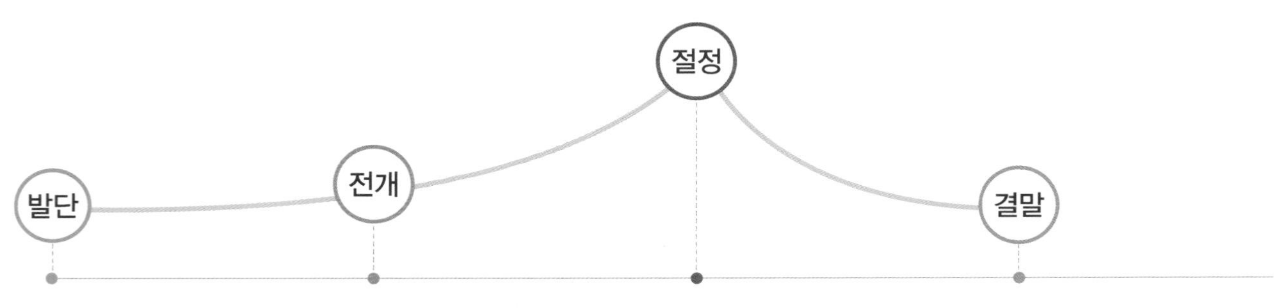

발단	전개	절정	결말
옛날 어느 날, 동쪽 바다에 살던 삼천 년 묵은 멸치가 이상한 꿈을 꿈.	멸치는 꿈풀이를 하기 위해 가자미를 서쪽 바다로 보내서 망둥이를 데려오게 함.	멸치는 망둥이를 데려오느라 고생한 가자미는 챙기지 않고 망둥이만 극진히 대접하였고, 망둥이는 좋은 꿈풀이를 해 줌.	심통이 난 가자미의 나쁜 꿈풀이에 멸치는 화가 나 가자미를 때렸고, 이 소동으로 물고기들의 모습이 바뀜.

정답과 해설 24쪽

오늘의 어휘

다음 낱말의 알맞은 뜻을 찾아 선으로 이으세요.

심통 •	• 남김없이 모조리.
냅다 •	• 몹시 빠르고 세차게.
죄다 •	• 안 좋은 일이 계속 일어남.
소동 •	• 마땅치 않게 여기는 나쁜 마음.
설상가상 •	• 사람들이 놀라거나 흥분하여 시끄럽게 떠들고 행동하는 일.

1 다음 빈칸에 들어갈 알맞은 말을 오늘의 어휘에서 찾아 쓰세요.

- 장난꾸러기 아이들이 한바탕 (　　　　)을 일으켰다.
- 경찰을 본 도둑은 반대편으로 (　　　　) 뛰기 시작했다.
- 약속 시간에 늦었는데 (　　　　)으로 길까지 꽉 막혔다.
- 찬규네 집에 도둑이 들어 집 안의 물건이 (　　　　) 사라졌다.
- 엄마가 장난감을 사 주지 않자 아이는 (　　　　)난 얼굴을 했다.

2 다음 글에서 밑줄 친 말과 뜻이 비슷한 말을 찾아 쓰세요.

집에 도착해서 보니 날씨가 너무 더워 아이스크림이 죄다 녹아버렸다. 폭염 속에 아이스크림 가게에서부터 집까지 걸어온 탓이었다. 녹은 아이스크림을 <u>모두</u> 버려야 할 것 같아서 수지는 울상이 되었다.

(　　　　　　　　)

꽃들에게 희망을 ❶ | 트리나 폴러스

글의 구조

발단 – 전개 – 절정 – 결말

글자 수

739

200 400 600 800 1000

아주 옛날, 작은 호랑 애벌레 한 마리가 오랫동안 **아늑한 보금자리**가 되어 주었던 알을 깨고 나왔습니다.

호랑 애벌레가 말했습니다.

"세상아, 안녕. 햇빛 속으로 나오니까 정말 환하구나."

'배가 고픈걸.' 5

이런 생각이 들자, 호랑 애벌레는 자기가 태어난 곳인 초록빛 나뭇잎을 갉아 먹기 시작했습니다. 그 나뭇잎을 다 먹자, 또 다른 나뭇잎을 먹었습니다……. 그리고…… 호랑 애벌레는 **무럭무럭** 자랐습니다……. 몸이 자꾸만 자꾸만…… 또 다른 잎을…… 또 다른 잎을……. 커졌습니다…….

그러던 어느 날, 호랑 애벌레는 먹는 일을 멈추고 생각했습니다. 10

'그저 먹고 자라는 것만이 삶의 전부는 아닐 거야. 이런 삶과는 다른 무언가가 있을 게 분명해. 그저 먹고 자라기만 하는 건 따분해.'

그래서 호랑 애벌레는 오랫동안 그늘과 먹이를 제공해 준 정든 나무에서 기어 내려왔습니다. 호랑 애벌레는 그 이상의 것을 찾고 있었습니다.

세상은 **온갖** 새로운 것들로 가득 차 있었습니다. 풀과 흙, 구멍, 작은 곤충들. 이 모든 것이 호랑 애벌레의 마음을 **사로잡았습니다.** 15

하지만 그 어느 것도 호랑 애벌레를 만족시켜 주지는 못했습니다.

그러던 어느 날, 호랑 애벌레는 자기처럼 기어 다니는 애벌레들과 마주쳤습니다. 호랑 애벌레는 유난히 가슴이 **설레었습니다.** 하지만 그들은 먹는 일에만 정신이 팔려 있어서 이야기할 **겨를**이 없었습니다. 얼마 전까지 호랑 애벌레가 그랬던 것처럼 말입니다. 20

"저 애들은 삶에 대해 나보다도 아는 게 없어."

㉠ 호랑 애벌레는 한숨을 지었습니다.

- **아늑한** 포근하게 감싸 안기듯 편안하고 조용한 느낌이 있는.
- **보금자리** 지내기에 매우 포근하고 아늑한 곳.
- **무럭무럭** 힘차게 잘 자라는 모양.
- **온갖** 이런저런 여러 가지의.
- **사로잡았습니다** 생각이나 마음을 온통 한곳으로 쏠리게 했습니다.
- **설레었습니다** 마음이 가라앉지 않고 들떠서 두근거렸습니다.
- **겨를** 생각을 다른 곳으로 돌릴 수 있는 시간의 여유.

갈래

1 이 글에 대한 설명으로 알맞은 것은 무엇인가요? (   )

① 작가가 느끼는 감정을 노래하듯 나타낸 글이다.
② 글쓴이의 경험을 바탕으로 솔직하게 쓴 글이다.
③ 가상의 인물과 배경을 바탕으로 지어낸 글이다.
④ 무대에서 연극으로 공연하기 위해 지어낸 글이다.
⑤ 어떤 지식이나 정보를 전달하고 이해시키기 위해 쓴 글이다.

세부 내용

2 이 글의 내용으로 알맞지 않은 것은 무엇인가요? (   )

① 호랑 애벌레는 알을 깨고 태어났다.
② 호랑 애벌레는 자신이 태어난 곳인 나뭇잎을 갉아 먹었다.
③ 호랑 애벌레는 배가 고파서 나뭇잎을 계속 먹고 또 먹었다.
④ 호랑 애벌레가 만난 세상의 새로운 것들은 호랑 애벌레의 마음을 만족시켰다.
⑤ 호랑 애벌레가 만난 애벌레들은 먹는 일에 정신이 팔려서 호랑 애벌레와 대화할 수 없었다.

세부 내용

3 호랑 애벌레가 나무 아래로 내려온 까닭으로 알맞은 것의 기호를 쓰세요.

㉮ 자신이 태어난 정든 나무에 있던 그늘과 먹이가 모두 사라져서
㉯ 다른 애벌레들이 나무 아래에 더 좋은 나뭇잎이 있다고 설득해서
㉰ 호랑 애벌레가 먹고 자라는 것보다 더 중요한 게 있다고 생각하게 되어서

(   )

추론

4 ㉠에서 짐작할 수 있는 호랑 애벌레의 마음으로 가장 알맞은 것은 무엇인가요?
(   )

① 먹는 일의 소중함을 함께 이야기하지 못해서 속상하다.
② 자신과 닮은 존재를 처음 마주하여 많이 긴장되고 떨린다.
③ 먹는 일에만 정신이 팔린 애벌레들을 설득하려니 답답하다.
④ 자신보다 아는 것이 없는 존재들과 이야기를 하니 따분하다.
⑤ 자신과 닮은 존재를 만났지만 삶에 대한 답을 얻지 못해 실망스럽다.

지문 분석

정답과 해설 25쪽

1 구성 요소 이 글에 나오는 중심인물과 장소를 생각하여 빈칸에 알맞은 말을 쓰세요.

중심인물	( ) 애벌레
일이 일어나는 장소	( ) 위 ➔ 나무 아래 세상

2 사건 전개 시간의 흐름에 따라 호랑 애벌레가 한 일은 무엇인지 보기에서 기호를 찾아 써 넣어 글의 내용을 정리하세요.

보기
㉮ 알을 깨고 나옴.
㉯ 나뭇잎을 먹으며 무럭무럭 자람.
㉰ 먹이와 그늘을 제공해 준 정든 나무를 떠남.
㉱ 먹는 일을 멈추고 삶의 의미에 대해 생각함.
㉲ 자기처럼 기어 다니는 다른 애벌레들과 마주침.

(   ) ➔ (   ) ➔ (   ) ➔ (   ) ➔ (   )

배경지식 단 한 권의 책으로 많은 사람들에게 감동을 준 작가, 트리나 폴러스

이 글을 쓴 작가인 트리나 폴러스(Trina Paulus)는 국제 여성 운동 단체인 '그레일'의 회원으로 14년 동안 공동 농장에서 일하며 우유를 짜고, 채소를 재배하며 공동체 생활을 유지하기 위해 조각품을 만들어 팔고 있었습니다. 이후 한 출판사와의 인연으로 책을 쓰게 됩니다. 트리나 폴러스는 2년여의 시간 동안 고심하며 애정을 담은 손글씨로 글의 내용을 직접 쓰고, 그림에 색을 입혀 자신의 책을 써냈는데 이 책이 바로 1972년에 출간된 『꽃들에게 희망을』입니다. 이 책은 출간 이후 오랜 시간 동안 세계 여러 나라 언어로 번역되어 수백 만 부가 넘게 팔리며 베스트셀러가 되었습니다. 트리나 폴러스는 90세가 넘은 지금도 여성 운동가이자 조각가, 환경 운동가, 유기농 정원사로 활발히 활동하고 있습니다.

정답과 해설 25쪽

오늘의 어휘

다음 낱말의 알맞은 뜻을 찾아 선으로 이으세요.

겨를 •	• 이런저런 여러 가지의.
온갖 •	• 어떤 기준보다 더 낫거나 앞섬.
이상 •	• 지내기에 매우 포근하고 아늑한 곳.
아늑한 •	• 생각을 다른 곳으로 돌릴 수 있는 시간의 여유.
보금자리 •	• 포근하게 감싸 안기듯 편안하고 조용한 느낌이 있는.

1 다음 빈칸에 들어갈 알맞은 말을 오늘의 어휘에서 찾아 쓰세요.

- 이 서랍에는 [　　　　] 물건이 다 들어 있다.
- 숨 돌릴 [　　　　]도 없이 바로 출발해야 한다.
- 집은 마음의 안정을 주는 소중한 [　　　　]이다.
- 이 약은 하루에 세 알 [　　　　] 먹지 말아야 한다.
- 이 의자에 앉으면 엄마 품처럼 [　　　　] 느낌이 든다.

2 다음 글에서 밑줄 친 말과 뜻이 비슷한 말을 찾아 쓰세요.

갑자기 하늘에 먹구름이 몰려오더니 하늘이 금세 어두워졌다. 피할 틈도 없이 소나기가 쏟아지기 시작했다. 집에 돌아오니 어머니께서 수건을 주시며 왜 이렇게 많이 젖었냐고 물으셨다. 나는 피할 겨를도 없이 소나기가 쏟아졌다고 말씀드리고 젖은 몸을 수건으로 닦아 냈다.

(　　　　　　　　)

꽃들에게 희망을 ❷ | 트리나 폴러스

글의 구조

발단 – 전개 – 절정 – 결말

글자 수

761

200 400 600 800 1000

[앞부분 이야기] 호랑 애벌레는 바삐 기어가는 다른 애벌레 떼를 보고, 그들 틈에 끼어들게 됩니다. 꿈틀거리며 기어 올라가는 애벌레 기둥 속으로 밀고 들어가서, 호랑 애벌레는 밟히고 차이며 다른 애벌레들을 밟고 올라갑니다. 다른 애벌레들은 친구가 아니라 위협과 장애물일 뿐이었습니다.

하지만 어떤 날은 제자리를 지키는 것만도 힘겨웠습니다. 그럴 때면 특히 불안의 어두운 그림자가 호랑 애벌레의 마음을 괴롭혔습니다. 그림자는 이렇게 속삭이곤 했습니다.

"꼭대기에는 뭐가 있지? 우리는 어디로 가고 있는 거지?"

하루는 **하도** 화가 나서, 그림자의 속삭임을 더 이상 참지 못하고 **버럭** 고함을 질렀습니다. 5

"나도 몰라. 그런 건 생각할 시간도 없단 말이야."

그때 호랑 애벌레 밑에 눌려 있던 노랑 애벌레가 숨을 헐떡이며 물었습니다.

"너 방금 뭐라고 했니?" / 호랑 애벌레는 **얼버무렸습니다.**

"혼잣말을 한 것뿐이야. 별로 중요한 건 아니야. 우리가 어디로 가고 있는지 궁금했을 뿐이야." 10

노랑 애벌레가 말했습니다.

"실은 나도 그게 궁금했어. 하지만 알아낼 방법이 없어서 그건 별로 중요하지 않다고 생각하기로 했어."

스스로 생각해도 이 말이 **어리석게** 느껴졌는지, 노랑 애벌레는 ㉠ 얼굴을 붉히며 재빨리 덧붙였습니다. 15

"우리가 어디로 가고 있는지, 다른 애들은 아무도 걱정하지 않는 것 같아. 그러니까 우리가 가는 곳은 틀림없이 멋진 곳일 거야."

하지만 노랑 애벌레는 또다시 얼굴을 붉히며 물었습니다.

"꼭대기까지는 얼마나 남았을까?" / 호랑 애벌레는 **근엄하게** 대답했습니다. 20

"우리가 있는 곳은 밑바닥도 아니고 꼭대기도 아니니까, 중간쯤에 있는 게 분명해."

노랑 애벌레가 말했습니다. / "그렇구나."

그들은 다시 기어오르기 시작했습니다.

그러나 호랑 애벌레는 지금까지와는 다른, 왠지 **불쾌한** 느낌이 들었습니다. 호랑 애벌레는 무슨 수를 써서라도 위로 올라가야 한다는 **집념**을 잃었습니다. 25

- **하도** 너무.
- **버럭** 화가 나서 갑자기 소리를 냅다 지르는 모양.
- **얼버무렸습니다** 말이나 행동을 분명하지 않게 대충 했습니다.
- **어리석게** 슬기롭지 못하게.
- **근엄(謹 삼갈 근, 嚴 엄숙할 엄)하게** 점잖고 조용하게.
- **불쾌한** 못마땅하여 기분이 좋지 않은.
- **집념(執 잡을 집, 念 생각 념)** 한 가지 일에 매달려 마음을 쏟음. 또는 그 마음이나 생각.

중심 내용

1 이 글에서 호랑 애벌레와 노랑 애벌레가 궁금해하는 것은 무엇인가요? (　　　)

① 기둥 밖에는 무엇이 있을까?
② 우리는 어디로 가고 있는 걸까?
③ 우리를 만나게 한 건 누구일까?
④ 바닥으로 어떻게 내려가야 할까?
⑤ 다른 애벌레들은 어디에서 왔을까?

어휘

2 ㉠과 바꾸어 쓸 수 있는 말로 알맞지 않은 것의 기호를 쓰세요.

㉮ 기뻐하며	㉯ 민망해하며
㉰ 부끄러워하며	㉱ 쑥스러워하며

(　　　　　　)

세부 내용

3 이 글의 내용으로 알맞은 것에 모두 ○표 하세요.

(1) 호랑 애벌레는 기둥에서 노랑 애벌레를 밟고 있었다. (　　)
(2) 호랑 애벌레는 위로 올라가야 한다는 집념을 잃어버렸다. (　　)
(3) 노랑 애벌레는 기둥 꼭대기에 무엇이 있는지 알고 있었다. (　　)
(4) 호랑 애벌레는 노랑 애벌레의 고함소리를 듣고 노랑 애벌레에게 말을 걸었다. (　　)

추론

4 이 글을 읽고 생각이나 느낌을 알맞게 말하지 않은 친구는 누구인지 쓰세요.

승희: 그림자의 속삭임은 어디로 가는지 몰라 불안한 호랑 애벌레의 마음 속에서 들려오는 소리였을 거야.
유진: 노랑 애벌레와 호랑 애벌레만 자신들이 가는 곳에 대해 걱정하는 것을 보면 다른 애벌레들과는 달리 생각을 하는 존재인 것 같아.
원영: 호랑 애벌레가 노랑 애벌레와 이야기하고 나서 꼭대기에 무엇이 있는지 알아내는 것을 자신의 목표라고 생각한 것이 대단해 보였어.

(　　　　　　)

지문 분석

정답과 해설 26쪽

1 인물 특징

인물의 행동을 생각하며 (　　　　) 안에 들어갈 알맞은 말에 ○표 하세요.

호랑 애벌레	노랑 애벌레
다른 애벌레들을 따라 꼭대기를 향해 올라가지만, 거기에 무엇이 있을지 계속 (의문, 확신)을 가짐.	어디로 가고 있는지는 잘 모르지만 우리가 가는 곳은 틀림없이 멋질 거라고 (의문, 확신)함.

↓

(삶의 의미, 순간의 행복)에 대해 계속해서 고민하고 중요한 것을 찾으려고 함.	자신이 마주한 (현실과 미래, 과거)를 긍정적으로 생각하며 희망을 가지고 바라봄.

2 마음 변화

일이 일어난 때에 따라 호랑 애벌레의 마음 변화를 정리하여 빈칸에 알맞은 말을 쓰세요.

일이 일어난 때	인물의 마음
노랑 애벌레와 이야기하기 전	(　　　　　　)의 속삭임을 듣고 화가 남.

↓

노랑 애벌레와 이야기하고 난 후	(　　　　　　)한 느낌이 들었고, 올라가야겠다는 (　　　　　　)을 잃음.

배경지식 나비의 한살이

나비가 알을 낳고 일주일 정도 지나면 애벌레가 껍질을 물어뜯고 밖으로 나옵니다. 애벌레는 보통 식물의 잎을 먹고 자라며, 허물을 벗고 점점 크기가 커집니다. 다 자란 애벌레는 번데기가 되기에 적절한 장소를 찾아가서 입에서 실을 뽑아내어 번데기가 됩니다. 번데기가 된 후, 보통 5일에서 7일이 지나면 성충이 번데기에서 나와 나비가 됩니다.

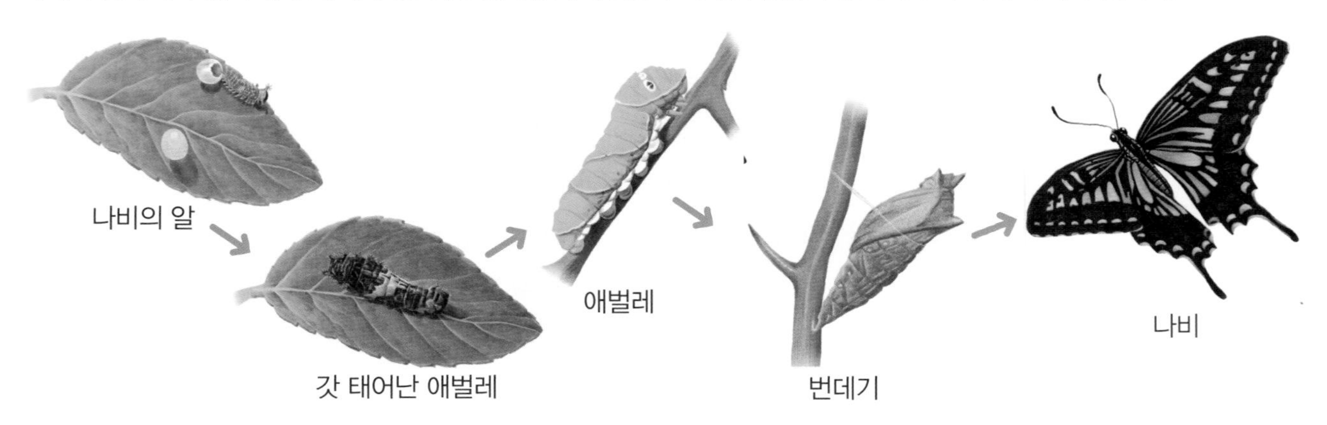

정답과 해설 26쪽

오늘의 어휘

다음 낱말의 알맞은 뜻을 찾아 선으로 이으세요.

버럭 •	• 점잖고 조용하게.
집념 •	• 슬기롭지 못하게.
불쾌한 •	• 못마땅하여 기분이 좋지 않은.
어리석게 •	• 한 가지 일에 매달려 마음을 쏟음.
근엄하게 •	• 화가 나서 갑자기 소리를 냅다 지르는 모양.

1 다음 빈칸에 들어갈 알맞은 말을 오늘의 어휘에서 찾아 쓰세요.

- 임금은 (   ) 앉아서 신하들을 맞이했다.
- 그는 한 치 앞을 못 보고 (   ) 행동했다.
- 푹푹 찌는 날씨 때문에 (   ) 느낌이 든다.
- 지호는 혜민이의 말을 듣고 (   ) 화를 냈다.
- 우리 팀의 이번 우승은 승리를 향한 (   )이 있었기 때문이다.

2 다음 글에서 밑줄 친 말과 뜻이 반대인 말을 찾아 쓰세요.

「토끼전」에서 용왕은 자라를 육지로 보내 토끼의 간을 가져오게 한다. 자라를 따라 용궁에 온 토끼는 용궁에서 목숨을 잃을 위기에 처하자 <u>영리하게</u> 꾀를 내어 간을 육지에 두고 왔다고 말한다. 토끼의 말을 곧이곧대로 믿은 용왕과 자라는 아주 어리석게 토끼에게 속아 넘어가고 만다.

(   )

꽃들에게 희망을 ❸ | 트리나 폴러스

글의 구조

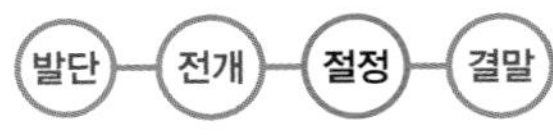

글자 수

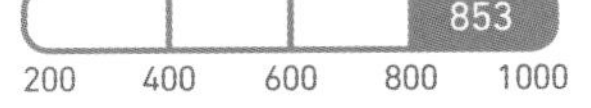

노랑 애벌레가 슬프게 바라보는 눈빛에 호랑 애벌레는 그만 자신이 미워졌습니다. 그리고 ㉠ **문득** 이런 생각이 들었습니다.

"저 위에 무엇이 있는지는 모르지만, 이런 짓을 하면서까지 올라갈 **가치**는 없어."

호랑 애벌레는 노랑 애벌레의 머리에서 내려와 **속삭였습니다.** 5

"미안해." / 그러자 노랑 애벌레가 울면서 말했습니다.

"그날 혼잣말을 하는 너를 만나기 전에는 그래도 미래의 **희망**을 품고 이 삶을 견딜 수 있었어. 그런데 그날 이후로 이런 생활을 계속할 마음이 사라졌어. 하지만 이제 어떡하면 좋을지 모르겠어. 그때까지만 해도 내가 이런 생활을 얼마나 싫어하는지 몰랐어. 하지만 지금 나를 바라보는 너의 다정한 눈길을 보고, 내가 이 생활을 좋아하지 않는다는 걸 확실히 깨닫게 됐어. 나는 너와 함께 기어 다니며 풀이나 뜯어먹는 생활을 하고 싶어." 10

호랑 애벌레는 가슴이 두근거렸습니다. 모든 것이 달라 보였습니다. 기둥은 이제 아무런 의미도 없었습니다.

호랑 애벌레가 속삭였습니다. / "나도 그러고 싶어." 15

그것은 위로 올라가는 일을 포기한다는 의미였습니다. 매우 어려운 **결단**이었습니다.

"노랑 애벌레야, 우리는 어쩌면 꼭대기에 거의 다 왔는지도 몰라. 우리가 서로 도우면 금방 꼭대기에 도착할 수 있을 거야."

노랑 애벌레가 말했습니다. / "그럴지도 모르지." 20

그러나 그들은 깨달았습니다, 꼭대기에 오르는 것이 그들의 가장 **간절한** 소망이 아니라는 것을.

노랑 애벌레가 말했습니다.

"내려가자." / "그래, 좋아."

그래서 그들은 올라가는 것을 포기했습니다. 25

수많은 애벌레가 그들을 밟고 올라갔기 때문에 그들은 서로를 꼭 끌어안았습니다.

숨이 막혀서 답답했지만, 그들은 함께 있어서 행복했고, 눈과 배가 밟히지 않도록 서로 끌어안고 커다란 공처럼 몸을 둥글게 말았습니다.

- **문득** 생각이나 느낌이 갑자기 떠오르는 모양.
- **가치** 사물이 지니고 있는 쓸모.
- **속삭였습니다** 낮은 목소리로 가만가만 이야기하였습니다.
- **희망** 앞으로 잘될 수 있는 가능성.
- **결단**(決 결단할 결, 斷 끊을 단) 어떤 것을 하기로 완전히 결정하는 것.
- **간절**(懇 간절할 간, 切 끊을 절)**한** 무엇을 바라는 마음이 아주 크고 강한.

중심 내용

1 **이 글에서 가장 중요한 일은 무엇인지 빈칸에 알맞은 말을 쓰세요.**

> 호랑 애벌레와 노랑 애벌레가 기둥 (   )에 올라가는 것을 포기했다.

어휘

2 **㉠과 바꾸어 쓸 수 있는 말로 알맞지 않은 것은 무엇인가요? (   )**

① 언뜻　② 선뜻　③ 갑자기
④ 별안간　⑤ 돌연히

세부 내용

3 **노랑 애벌레가 소망하는 것은 무엇인가요? (   )**

① 끝까지 포기하지 않고 꼭대기에 올라가는 것
② 호랑 애벌레와 서로 도와 꼭대기에 도착하는 것
③ 호랑 애벌레를 이기고 꼭대기에 먼저 올라가는 것
④ 호랑 애벌레와 함께 기어 다니며 즐겁게 살아가는 것
⑤ 언젠가는 꼭대기에 오를 수 있다는 희망을 품고 사는 것

적용

4 **이 이야기에서 얻을 수 있는 교훈을 들려주기에 가장 적절한 친구는 누구인지 기호를 쓰세요.**

> ㉮ 매주 주말마다 봉사 활동을 하러 가는 민수
> ㉯ 무슨 일이든 다른 사람을 이기기 위해 애쓰는 영준
> ㉰ 달리기 시합에서 넘어진 친구를 도와주다 1등을 놓친 수미
> ㉱ 시험에서 1등을 하는 영준이를 부러워하면서 공부는 하지 않는 세현

(   )

지문 분석

정답과 해설 27쪽

1 구성 요소 **이 글의 구성 요소를 생각하며 빈칸에 알맞은 말을 쓰세요.**

등장인물	( ) 애벌레, ( ) 애벌레
장소	애벌레들이 꼭대기로 올라가기 위해 만든 ( )
일어난 일	호랑 애벌레와 노랑 애벌레가 ( )에 오르는 것이 의미 없는 일임을 깨닫고, 기둥을 내려가서 함께 기어 다니며 살기로 함.

2 주제 **이 글의 마지막 장면과 관련지어 이야기의 주제를 완성할 때, (   ) 안에 들어갈 알맞은 말에 ◯표 하세요.**

마지막 장면	→	이야기의 주제
호랑 애벌레와 노랑 애벌레가 꼭대기에 오르는 것을 (포기하고, 포기하지 않고) 함께 기둥을 내려가기로 함.	→	다른 이들과 (경쟁, 협동)하며 살아가는 것보다 (혼자, 더불어) 살아가는 것이 진정한 행복임.

배경지식 「꽃들에게 희망을」 전체 줄거리

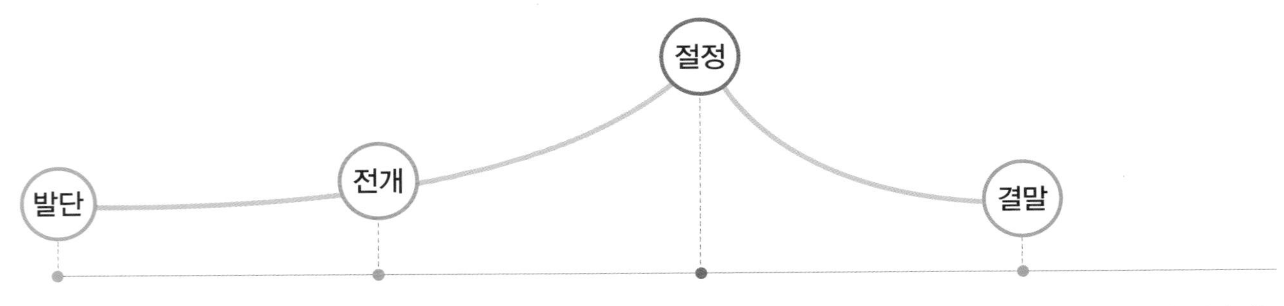

발단	전개	절정	결말
나무 위에서 태어나 먹고 자라기만 하던 호랑 애벌레는 먹고 자라는 일이 아닌 삶의 의미를 찾으려고 길을 떠남.	애벌레 기둥으로 들어간 호랑 애벌레는 꼭대기를 향해 올라가다 노랑 애벌레를 만나고, 둘은 위로 올라가는 일을 멈춤.	시간이 흘러 호랑 애벌레는 지루함을 느끼고 다시 기둥을 오르지만, 노랑 애벌레는 늙은 애벌레를 만나 나비가 됨.	나비가 된 노랑 애벌레는 호랑 애벌레를 찾아가고, 호랑 애벌레도 기둥을 내려와 나비가 되기 위해 고치를 만듦.

오늘의 어휘

다음 낱말의 알맞은 뜻을 찾아 선으로 이으세요.

문득 •	• 사물이 지니고 있는 쓸모.
가치 •	• 앞으로 잘될 수 있는 가능성.
희망 •	• 어떤 것을 하기로 완전히 결정하는 것.
결단 •	• 무엇을 바라는 마음이 아주 크고 강한.
간절한 •	• 생각이나 느낌이 갑자기 떠오르는 모양.

1 다음 빈칸에 들어갈 알맞은 말을 오늘의 어휘에서 찾아 쓰세요.

- [ ] 전학 간 친구가 생각나서 눈물이 났다.
- 그는 오랜 고민 끝에 신중하게 [ ]을 내렸다.
- 친구의 [ ] 부탁을 거절하지 못하고 들어주었다.
- 선생님은 아직 결승에 나갈 [ ]이 있다며 기뻐하셨다.
- 우리나라의 자연은 외국인에게 자랑할 만한 [ ]가 있다.

2 다음 글에서 밑줄 친 말과 뜻이 비슷한 말을 찾아 쓰세요.

백제의 '백제금동대향로'는 1400년 동안 땅에 묻혀 있다가 아주 우연히 발견되었는데 논바닥에 묻혀 있어서 거의 녹슬지 않고 제 모습을 간직하고 있었다. 이 유물은 역사적으로도 의미가 있지만 장식이 화려하고 아름다워 예술적으로도 가치가 높다.

(　　　　　　　　)

어린 왕자 ❶ | 생텍쥐페리

글의 구조

발단 — 전개 — 절정 — 결말

글자 수

844

200 400 600 800 1000

비행기는 엔진이 크게 고장 났는지 꼼짝도 하지 않았습니다.

비행기를 고칠 정비사도, 이야기를 나눌 승객도 없었습니다. **드넓은** 사막에는 오직 나 혼자뿐이었습니다. 나는 비행기를 빨리 고치지 않으면 안 되었습니다. 마실 물도 일주일 정도의 여유밖에 남아 있지 않았습니다.

첫날 밤, 나는 사막에서 그냥 자야 했습니다. 사람들이 사는 마을과는 너무 멀리 떨어져 있었기 때문이었지요. 그 기분은 너무나 외롭고 쓸쓸했습니다.

이튿날 해가 뜰 **무렵**이었습니다. 나는 어떤 작은 목소리에 놀라 잠을 깼습니다. 아무도 없는 사막 한가운데에서 **별안간** 사람의 목소리가 들려오다니! 내가 얼마나 놀랐을지 여러분은 상상할 수 있을 것입니다. 그 작은 목소리는 내게 속삭였습니다.

"아저씨……, 아저씨……, 양 한 마리만 그려 줘."

"뭐?" / "양 한 마리만 그려 줘."

순간 나는 벼락이라도 맞은 것처럼 깜짝 놀라 일어났습니다. 그러자 이상하게 생긴 웬 꼬마가 나를 **빤히** 바라보고 있는 게 아니겠어요?

[중간 이야기] 양을 그려 달라는 꼬마의 말에 '나'는 그림을 그릴 줄 모른다고 말했지만, 꼬마는 막무가내로 그림을 그려 달라고 합니다. '나'는 양 그림을 여러 번 그려 주었지만 꼬마는 갖가지 이유를 대며 마음에 들지 않는다고 합니다.

나는 화가 나서 참을 수 없었습니다. 이따위 양 그림이나 그릴 시간이면 빨리 비행기를 고치는 것이 더 중요했으니까요. 나는 세 개의 구멍이 뚫린 상자를 아무렇게나 그려서 던져 주었습니다.

"자, 이건 상자야. 네가 갖고 싶어 하는 양은 이 속에 있단다."

그러자 뜻밖에도 꼬마의 눈이 반짝 빛났습니다.

"바로 내가 갖고 싶어 하던 그림이야. 그런데 아저씨, 이 양에게 풀을 많이 줘야 할까?"

"왜 그런 걸 묻지?" / "응, 내가 사는 집은 아주 조그맣거든."

"상관없어. 상자 속의 양도 **몸집**이 아주 작으니까."

꼬마는 그림을 잠시 들여다보면서 말했습니다.

"그렇게 작지도 않은데……. 어? 양이 잠들었네."

이렇게 해서 나는 어린 왕자를 알게 되었답니다.

- **드넓은** 활짝 트여서 아주 넓은.
- **무렵** 일이 일어나는 시간의 앞뒤의 때.
- **별안간** 갑작스럽고 아주 짧은 동안.
- **빤히** 정면으로 거리낌 없이.
- **몸집** 몸의 부피.

갈래

1 **이 글에서 알 수 있는 '나'의 직업으로 알맞은 것은 무엇인가요? (　　　　)**

① 소설가　② 회사원　③ 과학자
④ 비행기 조종사　⑤ 비행기 정비사

세부 내용

2 **이 글의 내용으로 알맞지 <u>않은</u> 것은 무엇인가요? (　　　　)**

① '나'는 드넓은 사막에 혼자 있었다.
② '나'는 일주일 정도 먹을 물을 가지고 있었다.
③ 이튿날 해가 질 무렵 꼬마가 갑자기 나타났다.
④ 꼬마는 '나'에게 양 한 마리를 그려 달라고 했다.
⑤ '나'는 비행기 엔진 고장으로 사막에 오게 되었다.

세부 내용

3 **'내'가 그려 준 양 그림 중 꼬마가 마음에 들어 한 것은 무엇인지 빈칸에 알맞은 말을 쓰세요.**

(　　　　　　　　　　)이 뚫린 상자

추론

4 **이 글에 나오는 인물에 대해 알맞게 짐작하여 말하지 <u>못한</u> 것의 기호를 쓰세요.**

㉮ '나'는 비행기를 빨리 고쳐야 하는데 꼬마가 계속 양 그림을 그려 달라고 해서 화가 났어.
㉯ 꼬마가 갖고 싶어 하던 그림을 처음부터 그려 준 것을 보면 '나'도 상상력이 풍부하고 보통의 어른과는 다른 모습을 가진 사람이야.
㉰ '내'가 그려 준 상자 안에 진짜로 양이 들어 있다고 생각하고 양의 행동에 대해 이야기하는 걸로 보아 꼬마는 상상력이 풍부한 것 같아.

(　　　　　　　　　　)

지문 분석

정답과 해설 28쪽

1 구성 요소 이 글의 구성 요소를 정리하여 빈칸에 알맞은 말을 쓰세요.

일이 일어난 곳	드넓은 ( ) 한가운데
등장인물	'나', ( )
일어난 일	사막에 떨어져 혼자 있던 '나'에게 갑자기 꼬마가 나타나서 ( ) 그림을 그려 달라고 함.

2 마음 변화 시간의 흐름에 따라 '나'의 마음 변화를 정리하여 (   ) 안에 들어갈 알맞은 말에 ○표 하세요.

일이 일어난 때	'나'의 마음
첫날 밤	사막에 홀로 있는 것이 외롭고 (쓸쓸함, 지루함).
↓	
이튿날 해가 뜰 무렵	혼자 있다고 생각했는데 갑자기 사람의 목소리가 들려서 몹시 (신기함, 놀람).

배경지식 비행사이자 작가였던 앙투안 드 생텍쥐페리에 대해 알아볼까요?

생텍쥐페리는 1900년 6월 29일 프랑스에서 태어났습니다. 그는 민간 항공기 조종사로 근무하면서 틈틈이 글을 썼는데, 우편 비행을 하면서 느낀 점을 바탕으로 「남방 우편기」, 「우편 비행」과 같은 작품을 썼습니다. 1943년에는 그의 대표작으로 잘 알려진 「어린 왕자」를 발표하였는데 책에 들어갈 삽화까지 모두 직접 그려 넣어 예술가로서 재능을 보여 주었습니다. 하지만 제2차 세계 대전 때 연합군 반격 작전에 참가하기 위한 정찰 비행 임무를 수행하다가 행방불명되고 말았습니다. 생텍쥐페리는 비행사로서, 프랑스 최고의 작가로서 큰 사랑을 받으며 지금도 많은 사람들의 가슴에 감동을 주고 있습니다.

정답과 해설 28쪽

오늘의 어휘

다음 낱말의 알맞은 뜻을 찾아 선으로 이으세요.

무렵 •	• 몸의 부피.
빤히 •	• 정면으로 거리낌 없이.
몸집 •	• 활짝 트여서 아주 넓은.
드넓은 •	• 갑작스럽고 아주 짧은 동안.
별안간 •	• 일이 일어나는 시간의 앞뒤의 때.

1 다음 빈칸에 들어갈 알맞은 말을 오늘의 어휘에서 찾아 쓰세요.

- 선호는 (   )이 좋고 키가 크다.
- 마른하늘에서 (   ) 천둥소리가 들려왔다.
- 해가 질 (   )에야 숙제를 끝낼 수 있었다.
- (   ) 대지에 수많은 동물들이 살고 있었다.
- 아까부터 어린아이가 엄마에게 눈을 (   ) 뜨고 대들고 있었다.

2 다음 글에서 밑줄 친 말과 뜻이 비슷한 말을 찾아 쓰세요.

방금 전까지만 해도 햇볕이 쨍쨍하다가 별안간 장대비가 세차게 떨어지기 시작했다. 그런데 바로 옆 지역은 비가 오지 않아 땅이 말라 있다. 이렇게 <u>갑자기</u> 대기층이 불안정해지며 특정 지역에 집중적으로 쏟아지는 소나기를 '국지성 호우'라고 한다.

(   )

어린 왕자 ❷ | 생텍쥐페리

글의 구조

발단 — 전개 — 절정 — 결말

글자 수

872

200 400 600 800 1000

[중간 이야기] **어린 왕자는 '나'에게 어린 왕자가 살던 별의 모습과 바오바브 나무, 저녁노을, 그리고 자기 별에서 자라난 한 송이 꽃에 대한 이야기를 들려준다.**

어린 왕자가 사는 별에는 옛날부터 꽃잎이 한 장만 있는, 작고 **소박한** 꽃들이 있었답니다. 그 꽃들은 아침이면 저희끼리 풀밭에 피어났다가 저녁이면 조용히 지곤 했습니다.

어느 날, 풀밭에 어디선가 씨앗이 날아와 처음 보는 싹이 돋아났습니다. 어린 왕자는 그 싹을 아주 조심스럽게 지켜보았습니다. 혹시 바오바브나무의 싹일지도 모르니까요.

마침내 그 싹은 작은 나무가 되어 꽃을 피우기 시작했습니다. 어린 왕자는 커다란 **꽃망울**이 맺힌 것을 보고, 곧 ㉠깜짝 놀랄 일이 일어날 것이라고 생각했습니다.

그러나 그 꽃은 예쁘게 보이기 위하여 **줄곧** 몸단장을 하고 있었습니다. 그 꽃은 정성스레 자신의 색깔을 고르고 천천히 옷을 입었습니다. 그리고 꽃잎들을 하나하나 **가다듬었습니다.** 그 꽃은 자신의 아름다움을 맘껏 **뽐내면서** 세상에 얼굴을 내밀고 싶었던 것이지요.

그러던 어느 날 아침, 해가 떠오를 무렵 그 꽃은 마침내 활짝 피어났습니다.

"아, 이제야 겨우 잠에서 깨어났답니다. 그런데 아직도 내 머리가 헝클어져 있네요."

어린 왕자는 아름다운 꽃의 모습에 **감탄했습니다.**

"당신은 참 아름다워요!" / "그럼요. 나는 해님과 같은 시간에 태어났거든요."

어린 왕자는 꽃이 그다지 겸손하지 않다고 생각했습니다. 그렇지만 꽃은 어린 왕자에게 새 생명이 태어나는 것 같은 기쁨을 주었습니다.

"아침을 먹을 시간이군요. 내 아침 준비를 해 주지 않겠어요?"

꽃의 말에 어린 왕자는 조금 **당황했습니다.** 어린 왕자는 신선하고 깨끗한 물을 담아 둔 물뿌리개를 가져왔습니다. 그리고 시원하게 물을 뿌려 주었습니다.

잘난 체를 좋아하는 꽃은 어린 왕자를 괴롭히기 시작했습니다. 어느 날, 꽃은 자기에게 있는 네 개의 가시에 대해서도 자랑했습니다.

"나는 호랑이들의 발톱도 무섭지 않아요. 나한테는 가시가 있거든요."

- **소박한** 꾸밈이나 거짓이 없고 수수한.
- **꽃망울** 아직 피지 않은 어린 꽃봉오리.
- **줄곧** 끊임없이 계속.
- **가다듬었습니다** 태도나 몸가짐을 바르게 했습니다.
- **뽐내면서** 남에게 보란듯이 우쭐거리면서.
- **감탄했습니다** 마음속 깊이 느껴 놀라 칭찬했습니다.
- **당황했습니다** 놀라거나 몹시 급하여 어떻게 해야 할지 몰랐습니다.

갈래

1 이 글에서 일이 일어난 곳은 어디인지 쓰세요.

( )가 사는 별

표현

2 ㉠의 의미로 가장 알맞은 것은 무엇인가요? ( )

① 싹이 나무가 되는 것
② 꽃이 활짝 피어나는 것
③ 커다란 꽃망울이 맺히는 것
④ 또 다른 씨앗이 날아오는 것
⑤ 처음 보는 싹이 돋아나는 것

세부 내용

3 어린 왕자가 생각한 꽃의 성격으로 알맞은 것은 무엇인가요? ( )

① 온순하다. ② 소심하다. ③ 활발하다.
④ 예의 바르다. ⑤ 겸손하지 않다.

추론

4 이 글을 읽고 생각이나 느낌을 알맞게 말하지 않은 친구는 누구인지 쓰세요.

하진: 어린 왕자의 별에 날아온 씨앗은 싹이 나고 보니 바오바브나무의 씨앗이어서 어린 왕자는 무척 기뻤을 거야.
나희: 자신에게는 가시가 있어서 호랑이의 발톱도 무섭지 않다고 말하는 걸 보고, 꽃이 허풍을 부리는 것 같다고 생각했어.
유미: 어린 왕자는 꽃이 피는 모습을 보면서 새 생명이 태어나는 것 같은 기쁨을 받았기 때문에 꽃을 보고 행복함을 느꼈을 거야.

( )

지문 분석

정답과 해설 29쪽

1 인물 특징 어린 왕자의 별에 원래 있던 꽃들과 새로운 꽃의 모습을 생각하여 빈칸에 알맞은 말을 쓰세요.

어린 왕자의 별에 원래 있던 꽃들	새로운 꽃
(　　　　)이면 피어났다가 (　　　　)이면 조용히 짐.	커다란 (　　　　)이 맺힘.
(　　　　)이 한 장만 있음.	줄곧 (　　　　)을 하고 꽃잎들을 하나하나 가다듬음.
작고 (　　　　)함.	(　　　　)를 자랑함.

2 마음 변화 어린 왕자의 마음을 생각하며 (　　　) 안에 들어갈 알맞은 말에 ○표 하세요.

새로운 꽃이 피어난 후	꽃의 아름다운 모습에 (감탄함, 깜짝 놀람).

↓

새로운 꽃과 대화를 나눈 후	꽃의 갑작스러운 요구에 (즐거움, 당황함).

배경지식 '어린 왕자'가 여행한 여러 별들

어린 왕자는 자신의 별을 떠나 다른 별들을 여행하며 다양한 사람들을 만납니다. 권위에 사로잡힌 왕의 별, 허영심이 많은 사람의 별, 자기 자신을 탓하기만 하는 술꾼의 별, 무엇인가를 가지는 것만이 중요하다고 생각하는 부자의 별, 점등인의 별, 지리학자의 별을 방문합니다. 그리고 이러한 사람들과의 만남에서 알게 된 사람들의 가치관에 의문을 갖습니다.

어린 왕자는 마지막으로 지구를 여행하며, 뱀, 꽃, 여우, 철도원 아저씨를 만납니다. 그리고 비행기 조종사인 '나'를 만나 그동안 있었던 일을 이야기하고 친구가 된 뒤, 뱀의 도움으로 자신의 별로 돌아갑니다.

정답과 해설 29쪽

오늘의 어휘

다음 낱말의 알맞은 뜻을 찾아 선으로 이으세요.

줄곧 •	• 끊임없이 계속.
소박한 •	• 풀기 힘들만큼 서로 엉켜.
헝클어져 •	• 꾸밈이나 거짓이 없고 수수한.
뽐내면서 •	• 남에게 보란듯이 우쭐거리면서.
겸손하지 •	• 남을 존중하고 자신을 내세우지 않는 태도가 있지.

1 다음 빈칸에 들어갈 알맞은 말을 오늘의 어휘에서 찾아 쓰세요.

- 꾀꼬리가 목청을 (   ) 노래를 불렀다.
- 친구는 (   ) 못해 사람들의 눈총을 받았다.
- 남자는 (   ) 자신은 죄가 없다고 주장했다.
- 세아는 빗으로 (   ) 있는 머리카락을 빗었다.
- 백자 항아리에는 깨끗하고 (   ) 아름다움이 있다.

2 다음 글에서 밑줄 친 말과 뜻이 반대인 말을 찾아 쓰세요.

독버섯은 <u>화려한</u> 생김새와 빛깔을 보인다고 알려져 있으나 모든 독버섯이 그런 것은 아니다. 실제로 달걀버섯은 매우 화려하게 생겼지만 먹을 수 있는 버섯이며, 독우산광대버섯은 색이 희고 소박한 모양으로 생겼지만 맹독을 가진 독버섯이다.

(   )

어린 왕자 ③ | 생텍쥐페리

글의 구조

글자 수

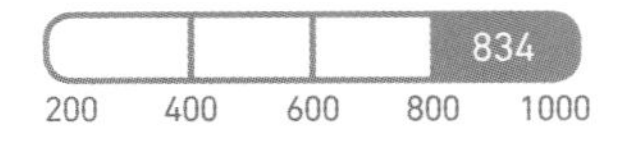

[중간 이야기] 어린 왕자는 꽃의 투정에 꽃의 마음을 의심하고, 실망하여 외로움을 없애 줄 친구를 찾기 위해 자기 별을 떠난다. 지구에 도착한 어린 왕자는 여우를 만난다.

여우는 어린 왕자에게 **애걸했습니다**.
"제발, 나를 **길들여** 줘."
"미안해. 난 시간이 없어. 또 다른 친구들을 만나야 하고, 많은 것을 배워야 해."
"누구든지 자기가 길들인 것밖에는 알지 못하는 거야. 사람들은 이제 새로운 걸 알 시간조차 없지. 그건 가게에 가서 이미 다 만들어진 물건들을 사는 거랑 똑같아. 그런데 친구를 파는 가게는 어디에도 없어. 그래서 사람들에게는 친구가 더 이상 없는 거야. 만일 네가 친구를 원한다면 나를 길들여 줘."
여우의 눈은 무척 **애처로워** 보였습니다.
"어떻게 하면 길들일 수 있는데?"
어린 왕자가 물었습니다.
"처음에는 나에게서 조금 떨어져서 풀밭에 앉아 있는 거야. 나는 **곁눈질**로 너를 보고 있을 거야. 그렇게 말없이 기다리면 돼. 그러다 보면 너는 매일 조금씩 내게로 가까이 올 수 있을 거야."
다음 날, 어린 왕자는 다시 여우를 찾아갔습니다.
"항상 똑같은 시간에 오는 게 더 좋아. 만약 네가 오후 4시에 온다면, 나는 3시부터 마음이 설레겠지. 그리고 점점 시간이 갈수록 행복해지다가 오후 4시가 되면 나는 기분이 좋아서 어쩔 줄 모를 거야. **비로소** 행복이 얼마나 소중한지 깨닫겠지. 그런데 네가 아무 때나 온다면 나는 언제 마음의 준비를 해야 할지 모르잖아. 그래서 의식이 필요한 거야."
"의식은 또 뭐야?" / 어린 왕자가 물었습니다.
"의식이란 어떤 하루를 특별한 날로 만드는 거야. 그리고 어떤 시간을 평범한 시간들과는 다르게 만드는 것이지. 사냥꾼들에게도 의식이라는 게 있어. 그들은 매주 목요일이 되면 마을의 아가씨들과 신나게 춤을 춘단다. 그날만큼은 나도 포도밭까지 마음 놓고 산책을 나갈 수 있단다."
이리하여 어린 왕자는 여우를 길들이게 되었습니다.

- **애걸했습니다** 소원을 들어 달라고 간절하게 빌었습니다.
- **길들여** 어떤 일에 익숙하게 해.
- **애처로워** 가엾고 불쌍하여 마음이 슬퍼.
- **곁눈질** 얼굴은 돌리지 않고 눈알만 옆으로 굴려서 보는 일.
- **비로소** 어떤 일이나 현상이 다른 일 때문에 처음으로 이루어져.

정답과 해설 30쪽

갈래

1 **이 글에 등장하는 인물을 모두 쓰세요.**

( ), ( )

세부 내용

2 **여우가 사람들에게 친구가 더 이상 없다고 한 까닭은 무엇인가요? ( )**

① 사람들이 많은 것을 배워야 해서
② 사람들이 새로운 것을 궁금해해서
③ 사람들이 친구를 필요로 하지 않아서
④ 사람들이 친구를 길들일 시간이 없어서
⑤ 사람들이 친구를 파는 가게의 위치를 찾지 못해서

세부 내용

3 **여우가 어린 왕자에게 원한 것은 무엇인가요? ( )**

① 어디든 같이 가는 것
② 자신을 길들여 주는 것
③ 함께 풀밭에 앉아 있는 것
④ 자신을 아무 때나 찾아오는 것
⑤ 자신과 오랜 시간을 함께 보내는 것

추론

4 **다음은 여우가 어린 왕자에게 한 말입니다. 이 글의 내용으로 보아 빈칸에 들어갈 알맞은 말은 무엇일지 짐작하여 쓰세요.**

> "너는 아직 내게 수많은 남자아이들 중에 한 소년일 뿐이야. 그래서 나는 네가 없어도 괜찮아. 너에게도 나는 그냥 수많은 여우들을 닮은 한 마리의 여우에 불과해. 하지만 만약 너와 내가 서로 길들이면 우리는 꼭 필요한 사이가 되는 거야. 다시 말해, 세상에서 둘도 없는 ( )가 되는 거지."

( )

지문 분석

1 사건 파악 여우가 말한 자신을 길들이는 방법을 정리하여 빈칸에 알맞은 말을 쓰세요.

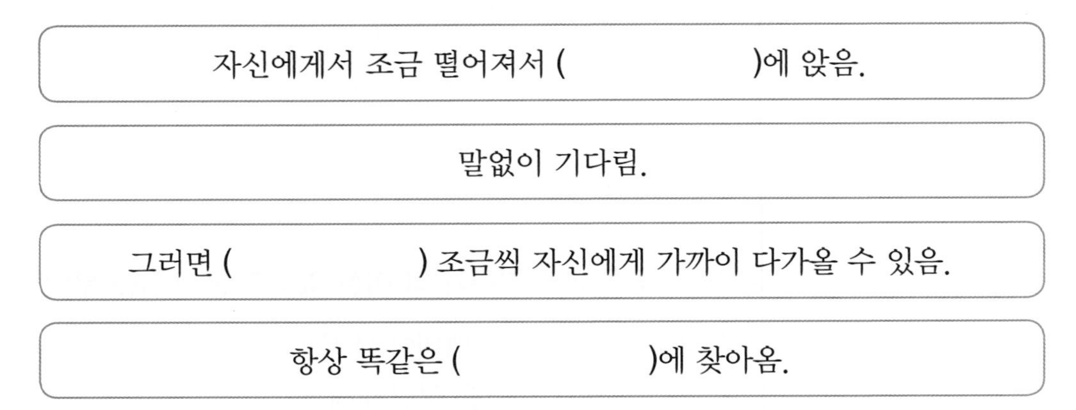

2 표현 여우가 말한 '의식'의 의미를 생각하여 (   ) 안에 들어갈 알맞은 말에 ○표 하세요.

여우가 말한 '의식'의 의미	• 어떤 하루를 (평범한, 특별한) 날로 만드는 것 • 어떤 (시간, 장소)을/를 평범한 (시간, 장소)들과는 다르게 만드는 것

어린 왕자에게 필요한 의식	매일 (같은, 다른) 시간에 여우를 찾아가는 것

배경지식 「어린 왕자」 전체 줄거리

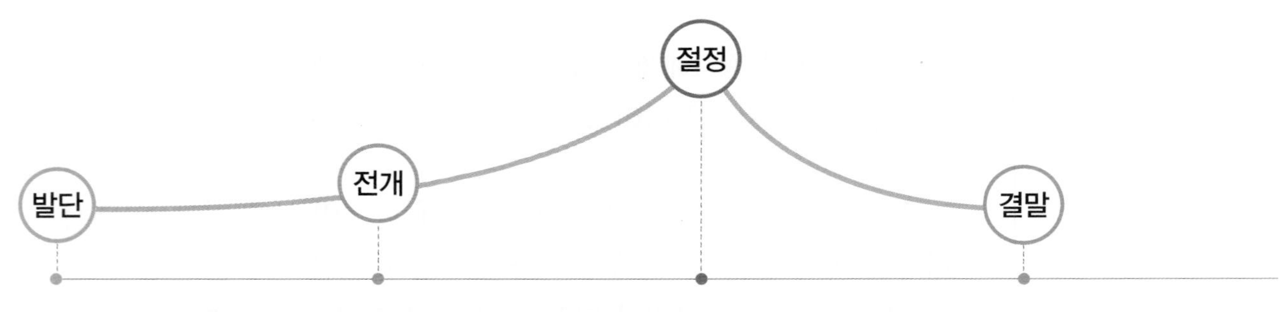

- **발단**: 비행기 고장으로 사막에 혼자 떨어진 '나'는 어린 왕자를 만나게 되고, 어린 왕자의 이야기를 들음.
- **전개**: 어린 왕자는 자신의 별에 핀 장미꽃 때문에 별을 떠나 여러 별을 여행하며 다양한 사람을 만남.
- **절정**: 어린 왕자는 지구에 도착해 장미가 가득 핀 정원을 보고 자신의 장미꽃이 하나가 아니라는 사실에 충격을 받음.
- **결말**: 어린 왕자는 여우를 통해 장미의 소중함을 깨달아 자신의 별로 돌아가고, '나'는 별을 보며 어린 왕자를 추억함.

오늘의 어휘

다음 낱말의 알맞은 뜻을 찾아 선으로 이으세요.

평범한 •	• 어떤 일에 익숙하게 해.
길들여 •	• 가엾고 불쌍하여 마음이 슬퍼.
곁눈질 •	• 두드러지거나 특별한 데가 없는.
비로소 •	• 얼굴을 돌리지 않고 눈알만 옆으로 굴려서 보는 일.
애처로워 •	• 어떤 일이나 현상이 다른 일 때문에 처음으로 이루어져.

1 다음 빈칸에 들어갈 알맞은 말을 오늘의 어휘에서 찾아 쓰세요.

- 선수는 승리가 확정되자 (   ) 활짝 웃었다.
- 동생은 (   )로 화가 난 나를 쳐다보며 눈치를 보았다.
- 나는 우리 반에서 눈에 잘 띄지 않는 (   ) 학생이었다.
- 기수가 거칠고 사나운 야생마를 (   ) 경주마로 만들었다.
- 다리를 다친 고양이가 절뚝이며 걷는 모습이 (   ) 보였다.

2 다음 글에서 밑줄 친 말과 뜻이 비슷한 말을 찾아 쓰세요.

평강 공주의 가르침으로 뛰어난 무예를 익힌 온달은 요동에 침입한 북주 무제를 물리치는 큰 공을 세우고 마침내 평원왕에게 사위로 인정받는다. 그 후 신라가 빼앗은 고구려의 땅을 찾기 위해 전쟁터로 나간 온달은 전투를 벌이던 중 아단성 밑에서 날아오는 화살에 맞아 전사한다. 부하들은 온달을 관에 싣고 운반하려 했으나 관은 꼼짝하지 않았고, 평강 공주가 달려와 관을 어루만지자 비로소 움직였다.

(   )

저녁때 | 피천득

㉠ 긴 치맛자락을 끌고
해가 언덕을 넘어갈 제,

새들은 고요하고
바람은 쉬고

풀잎은 고개 수그려
가시는 해님을 전송할 제,

이런 때가 저녁때랍니다.
이런 때가 저녁때랍니다.

글의 짜임

4연 - 8행

글자 수

87 (0 200 400 600 800)

- **치맛자락** 치마폭의 늘어지거나 드리워진 부분.
- **제** '적에'의 줄임말. (= 때)
- **고요하고** 분위기가 조용하고.
- **수그려** 깊이 숙여.
- **전송할** 예의를 갖추어 떠나 보낼.

갈래

1 **이 시의 시간적 배경을 나타내는 말은 무엇인지 쓰세요.**

( )

표현

2 **㉠은 어떤 모습을 표현한 것인지 알맞은 말에 ○표 하세요.**

저녁에 해가 지며 (그림자, 구름)이/가 길게 생긴 모습

세부 내용

3 **이 시를 읽고 떠오르는 장면으로 알맞은 것은 무엇인가요? ( )**

① 바람이 세차게 부는 모습
② 새들이 지저귀며 노래하는 모습
③ 사람들이 언덕을 넘어가는 모습
④ 풀잎이 아래로 기울어져 있는 모습
⑤ 어머니가 긴 치맛자락을 끌고 걸어가는 모습

감상

4 **이 시에서 느껴지는 분위기로 알맞은 것은 무엇인가요? ( )**

① 새들이 고요하게 있는 모습이 서글프고 눈물 난다.
② 해가 지는 저녁의 모습이 떠오르며 조용하고 고요하다.
③ 해가 질 때 풀잎이 고개를 숙이는 모습에서 부끄러움이 느껴진다.
④ 해가 언덕을 넘어가는 모습에서 어수선하고 시끄러운 느낌이 든다.
⑤ 해가 지며 바람이 잦아드는 모습에서 잔잔하면서도 긴장감이 느껴진다.

지문 분석

정답과 해설 31쪽

1 표현 이 시의 각 연에 대한 알맞은 설명을 찾아 선으로 이으세요.

1연 •	• 같은 문장을 반복하여 리듬감을 줌.
2연 •	• 해가 질 때 새들과 바람의 고요한 모습을 표현함.
3연 •	• 해가 질 때 풀잎이 수그러든 모습을 표현함.
4연 •	• 해가 지는 모습을 해가 언덕을 넘어간다고 표현함.

2 주제 다음 표의 빈칸을 채워 이 시의 주제를 정리하세요.

1~3연	해가 질 때 (　　　　　　)은 고요하고 (　　　　　　)은 쉬고 (　　　　　　)은 고개 숙여 가시는 해님을 전송한다.
4연	이런 때가 (　　　　　　)이다.

↓

주제	(　　　　　　)의 조용하고 고요한 모습

배경지식 사람들의 마음을 문학으로 되돌릴 수 있다고 믿은 피천득 시인

「저녁때」를 쓴 피천득 시인은 사람들의 마음을 문학으로 순수하게 되돌릴 수 있다고 믿은 분이에요. 그래서 동심과 자연, 인연과 같은 것들을 소중하게 여기고 글로 표현했지요. 또, 어른과 아이 모두가 쉽게 읽을 수 있도록 글을 짧고, 단순하게 쓰는 것을 매우 중요하게 생각했다고 해요. 그래서 피천득 시인의 글은 짧지만 많은 것이 담겨 있답니다. 그리고 피천득 시인의 글에서 볼 수 있는 이런 특징은 시뿐만 아니라 수필에서도 잘 나타나요.

작고 소박한 것에서 아름다움을 발견하고자 했던 피천득 시인의 「은전 한 닢」, 「인연」과 같은 다른 작품들도 한번 읽어 보면 시인의 마음을 이해하는 데 도움이 될 거예요.

오늘의 어휘

다음 낱말의 알맞은 뜻을 찾아 선으로 이으세요.

제 •	• 깊이 숙여.
전송할 •	• 분위기가 조용하고.
수그려 •	• '적에'의 줄임말. (=때)
고요하고 •	• 예의를 갖추어 떠나보낼.
치맛자락 •	• 치마폭의 늘어지거나 드리워진 부분.

1 다음 빈칸에 들어갈 알맞은 말을 오늘의 어휘에서 찾아 쓰세요.

- 긴 [   ]이 바람에 펄럭거린다.
- 사방이 쥐 죽은 듯 [   ] 쓸쓸하다.
- 옆집 어른께 고개를 [   ] 인사를 드렸다.
- 해가 뜨기 전에 나가더니 해질 [   ] 돌아오는구나.
- 어머니는 먼 길을 떠나는 아버지를 [   ] 때 눈물을 흘리셨다.

2 다음 글에서 밑줄 친 말과 뜻이 반대인 말을 찾아 쓰세요.

오늘은 운동회 날이라 학교가 떠들썩하고 정신이 없다. 선생님들과 친구들은 모두 운동장에 모여서 행사 준비를 하고 있다. 동수는 교실에 두고 온 물건이 있어서 잠시 교실에 들어갔다. 운동장과는 달리 교실은 고요하고 마치 다른 세상에 같았다.

(   )

바람이 자라나 봐 | 김지도

잔디밭에서
앙금앙금
기어다니던
봄바람이

나뭇가지에 매달려
푸름푸름
그네를 타던 여름 바람이

낙엽을 몰고
골목골목
쏘다니던
가을 바람이

어느새
매끄러운 얼음판을
씽씽 내닫는 걸 보면
바람도 우리들처럼
무럭무럭 자라나 봐

글의 짜임
4연 – 16행

글자 수
107
0 200 400 600 800

- **앙금앙금** 작은 동작으로 느리게 걷거나 기는 모양.
- **푸름푸름** 군데군데 보일 듯 말 듯 하게 푸른 모양.
- **쏘다니던** 아무 데나 마구 바쁘게 돌아다니는.
- **어느새** 어느 틈에 벌써.
- **내닫는** 갑자기 밖이나 앞쪽으로 힘차게 뛰어나가는.
- **무럭무럭** 별 문제 없이 힘차게 잘 자라는 모양.

지문 독해

중심 소재

1 이 시에서 노래한 것은 무엇인지 쓰세요.

( )

세부 내용

2 이 시에서 말하는 이가 본 바람의 순서대로 기호를 쓰세요.

㉮ 낙엽을 몰고 쏘다니던 바람
㉯ 매끄러운 얼음판을 내닫는 바람
㉰ 나뭇가지에 매달려 그네를 타던 바람
㉱ 잔디밭에서 앙금앙금 기어다니던 바람

( ) → ( ) → ( ) → ( )

표현

3 이 시에서 리듬감을 만들어 내는 말로 알맞지 않은 것은 무엇인가요? ( )

① 앙금앙금 ② 푸릅푸릅 ③ 골목골목
④ 매끄러운 ⑤ 무럭무럭

감상

4 이 시에 대한 감상으로 알맞은 것은 무엇인가요? ( )

① 정신없고 다급한 분위기가 느껴진다.
② 바람이 말하는 모습이 귀에 들리는 것처럼 생생하게 느껴진다.
③ 계절을 나타내는 말을 각 연마다 사용하여 계절의 변화가 느껴진다.
④ 바람의 모습을 살아 있는 생물처럼 표현하여 슬픔이 크게 느껴진다.
⑤ 후각적 효과를 주는 표현을 많이 사용하여 바람의 향기가 느껴진다.

지문 분석

정답과 해설 32쪽

1 표현 이 시에 쓰인 표현이 나타내는 바람의 모습으로 알맞은 것을 찾아 선으로 이으세요.

푸름푸름 •		• 잔디밭에서 기어다니는 모습
앙금앙금 •		• 매끄러운 얼음판을 내닫는 모습
씽씽 •		• 푸른 나뭇가지에 매달려 그네를 타는 모습

2 주제 이 시의 내용과 주제를 정리하여 빈칸에 알맞은 말을 쓰세요.

1연	잔디밭에서 기어다니던 ( )바람
2연	푸른 나뭇가지에서 그네를 타던 ( ) 바람
3연	낙엽을 몰고 쏘다니던 ( )바람
4연	얼음판을 내닫는 ( )바람을 보며 바람도 우리들처럼 자란다고 느낌.

↓

주제	우리들처럼 자라는 사계절 ( )의 모습

배경지식 바람과 관련된 우리말을 알아볼까요?

옛날 뱃사람들은 바람을 계절에 따라, 그리고 강하고 약함에 따라 나누어 각각 다른 이름을 붙였습니다. '샛바람'은 동이 트는 동쪽에서 불어오는 바람을 뜻합니다. '하늬바람'은 서쪽에서 불어오는 바람을 뜻하는 말로, 가을에 부는 바람이라는 뜻에서 '갈바람'이라고도 부른답니다. '마파람'은 남쪽에서 불어오는 바람을 뜻합니다. 그리고 '된바람'은 세게 부는 바람이라는 뜻인데 겨울에 불어오는 바람을 가리킵니다. 높은 데서 분다는 뜻에서 '높바람'이라고도 부르지요. 또, 늦은 봄에서 초여름에 동해로부터 태백산맥을 넘어 불어오는 바람은 '높새바람'이라고 부른답니다.

중심 소재

1 **이 시에서 노래한 것은 무엇인가요? (　　　　)**

① 목련꽃　　② 물새알　　③ 발소리
④ 흰 부리　　⑤ 마른 가지

세부 내용

2 **이 시의 2～4연이 나타내는 것은 무엇인가요? (　　　　)**

① 피었다 지는 목련꽃의 모습
② 목련꽃이 피어나면서 변화하는 과정
③ 목련꽃을 피우기 위해 말하는 이가 한 일
④ 말하는 이가 목련꽃을 보기 위해 이동한 장소의 변화
⑤ 말하는 이가 떨어지는 목련꽃을 바라보며 느끼는 감정의 변화

표현

3 **이 시에서 ㉠은 무엇을 빗대어 표현한 것인가요? (　　　　)**

① 새의 하얀 부리
② 나무에 매달린 열매
③ 바닥으로 떨어지는 꽃잎
④ 바람을 타고 날아가는 꽃잎
⑤ 목련 가지에 매달린 꽃봉오리

추론

4 **이 시에서 말하는 이가 목련 아래를 지날 때 발소리를 죽인 까닭을 알맞게 짐작하지 못한 것의 기호를 쓰세요.**

㉮ 새들이 날아갈까 봐 걱정되었기 때문이야.
㉯ 목련 꽃잎이 날아갈까 봐 조심스러웠기 때문이야.
㉰ 목련꽃의 모습을 자세히 살펴보고 싶었기 때문이야.

(　　　　　　　　)

지문 분석

정답과 해설 33쪽

1 표현 **이 시에 쓰인 두 대상의 공통점을 생각하며 (   ) 안에 들어갈 알맞은 말에 ○표 하세요.**

목련 꽃봉오리	→	이 시에서 '목련 꽃봉오리'와 '물새알'은 서로 (색깔, 쓰임)과 (냄새, 생김새)가 닮음.
물새알		

2 주제 **이 시의 내용을 생각하여 (   ) 안에 들어갈 알맞은 말에 ○표 하고, 시의 주제를 정리하여 빈칸에 알맞은 말을 쓰세요.**

1연	목련 아래를 지날 때는 발소리를 죽인다.
2~3연	물새알 같은 (꽃잎, 꽃봉오리)들이 하나씩 피어난다.
4연	가지마다 (빨갛게, 하얗게) 핀 꽃들이 날아오르는 (고추잠자리, 새)들 같다.
5연	목련 아래를 지날 때는 발소리를 죽인다.

↓

주제	물새알 껍질을 깨고 흰 부리를 내놓듯이 하얗게 피어나는 ( )의 아름다움

배경지식 한국인이 좋아하는 꽃, 목련

우리가 알고 있는 봄을 알리는 꽃에는 개나리, 진달래가 있어요. 그런데 이 시의 주인공인 목련도 봄을 알리는 꽃 중에 하나입니다. 목련 꽃은 4월 중순에, 잎이 나기도 전에 먼저 피어요. 우리 주변에서 자주 볼 수 있는 목련은 백목련이라는 종류인데, 백목련의 꽃잎은 흰색으로 10장 정도의 꽃잎이 한 꽃에 피어난답니다. 다만 백목련의 꽃잎은 피어난 지 얼마 안 되어서 금방 떨어져 아쉬운 마음이 들게 하지요. 봄이 오면 주변을 둘러보며 목련꽃의 모습을 살펴보고, 우리가 배운 이 시의 내용을 다시 한번 떠올려 보아요. 목련꽃이 떨어질까 봐 발소리를 죽인 말하는 이의 마음을 더 잘 이해할 수 있게 될 거예요.

정답과 해설 33쪽

오늘의 어휘

다음 낱말의 알맞은 뜻을 찾아 선으로 이으세요.

부리	• 새나 짐승의 주둥이.
톡톡	• 아직 피지는 않고 망울만 맺혀 있는 꽃.
죽인다	• 움직임 따위가 드러나지 않도록 조용조용.
가만가만	• 발소리나 숨소리 따위를 낮추거나 멈춘다.
꽃봉오리	• 새 따위가 부리로 가볍게 자꾸 쪼는 소리나 모양.

1 다음 빈칸에 들어갈 알맞은 말을 오늘의 어휘에서 찾아 쓰세요.

- 참새가 [ ] 로 마당의 낟알을 쪼고 있다.
- 창밖에서 들린 큰 소리에 모두 숨을 [ ].
- 작은 새 한 마리가 다가와 내 발을 [ ] 쪼았다.
- 다른 사람들이 들으면 안 되니까 [ ] 얘기해.
- 봄이 되어 날씨가 따뜻해지자 꽃마다 [ ]가 맺혔다.

2 다음 글에서 밑줄 친 말과 뜻이 비슷한 말을 찾아 쓰세요.

호랑이는 울음소리가 나는 집 앞으로 살금살금 걸어갔다. 그때 집안에서 어머니가 아기에게 호랑이가 왔다며 울지 말라고 가만가만 말하는 소리가 들렸다. 하지만 아기는 울음을 멈추지 않았고, 그 모습을 본 어머니는 아기에게 곶감을 줄 테니 울지 말라며 아기를 달래자 아기가 울음을 그쳤다.

( )

길 | 김종상

글의 짜임

9연 - 19행

글자 수

147

0 200 400 600 800

길은
포도 **덩굴**.

몇백 년을 자라서
땅덩이를 다 덮었다.

가
이 덩굴
가지마다

포도**송이** 같은
마을이 있고

포도알 같은
집들이 달렸다.

포도알이 늘 때마다
포도송이는 자꾸 커 가고

갈봄 없이
자라기만 하는
이 덩굴을 통하여

사람과 사람이 도와 가고
마을과 마을이 이어져서

세계가
한 **덩이**로 되었다.

- **덩굴** 길게 뻗어 나가면서 다른 물건을 감거나 땅에 퍼지는 식물의 줄기.
- **송이** 꼭지에 달린 꽃이나 열매를 세는 단위.
- **마을** 여러 집이 모여 사는 곳.
- **갈봄** '가을봄(가을과 봄을 모두 가리키는 말)'의 줄임 말.
- **세계** 지구의 모든 나라.
- **덩이** 작게 뭉쳐서 이루어진 것.

지문 독해

갈래

1 이 글을 읽는 방법으로 알맞지 않은 것은 무엇인가요? (　　　　)

① 노래를 부르듯 리듬감 있게 읽는다.
② 떠오르는 이미지를 생각하며 읽는다.
③ 빗대어 표현한 부분을 찾으며 읽는다.
④ 재미있게 표현한 부분을 찾으며 읽는다.
⑤ 글쓴이의 주장이 무엇인지 생각하며 읽는다.

세부 내용

2 가에서 말하는 이는 어떤 순서로 대상을 말하고 있는지 쓰세요.

포도 덩굴 → 포도송이 → (　　　　　　　　　　)

표현

3 이 시에서처럼 사물을 다른 것에 빗대어 나타낸 것으로 알맞지 않은 것은 무엇인가요? (　　　　)

① 내 마음은 호수
② 우리 엄마는 천사
③ 천사 같은 마음씨
④ 내 누님같이 생긴 꽃
⑤ 철썩철썩 치는 파도

추론

4 이 시에 대한 감상으로 알맞지 않은 것은 무엇인가요? (　　　　)

① 사람들이 사는 세상의 모습이 떠오른다.
② 포도 덩굴처럼 얽힌 길이 생생하게 떠오른다.
③ 집, 마을, 세계가 연결된 모습이 선명하게 느껴진다.
④ 포도를 키우는 농부의 마음이 생생하게 드러나 있다.
⑤ 비슷한 짜임을 가진 부분이 반복되어 리듬감이 느껴진다.

지문 분석

정답과 해설 34쪽

1 표현 이 시에서 '포도 덩굴', '포도송이', '포도알'이 비유하는 대상을 찾아 선으로 이으세요.

표현		대상
포도 덩굴 •		• 길
포도송이 •		• 집
포도알 •		• 마을

2 주제 이 시의 내용과 주제를 생각하여 빈칸에 알맞은 말을 쓰세요.

1~2연	길이 ( )처럼 몇백 년을 자라 땅덩이를 덮음.
3~5연	길이 뻗어 나간 곳마다 포도송이 같은 마을과 포도알 같은 집들이 달림.
6~9연	집과 마을, 길이 계속 자라나 마을과 마을이 이어져서 ( )가 한 덩이가 됨.

↓

주제	포도 덩굴처럼 자라서 세계를 하나로 이어 주는 ( )

배경지식 제목은 같지만 다른 시, 윤동주 시인의 「길」

길

윤동주

잃어버렸습니다
무얼 어디다 잃었는지 몰라
두 손이 주머니를 더듬어 길에 나아갑니다

돌과 돌과 돌이 끝없이 연달아
길은 돌담을 끼고 갑니다

담은 쇠문을 굳게 닫아
길 위에 긴 그림자를 드리우고

길은 아침에서 저녁으로
저녁에서 아침으로 통했습니다

돌담을 더듬어 눈물짓다
쳐다보면 하늘은 부끄럽게 푸릅니다

풀 한 포기 없는 이 길을 걷는 것은
담 저쪽에 내가 남아 있는 까닭이고

내가 사는 것은, 다만,
잃은 것을 찾는 까닭입니다

김종상 시인의 「길」과 같은 제목인 윤동주 시인의 「길」이라는 시가 있습니다. 윤동주 시인의 「길」은 일제 강점기에 쓰인 작품으로, 작가는 시에 나라를 잃은 비극적 상황에서 본래의 자신을 찾고, 인간적인 삶을 추구하고자 하는 내용을 담고 있습니다. 두 시는 제목은 같지만, 내용은 완전히 다르지요. 이렇게 같은 대상을 소재로 삼아도 당시의 시대적 배경과 작가의 처지에 따라 완전히 다른 내용의 시를 쓸 수가 있답니다.

정답과 해설 34쪽

오늘의 어휘

다음 낱말의 알맞은 뜻을 찾아 선으로 이으세요.

낱말	뜻
덩굴 •	• 지구의 모든 나라.
송이 •	• 여러 집이 모여 사는 곳.
마을 •	• 작게 뭉쳐서 이루어진 것.
세계 •	• 꼭지에 달린 꽃이나 열매를 세는 단위.
덩이 •	• 길게 뻗어 나가면서 다른 물건을 감거나 땅에 퍼지는 식물의 줄기.

1 다음 빈칸에 들어갈 알맞은 말을 오늘의 어휘 에서 찾아 쓰세요.

- 담쟁이 [　　　　]이 학교 건물을 뒤덮고 있다.
- 아버지께서 바나나 한 [　　　　]를 사 오셨다.
- 우리 [　　　　]은 같은 성을 가진 사람들이 모여 산다.
- 아이들이 운동장에서 진흙 [　　　　]를 만지며 놀고 있다.
- 이번 올림픽 100미터 달리기 경기에서 [　　　　] 신기록이 나왔다.

2 다음 글에서 밑줄 친 말과 뜻이 비슷한 말을 찾아 쓰세요.

우리 고장 청주에는 세계 문화유산인 '직지'가 있다. 직지는 세계 최초의 금속 활자 인쇄본으로 고려 말에 백운이라는 스님이 선불교에서 전해져 내려오는 여러 이야기를 모아 만든 책이다. 직지와 직지가 보관되어 있는 청주 고인쇄 박물관은 우리 마을의 자랑거리이다.

(　　　　　　　　)

하얀 눈과 마을과 | 박두진

눈이 덮인 마을에
밤이 내리면
㉠눈이 덮인 마을은
하얀 꿈을 꾼다.

눈이 덮인 마을에
등불이 하나
누가 혼자 자지 않고
편지를 쓰나?
새벽까지 남아서
반짝거린다.

눈이 덮인 마을에
하얀 꿈 위에
㉡쏟아질 듯 새파란
별이 빛난다.
눈이 덮인 마을에
㉢별이 박힌다.

눈이 덮인 마을에
동이 터 오면
㉣한 개 한 개 별이 간다.
㉤등불도 간다.

글의 짜임

4연 – 20행

글자 수

166 (0 / 200 / 400 / 600 / 800)

- **등불** 어두운 데를 밝히려고 등에 켠 불.
- **박힌다** 무엇이 어디에 들어가 꽂힌다.
- **동이 터 오면** 날이 새어 동쪽 하늘이 밝아져 오면.
- **간다** (어떤 대상이) 없어져 보이지 않는다.

갈래

1 이 글에 대한 설명으로 알맞은 것을 모두 고르세요. (　　,　　,　　)

① 행마다 끊어 읽는 마디 수가 똑같다.
② 말하는 이가 시에 직접 드러나 있다.
③ 눈이 덮인 마을을 사람처럼 표현하였다.
④ 눈이 덮인 고요한 밤의 모습이 떠오른다.
⑤ 반복되는 말을 사용하여 리듬감이 느껴지게 하는 부분이 있다.

표현

2 ㉠~㉤이 표현한 것으로 알맞지 않은 것은 무엇인가요? (　　　)

① ㉠: 마을이 눈으로 덮여 있는 모습
② ㉡: 별이 반짝이고 있는 모습
③ ㉢: 눈 덮인 마을에 별이 빛나는 모습
④ ㉣: 별똥별이 잇따라 빠르게 떨어지는 모습
⑤ ㉤: 날이 밝으면서 등불도 희미해지는 모습

세부 내용

3 이 시에서 시간의 흐름은 어떻게 바뀌었는지 빈칸에 알맞은 말을 찾아 쓰세요.

밤 → (　　　　　　　　　　)

감상

4 이 시에 대한 감상으로 알맞은 것을 두 가지 고르세요. (　　,　　)

① 조용하고 아름다운 분위기가 느껴진다.
② 시각적 표현을 많이 사용하여 생생함이 느껴진다.
③ 눈이 많이 내려 마을에 전기가 끊긴 긴박함이 느껴진다.
④ 말하는 이의 고향을 그리워하는 마음이 생생하게 느껴진다.
⑤ 말하는 이의 밤늦도록 열심히 공부하고 싶은 간절한 마음이 느껴진다.

지문 분석

정답과 해설 35쪽

1 말하는 이

다음 상황에서 말하는 이가 한 생각을 찾아 선으로 이으세요.

마을에 켜진 등불을 봄. •	• 마을이 하얀 꿈을 꾼다고 생각함.
마을에 동이 트는 모습을 봄. •	• 별빛이 점점 희미해진다고 생각함.
눈으로 덮인 마을의 밤 풍경을 봄. •	• 누가 혼자 자지 않고 편지를 쓴다고 생각함.

2 주제

빈칸에 알맞은 말을 써넣어 시의 내용을 정리하고 (   ) 안에 들어갈 알맞은 말에 ○표 하여 주제를 완성하세요.

1연	눈 덮인 마을에 밤이 옴.
2연	눈 덮인 마을에 등불이 켜짐.
3연	눈 덮인 마을에 ( )이 빛남.
4연	눈 덮인 마을에 별이 지고 ( )이 꺼짐.

↓

주제	아름답고 (요란한, 고요한) 눈이 덮인 마을

배경지식 눈 내린 풍경을 노래한 또 다른 시

눈

윤동주

지난밤에
눈이 소복이 왔네.
지붕이랑
길이랑 밭이랑
추워한다고
덮어 주는 이불인가 봐.
그러기에
추운 겨울에만 내리지.

정답과 해설 35쪽

오늘의 어휘

다음 낱말의 알맞은 뜻을 찾아 선으로 이으세요.

낱말	뜻
동 •	• 매우 파란.
등불 •	• 해가 뜨는 쪽. 동쪽.
간다 •	• 없어져서 보이지 않는다.
새파란 •	• 무엇이 어디에 들어가 꽂힌다.
박힌다 •	• 어두운 데를 밝히려고 등에 켠 불.

1 다음 빈칸에 들어갈 알맞은 말을 오늘의 어휘에서 찾아 쓰세요.

- [   ]이 트면 길을 떠나자.
- 나무 상자에 대못이 [   ].
- 친구들이 하나둘 어디론가 [   ].
- 이곳은 온통 [   ] 바다로 둘러싸여 있다.
- 깊은 산속 절에 연꽃 모양의 [   ]이 빛나고 있었다.

2 다음 글에서 밑줄 친 말과 뜻이 반대인 말을 찾아 쓰세요.

지도는 위에서 내려다보며 그리는 것이기 때문에 건물이나 사람이 향한 방향을 알 수 없다. 그래서 앞쪽, 뒤쪽, 오른쪽, 왼쪽으로는 위치를 나타낼 수 없고, 방위표를 이용하여 위치를 나타낸다. 방위표에는 동(東), <u>서</u>(西), 남(南), 북(北)을 쓰는데 방위표가 없는 경우에는 지도의 위쪽이 북쪽, 아래쪽이 남쪽이 된다.

(   )

물새알 산새알 | 박목월

글의 짜임

6연 - 26행

글자 수

182

0 200 400 600 800

물새는
물새라서 바닷가 바위틈에
알을 낳는다.
보얗게 하얀 / 물새알.

산새는
산새라서 잎수풀 둥지 안에
알을 낳는다.
알락달락 얼룩진 / 산새알.

물새알은
간간하고 짭조름한
미역 냄새 / 바람 냄새.

산새알은
달콤하고 향긋한
풀꽃 냄새 / 이슬 냄새.

물새알은 / 물새알이라서
날갯죽지 하얀
물새가 된다.

산새알은 / 산새알이라서
머리꼭지에 빨간 **댕기**를 드린
산새가 된다.

- **보얗게** 빛깔이 보기 좋게 하얗게.
- **알락달락** 여러 가지 밝은 빛깔의 점이나 줄로 된 무늬가 고르지 않게 촘촘한 모양.
- **간간하고** 입맛 당기게 약간 짠 듯하고.
- **짭조름한** 조금 짠맛이 있는.
- **날갯죽지** 날개가 몸에 붙어 있는 부분.
- **댕기** 길게 땋은 머리 끝에 하는 장식용 헝겊이나 끈.

지문 독해

갈래

1 **이 시의 표현상 특징으로 알맞으면 ○표, 알맞지 않으면 ×표 하세요.**

(1) '……는 ……라서'가 반복되어 있다. (　　　)
(2) 내용에 따라 크게 세 부분으로 나눌 수 있다. (　　　)
(3) 자연의 질서를 지키는 방법을 구체적으로 나타냈다. (　　　)
(4) 1연과 3연, 2연과 5연, 4연과 6연이 서로 비슷한 구조이다. (　　　)

세부 내용

2 **다음 중 설명하는 대상이 다른 하나는 무엇인가요? (　　　)**

① 보얗게 하얀 색이다.
② 바닷가 바위 틈에 있다.
③ 날갯죽지 하얀 새가 된다.
④ 풀꽃 냄새와 이슬 냄새가 난다.
⑤ 간간하고 짭조름한 냄새가 난다.

표현

3 **이 시에서 사람이 아닌 것을 사람처럼 표현한 것은 무엇인가요? (　　　)**

① 미역 냄새 / 바람 냄새
② 물새알은 / 물새알이라서
③ 알락달락 얼룩진 / 산새알
④ 산새알은 / 달콤하고 향긋한
⑤ 머리꼭지에 빨간 댕기를 드린 / 산새가 된다

감상

4 **말하는 이가 이 시를 통해 말하고 싶은 것은 무엇인가요? (　　　)**

① 생명의 탄생은 신비롭다.
② 자연은 쉽게 변하지 않는다.
③ 물새알과 산새알은 냄새가 독특하다.
④ 항상 새로운 눈으로 세상을 바라보아야 한다.
⑤ 새알은 모두 포근하고 보드라운 느낌을 준다.

지문 분석

정답과 해설 36쪽

1 표현 이 시에서 감각적 표현이 사용된 부분을 찾아 빈칸에 알맞은 말을 쓰세요.

감각적 표현	사용된 부분
시각	보얗게 하얀, 알락달락 얼룩진, 날갯죽지 ( ), ( ) 댕기
미각	( ) 짭조름한, 달콤하고
후각	( ) 냄새, 바람 냄새, ( ) 냄새, 이슬 냄새

2 주제 이 시의 다음 부분에서 알 수 있는 이 시의 주제를 생각하여 ( ) 안에 들어갈 알맞은 말에 ○표 하세요.

물새는
물새라서 바닷가 바위 틈에
알을 낳는다.

산새는
산새라서 잎수풀 둥지 안에
알을 낳는다.

↓

주제	'모든 생물은 각자 처한 환경에서 생명을 계속해서 이어간다.' 라는 자연의 (포용, 이치)를 드러냄.

배경지식 자연을 노래한 시인, 박목월

「물새알 산새알」을 쓴 박목월 시인은 경주의 산골 마을에서 태어나 어린 시절을 보냈어요. 박목월 시인은 산골 마을에서 자라면서 아름다운 풍경을 눈으로 직접 보고, 몸으로 느끼면서 자연을 진심으로 좋아하게 되었답니다. 이러한 경험 덕분에 그는 동시를 많이 지은 것은 물론 어른을 위해 순수한 마음을 담은 시를 여러 편 썼어요.

특히, 박목월 시인은 자연을 글감으로 고향 마을의 풍경을 많이 표현하였답니다. 이러한 이유로 박목월 시인이 쓴 시에는 옛말이나 사투리가 종종 드러나 있어요. 박목월 시인의 시를 읽으면 우리말의 아름다움도 함께 느낄 수 있겠지요?

정답과 해설 36쪽

오늘의 어휘

다음 낱말의 알맞은 뜻을 찾아 선으로 이으세요.

낱말	뜻
둥지 •	• 조금 짠맛이 있는.
댕기 •	• 기분 좋은 냄새가 나는.
향긋한 •	• 날개가 몸에 붙어 있는 부분.
짭조름한 •	• 풀, 나뭇잎, 나뭇가지 등으로 지은 새의 집.
날갯죽지 •	• 길게 땋은 머리 끝에 하는 장식용 헝겊이나 끈.

1 다음 빈칸에 들어갈 알맞은 말을 오늘의 어휘에서 찾아 쓰세요.

- 새우에서 [ ] 맛이 난다.
- 새가 [ ]에 알을 낳았다.
- 방금 캔 쑥에서 [ ] 냄새가 풍겨왔다.
- 큰 새의 하얀 [ ]를 가까이에서 보았다.
- 옛날 여자아이들은 긴 머리에 [ ]를 드렸다.

2 다음 글에서 밑줄 친 말을 포함하는 말을 찾아 쓰세요.

오늘날 사람들과 마찬가지로 옛날 사람들도 옷차림에 신경을 많이 썼다. 특히 여자들은 한복 차림을 보기 좋게 꾸미기 위해 장신구를 하는 것을 잊지 않았다. 대표적인 장신구에는 노리개, 댕기, 비녀가 있다. 노리개는 한복 저고리에 길게 늘어뜨려 달았고, 댕기는 땋은 머리카락 끝에 사용했다. 그리고 비녀는 머리를 땋아 감아서 뒷머리에 머리를 뭉칠 때 꽂았다.

( )

엄마의 눈물 | 장영희

글의 구조

발단 — 전개 — 절정 — 결말

글자 수

876

200 400 600 800 1000

초등학교 3학년 때까지 어머니는 나를 업어서 데려다주셨지만, 그것으로 끝나는 게 아니었다. 화장실에 데려가기 위해 두 시간에 한 번씩 학교에 오셔야 했다.

그때 일종의 **신경성 요로증** 같은 것이 있었던지, 어머니가 오시면 가고 싶지 않던 화장실도 어머니가 일단 가시기만 하면 갑자기 급해지는 것이었다. 때문에 어머니는 항상 **노심초사**, 틈만 나면 학교로 뛰어오시곤 했다.

어머니와 내가 함께 걸을 때면 아이들이 쫓아다니거나 놀리거나 내 걸음을 흉내 내곤 하였다. 지금 생각하면 신기하게도 초등학교에 들어갈 즈음에는 이미, 철이 없어서였는지 아니면 그 반대였는지, 적어도 그것을 무시할 수 있었다. 오히려 보조기 구둣발 소리를 크게 내며 앞만 보고 걷곤 했다.

그러나 어머니는 쉽사리 익숙해지지 못하셨다. 아이들이 따라올 때마다 마치 뒤에서 누가 총이라도 겨누고 있는 듯, 잔뜩 긴장한 채 머리를 꼿꼿이 쳐들고 걸으시다가 어느 순간 홱 돌아서서 날카롭게 "그만두지 못해! 얘가 너한테 밥을 달라든, 옷을 달라든!" 하고 말씀하시곤 하셨다.

㉠ 언제나 **조신하고** 말 없는 어머니였지만, **기동력** 없는 딸이 이 세상에 발붙일 수 있는 자리를 마련하기 위해서는 목숨 바쳐 싸워야 한다고 생각한 **억척스러운 전사**였다. 눈이 오면 연탄재를 깔고, 비가 오면 한 손으로는 딸을 받쳐 업고 다른 한 손으로는 우산을 든 채 딸의 길과 방패가 되는 어머니의 하루는 슬프고 힘겨운 싸움의 연속이었다.

그뿐인가, **걸핏하면** 수술을 하고 두세 달씩 있어야 했던 병원 생활, 상급학교에 갈 때마다 장애를 이유로 입학시험 보는 것조차 허락하지 않던 학교들……. 나 잘할 수 있다고, 제발 한 자리 끼워 달라고 **애원해도** 자꾸 벼랑 끝으로 밀어내는 세상에 그대로 **악착같이** 매달릴 수 있었던 것은 어머니 때문이었다.

- **신경성 요로증** 불안이나 걱정 때문에 배뇨 기관에 생긴 장애.
- **노심초사** 몹시 마음을 쓰며 걱정을 함.
- **조신하고** 몸가짐이 조심스럽고 얌전하고.
- **기동력** 몸을 빠르게 움직이는 능력.
- **억척스러운** 어떤 어려운 일이라도 끈질기게 해 나가는.
- **전사**(戰 싸움 전, 士 선비 사) 싸우는 군사.
- **걸핏하면** 조금이라도 일이 있기만 하면 곧.
- **애원해도** 소원이나 요구를 들어 달라고 간절하게 사정해도.
- **악착같이** 아주 끈질기고 사납게.

갈래

1 **이와 같은 글에 대한 설명으로 알맞은 것은 무엇인가요? (　　　　)**

① 자신의 주장을 조리 있게 쓴 글이다.
② 정해진 글자 수에 맞추어 쓴 글이다.
③ 지식이나 정보를 전달하기 위해 쓴 글이다.
④ 자신의 경험을 바탕으로 솔직하게 쓴 글이다.
⑤ 현실에 있음 직한 일을 바탕으로 꾸며 쓴 글이다.

표현

2 **㉠에서 딸을 위해 행동하는 어머니의 모습을 무엇에 빗대어 표현했는지 찾아 쓰세요.**

억척스러운 (　　　　　　　　)

세부 내용

3 **글쓴이의 어머니가 글쓴이를 위해 한 일로 알맞은 것은 무엇인가요? (　　　　)**

① 글쓴이를 위해 모든 사람과 목숨 바쳐 싸우셨다.
② 글쓴이를 상급 학교에 보내기 위해 함께 공부하셨다.
③ 글쓴이가 씩씩해질 수 있도록 학교에 혼자 보내셨다.
④ 아이들이 글쓴이를 놀리면 무시하고 앞만 보며 걸으셨다.
⑤ 눈이 오거나 비가 와도 늘 글쓴이를 학교까지 데려다주셨다.

추론

4 **이 글을 읽고 말한 생각이나 느낌으로 알맞지 않은 것의 기호를 쓰세요.**

㉮ 아픈 자식을 위해 자신이 할 수 있는 모든 것을 해 주시는 어머니의 모습이 정말 대단하게 느껴져.
㉯ 글쓴이는 어머니의 사랑 덕분에 몸이 불편해서 겪어야 했던 어려움을 이기고 살아갈 수 있었던 것 같아.
㉰ 글쓴이의 어머니는 조신하고 말 없는 성격이었다가 글쓴이를 위해 여러 가지 일을 하면서 성격이 못되고 날카롭게 바뀌신 것 같아.

(　　　　　　　　)

지문 분석

정답과 해설 37쪽

1 사건 파악

글쓴이의 경험을 정리하여 빈칸에 알맞은 말을 쓰세요.

글쓴이의 경험
어머니가 초등학교 3학년 때까지 글쓴이를 업어서 (   )에 데려다주심.
어머니는 글쓴이를 (   )에 데려가기 위해 두 시간에 한 번씩 학교에 오심.
아이들이 글쓴이를 놀리면 (   )가 아이들을 혼내며 글쓴이를 감싸 주심.
(   ) 생활과 상급 학교에 가는 과정에서 어머니 덕분에 버틸 수 있었음.

2 주제

글쓴이가 깨달은 점을 생각하며 (   ) 안에 들어갈 알맞은 말에 ○표 하세요.

글쓴이의 경험		글쓴이의 깨달음
(건강한, 불편한) 몸 때문에 힘들었던 어린 시절을 어머니의 희생과 도움으로 견딜 수 있었음.	➔	어머니의 희생과 사랑에 대해 (감사하는, 부담스러운) 마음을 느낌.

배경지식 장영희 작가의 다른 작품, 「괜찮아」

장영희 작가는 태어난 지 일 년 만에 병을 앓고 두 다리를 쓸 수 없게 되었어요. 그래서 어렸을 때 대문 앞에 앉아 친구들이 노는 모습을 구경하곤 했답니다. 친구들은 이런 장영희 작가를 무시하거나 따돌리지 않고 놀이에서 역할을 만들어 주고, 주변에서 함께 놀곤 했답니다. 그리고 그 골목길에서 만난 깨엿 장수 아저씨는 앉아 있는 장영희 작가에게 아무 말 없이 "괜찮아."라는 말을 건네기도 했지요. 장영희 작가는 친구들과 아저씨를 통해 세상이 그런대로 살 만한 곳이라는 것을 깨닫게 되었다고 해요. 여러분도 힘이 들 때, 누군가에게 위로가 필요할 때 "괜찮아."라는 말을 건네 보면 어떨까요?

오늘의 어휘

다음 낱말의 알맞은 뜻을 찾아 선으로 이으세요.

조신하고 •	• 아주 끈질기고 사납게.
노심초사 •	• 몹시 마음을 쓰며 걱정을 함.
걸핏하면 •	• 몸가짐이 조심스럽고 얌전하고.
애원해도 •	• 조금이라도 일이 있기만 하면 곧.
악착같이 •	• 소원이나 요구를 들어 달라고 간절하게 사정해도.

1 다음 빈칸에 들어갈 알맞은 말을 오늘의 어휘에서 찾아 쓰세요.

- 삼촌은 [　　　　]하며 합격자 발표를 기다렸다.
- 눈물을 흘리며 [　　　　] 그 장난감은 사 줄 수 없어.
- 승우는 [　　　　] 달려 결국 달리기 시합에서 1등을 했다.
- 내 짝은 수업 시간마다 [　　　　] 도와 달라고 귀찮게 굴었다.
- 방정맞게 촐랑거리지 말고 [　　　　] 다소곳하게 앉아 있어야 한다.

2 다음 글에서 밑줄 친 말과 뜻이 비슷한 말을 찾아 쓰세요.

분노 조절 장애는 감정을 잘 조절하지 못하는 마음의 장애를 말한다. 이 장애를 가진 사람들은 작은 일에도 화를 참지 못하고 걸핏하면 다른 사람들에게 화를 낸다. 또, 툭하면 소리를 지르거나 공격적인 행동을 보이기도 한다.

(　　　　　　　　)

남을 도울 줄 아는 사람이 되거라 | 정약용

[글에 대한 설명] 다산 정약용이 유배 생활을 하며 멀리 떨어져 지내는 동안 두 아들 학연과 학유를 훈육하기 위해서 보낸 100여 통의 편지 중 일부분을 수록하였다.

글의 구조: 발단 – 전개 – 절정 – 결말

글자 수: 724 (200 400 600 800 1000)

너희는 항상 버릇처럼 말하기를 "일가친척 중에 한 사람도 불쌍히 여겨 돌보아 주는 사람이 없다."라고 **개탄하였다**. 더러는 **험난한** 물길 같다느니, 꼬불꼬불 길고 긴 **험악한** 길을 살아간다느니 하며 **한탄하고** 있다. 하지만, 이는 모두 하늘을 원망하고 사람을 미워하는 말투로, 큰 병이다.

너희가 아픈 데가 있으면 다른 사람들이 돌보아 주기 마련이었다. 날마다 어떠냐는 안부를 전해 오고, 안아서 **부지해** 주는 사람도 있었다. 약을 먹여 주고 양식까지 대 주는 사람도 있었다. 이런 일에 너희가 너무 익숙해져 항상 은혜를 베풀어 주기만 바라고 있구나. 너희가 사람의 **본분**을 **망각하지는** 않았는지 걱정이다. 그래서 내가 이 편지를 보낸다.

예나 지금이나 남의 도움만을 받으면서 살라는 법은 **애초**에 없었다. 마음 속으로 남의 은혜를 받고자 하는 생각을 버린다면, 절로 마음이 평안하고 기분이 **화평해져** 하늘을 원망한다거나 사람을 미워하는 그런 **병폐**는 없어질 것이다.

여러 날 밥을 끓이지 못하고 있는 집이 있을 텐데 너희는 쌀이라도 퍼 주고, 추운 집에는 장작개비라도 나누어 따뜻하게 해 주어라. 병들어 약을 먹어야 할 사람들에게는 한 푼의 돈이라도 쪼개어 약을 지을 수 있도록 도와주어라. 가난하고 외로운 노인이 있는 집에는 때때로 찾아가 무릎 꿇고 모시어 따뜻하고 공손한 마음으로 공경하여야 한다. 그리고 근심 걱정에 싸여 있는 집에 가서 **연민**의 눈빛으로 그 고통을 함께 나누며 잘 처리할 방법을 의논하여야 한다.

- **개탄하였다** 화를 내거나 못마땅하게 여겼다.
- **험난한** 힘들고 고생스러운.
- **험악한** 거칠고 매우 나쁜.
- **한탄하고** 어떤 일에 대해 걱정하며 한숨을 쉬고.
- **부지해** 어렵게 버텨 나가.
- **본분**(本 근본 본, 分 나눌 분) 마땅히 지키고 해야 할 일.
- **망각하지는** 어떤 사실을 잊어버리지는.
- **애초** 맨 처음.
- **화평해져** 문제나 다툼이 없이 평화로워져.
- **병폐** 어떤 사물의 안에 있는 옳지 못하거나 좋지 못한 것.
- **연민** 불쌍하고 가엾게 여김.

중심 내용

1 **이 글의 제목에 담긴 뜻은 무엇인가요? (　　　　)**

① 하늘의 뜻을 따르며 살아야 한다.
② 자기 자신보다 남이 더 소중하다.
③ 남을 도울 줄 모르는 사람들이 많다.
④ 남보다 나를 먼저 돌보며 살아야 한다.
⑤ 남의 도움을 바라기 보다 먼저 남을 도우며 살아야 한다.

세부 내용

2 **정약용이 걱정하는 두 아들의 말투는 무엇인지 빈칸에 알맞은 말을 쓰세요.**

(　　　　　　)을 원망하고 (　　　　　　)을 미워하는 말투

세부 내용

3 **정약용이 두 아들에게 실천하라고 한 일로 알맞지 않은 것은 무엇인가요? (　　　　)**

① 추운 집에는 장작개비를 나누어 주어라.
② 근심 걱정에 싸여 있는 이웃은 몰래 도와라.
③ 밥을 끓이지 못하고 있는 집에 쌀이라도 퍼 주어라.
④ 가난하고 외로운 노인의 집에 때때로 찾아가 모시어라.
⑤ 병든 사람에게 돈을 주어 약을 지을 수 있도록 도와주어라.

적용

4 **이 글이 주는 깨달음과 다른 행동을 한 친구는 누구인지 쓰세요.**

수호: 체육 시간에 다리를 다친 친구를 보건실까지 부축해서 데려다줬어.
현지: 내가 힘들 땐 왜 아무도 날 먼저 도와주지 않는 건지 속상해서 화가 났어.
민아: 나는 부모님께 받은 용돈을 조금씩 모아서 매년 연말에 불우 이웃 돕기 성금을 내고 있어.

(　　　　　　　　)

지문 분석

정답과 해설 38쪽

1 말하는 이

말하는 이가 이 글을 쓰게 된 상황과 글을 쓴 목적으로 알맞은 것을 찾아 선으로 이으세요.

글을 쓰게 된 상황 •	• 두 아들에게 사람이 지켜야 할 본분이 무엇인지 알려 주려 함.
글을 쓴 목적 •	• 두 아들이 남의 도움을 받는 것에 익숙해져 사람의 본분을 망각했을까 봐 걱정됨.

2 교훈

정약용이 편지를 통해 전하고 싶은 말을 생각하여 보기에서 알맞은 말을 찾아 빈칸에 쓰세요.

보기

감사　　도움

정약용이 두 아들에게 전하고 싶은 말
다른 사람이 은혜를 베풀어 주기를 바라지 말고, 먼저 남에게 (　　　　　)을 주어라.

배경지식 조선의 실학자이자 철학자인 다산 정약용에 대해 알아볼까요?

다산 정약용은 18세기 실학사상을 완성한 한국 최대의 실학자이며 개혁가입니다. 정약용이 공부한 실학은 '학문은 현실 생활에 도움이 되어야 한다.'는 것에 뜻을 두고, '백성이 편안해야 나라가 있고, 나라가 있어야 임금이 있다.', '백성의 삶이 넉넉해지려면 토지 제도를 개혁해야 한다.', '일하지 않고 놀고먹는 양반들도 농사를 지어야 한다.'고 주장했답니다. 이론을 중요시하는 유교 사상이 주를 이루었던 조선 시대에 이러한 생각이 얼마나 놀라웠을까요? 정약용은 이러한 생각을 바탕으로 무거운 돌을 쉽게 들 수 있는 거중기, 무거운 물건을 쉽게 운반할 수 있는 수레인 유형거 등을 만들어 백성들의 생활을 편리하게 만들어 주었답니다.

오늘의 어휘

다음 낱말의 알맞은 뜻을 찾아 선으로 이으세요.

본분 •	• 맨 처음.
애초 •	• 모든 친척.
쪼개어 •	• 시간이나 돈을 아끼어.
일가친척 •	• 마땅히 지키고 해야 할 일.
망각하지는 •	• 어떤 사실을 잊어버리지는.

1 다음 빈칸에 들어갈 알맞은 말을 오늘의 어휘에서 찾아 쓰세요.

- 나는 시간을 (　　　　) 공부를 했다.
- 의심 받을 행동은 (　　　　)에 하지 말아야 한다.
- 학생의 (　　　　)은 공부를 열심히 하는 것이다.
- 할아버지의 칠순을 맞아 (　　　　)이 모두 모였다.
- 아무리 힘들어도 학생의 본분을 (　　　　) 말아야 한다.

2 다음 글에서 밑줄 친 말과 뜻이 비슷한 말을 찾아 쓰세요.

군자가 지켜야 할 도리 중에는 참외밭에서는 신을 고쳐 신지 말고, 자두나무 아래에서는 관을 고쳐 쓰지 말아야 한다는 것이 있다. 이것은 애초에 의심 받기 쉬운 행동은 하지 말아야 한다는 뜻이다. 참외밭에서 신을 고쳐 신다가 참외를 훔친다는 오해를 받을 수 있고, 자두나무 아래에서 손을 높이 들어 관을 고쳐 쓰다가 자두를 훔친다는 오해를 받을 수 있기 때문이다. 누군가의 신뢰를 받기 위해서는 <u>처음</u>부터 의심을 살 만한 행동을 하지 말아야 한다는 가르침이다.

(　　　　　　　　)

글의 구조

글자 수

선인장 이야기 | 정호승

어린 선인장들은 사막에서 태어난 것이 불만이었다.

오빠 선인장: 이 **메마른** 땅, 뜨거운 태양만 **이글거리고**, 물이라고는 한 방울도 찾아볼 수 없는 이곳이 나는 정말 싫어.

동생 선인장: 늘 모래바람만 불어서 나도 싫어. 아름다운 정원에 장미로 태어났더라면 얼마나 좋았을까? 5

아빠 선인장: 아빠는 너희들이 장미보다 훨씬 더 보기에 좋단다.

오빠 선인장: 좋기는 뭐가 좋아요? 꽃도 피울 수 없잖아요?

아빠 선인장: 아니다. 너희들도 꽃을 피울 수 있단다.

동생 선인장: 아빠도 참. 우리가 어떻게 꽃을 피울 수가 있어요? 햇볕에 당장 목이 말라 이렇게 고통 받고 있는데, 어떻게 꽃을 피울 수가 10 있다고 그러세요? 그런 거짓말은 아예 하지도 마세요.

엄마 선인장: 아니란다. 참고 노력하면 꽃을 피울 수 있단다. 너희들이 **진정** 사막을 사랑할 때, 장미보다 더 아름다운 꽃을 피울 수 있단다.

오빠 선인장: 생각해 보세요. 사막이 아름답지 않은데, 어떻게 제가 사막을 사랑할 수가 있어요? 15

아빠 선인장: 아니다, 아들아. 사막은 아름답단다. 별들이 빛나는 사막의 밤하늘은 그 얼마나 **찬란하냐**! 나는 밤하늘을 바라볼 때마다 선인장으로 태어나게 해 주신 신에게 늘 감사하단다.

동생 선인장: 사막을 사랑하는 이는 엄마, 아빠밖에 없어요.

엄마 선인장: 너희들도 사막을 사랑하기 바란다. 20

동생 선인장: 바라지 마세요, 엄마. 저는 사막이 싫어요. 무엇보다 목이 말라 견딜 수가 없단 말이에요.

오빠 선인장: 저도 그래요. 정말 고통스러워요. 전 **하루속히** 이 고통에서 벗어나고 싶어요. 지금 이 순간만 해도 혓바닥이 천 갈래 만 갈래 찢어지는 것 같아요. 25

엄마 선인장: 얘들아, 참고 기다리렴.

아빠 선인장: 기다리면 비가 온단다.

- **메마른** 물기가 없고 거친.
- **이글거리고** 불이 발갛게 계속 피어오르고.
- **진정**(眞 참 진, 正 바를 정) 거짓이 없이 진짜로 애틋한 마음.
- **찬란하냐** 빛이 번쩍거려서 눈부시고 아름답냐.
- **하루속히** 하루라도 빠르게.

갈래

1 **이 글을 읽는 방법으로 알맞은 것은 무엇인가요? (　　　　)**

① 근거가 적절한지 생각하며 읽는다.
② 운율을 살려서 리듬감 있게 읽는다.
③ 일의 방법이나 차례를 정리하며 읽는다.
④ 글쓴이의 주장과 근거를 파악하며 읽는다.
⑤ 인물의 감정을 생각하며 대사를 실감 나게 읽는다.

세부 내용

2 **이 글의 내용으로 알맞지 않은 것은 무엇인가요? (　　　　)**

① 어린 선인장들은 사막에서 태어난 것에 불만이 있다.
② 아빠 선인장은 선인장으로서의 삶에 만족하고 감사한다.
③ 오빠 선인장은 사막에 사는 것을 고통스럽다고 생각한다.
④ 동생 선인장은 선인장이 꽃을 피울 수 있다는 것을 거짓말이라고 생각한다.
⑤ 엄마 선인장은 사막에 태어난 것은 속상한 일이지만 참고 기다려야 한다고 생각한다.

어휘

3 **엄마, 아빠 선인장이 어린 선인장들에게 한 말과 가장 관련 있는 고사성어에 ○표 하세요.**

(1) 고진감래: 고생 끝에 즐거움이 옴. (　　　　)
(2) 각주구검: 융통성이 없이 낡은 생각을 고집함. (　　　　)
(3) 자격지심: 자기가 한 일에 대해 스스로 만족스럽지 않게 여기는 마음. (　　　　)

추론

4 **이 글을 읽고 짐작한 내용을 알맞게 말한 친구는 누구인지 쓰세요.**

새미: 어린 선인장들은 태어나서 선인장에 꽃이 핀 모습을 한 번도 보지 못했을 거야.
아진: 엄마, 아빠 선인장은 어린 선인장들이 사막의 아름다움을 모르고 투정만 부리는 것이 답답해서 화가 많이 났을 거야.

(　　　　　　　　　　)

지문 분석

정답과 해설 39쪽

1 인물 특징 등장인물이 한 말을 생각하며 (   ) 안에 들어갈 알맞은 말에 ○표 하세요.

엄마, 아빠 선인장	오빠, 동생 선인장
사막을 (사랑함, 싫어함).	사막을 (사랑함, 싫어함).
사막이 (아름답다, 아름답지 않다)고 생각함.	사막이 (아름답다, 아름답지 않다)고 생각함.
(장미, 선인장)이/가 더 보기 좋다고 함.	(장미, 선인장)(으)로 태어났으면 더 좋았을 것이라고 함.

2 주제 이 글의 주제를 생각하여 보기 에서 알맞은 말을 찾아 빈칸에 쓰세요.

보기

꽃 열매 인내 절망 희망

엄마, 아빠 선인장의 말	→	주제
아무리 힘들어도 참고 기다리면 ( )을 피울 수 있음.	→	자신이 처한 상황을 긍정적으로 생각하고 ( )하며 ( )을 갖는 것이 중요함.

배경지식 사막에서 자라는 선인장에도 꽃이 핀다는 것을 알고 있나요?

뜨거운 태양이 내리쬐고 물이 없는 사막은 식물이 살아가기에 무척 힘든 곳이에요. 그래서 사막에서 자라는 선인장은 물을 많이 저장할 수 있도록 자신의 모습을 바꾼 것이랍니다. 선인장은 잎이 없는 대신 빽빽하게 나 있는 가시로 광합성을 해요. 이런 선인장에도 꽃이 핀답니다.

선인장의 꽃은 대부분 화려하고 아름답기로 유명합니다. 선인장은 일 년에 단 며칠 밖에 꽃을 피우지 못하기 때문에 화려한 꽃으로 새나 벌레의 이목을 끌어 열매를 맺는 것이랍니다. 먹을 수 있는 선인장인 백년초는 노랗고 화려한 꽃을 피우고, 열매를 과일로 먹는 용과도 아주 예쁜 꽃을 피우지요.

정답과 해설 39쪽

오늘의 어휘

다음 낱말의 알맞은 뜻을 찾아 선으로 이으세요.

진정 •	• 하루라도 빠르게.
고통 •	• 물기가 없고 거친.
메마른 •	• 몸이나 마음의 괴로움과 아픔.
하루속히 •	• 불이 발갛게 계속 피어오르고.
이글거리고 •	• 거짓이 없이 진짜로 애틋한 마음.

1 다음 빈칸에 들어갈 알맞은 말을 오늘의 어휘에서 찾아 쓰세요.

- 용광로에서 불꽃이 (   ) 있다.
- 와 주셔서 (   )으로 감사합니다.
- (   ) 땅에 반가운 단비가 내렸다.
- 그 병에 걸리면 (   )이 몹시 심하다.
- 남자는 (   ) 이곳을 떠나야 한다고 말했다.

2 다음 글에서 밑줄 친 말과 뜻이 비슷한 말을 찾아 쓰세요.

한 지역에서 성공한 국숫집이 있다. 이 국숫집의 사장님은 국수의 맛을 지키는 것도 중요하지만, 가게에 오는 손님을 <u>진심</u>으로 귀하게 대하는 것이 중요하다고 말한다. 자신이 손님을 진정으로 생각하면 음식도 정성스럽게 만들게 되며, 손님도 그 마음을 알고 맛을 알아준다는 것이다.

(   )

개를 훔치는 완벽한 방법 | 김연호, 신연식 각본

글의 구조

글자 수

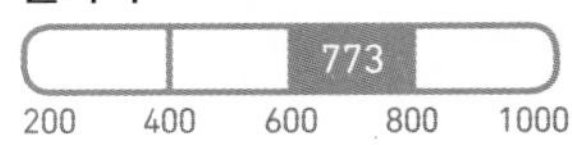

[앞부분 이야기] 지소네 가족은 아빠의 사업 실패로 집을 잃고 승합차에서 생활하게 된다. 어느 날 승합차가 고장 나 시동이 걸리지 않는다.

S#103 아파트 단지 외부 / 지소네 차 내부, 밤

정현: (돌아보며) 너희 아무래도 오늘 밤은 여기서 자야겠구나.
지소: 여기 이 큰길가에서? 누가 보면 어쩌려고.
정현: 둘 다 저기 주유소에 가서 좀 씻어.
지소: (소리 지르며) 여긴 우리 학교 애들이 다닌단 말이야.
정현: 제발 그만하자. 네가 안 그래도 엄마 힘들어. 5
지소: 내가 뭘 어쨌다고?
정현: 몰라서 물어?
지소: 내가 뭘!
정현: (한숨을 쉬며) 힘들어도 조금만 참자.
지소: 그놈의 조금만! 또 일주일? 10
정현: 말조심해, 너. 내가 누구 때문에 이 고생을 하는데?
지소: (**발끈하며**) 그게 나 때문이야? 엄마 때문이지.

격해지는 감정싸움을 불안하게 보고 있는 지석. 지소의 말에 정현은 지소를 어이없어하며 쳐다본다. 지소도 아차 싶지만 억울한 표정으로 정현을 쳐다보고 있다.

정현: 너 지금 뭐라 그랬어? 15
지소: 엄마가 아빠 싫다고 했잖아. **지긋지긋하다고**. 그래서 아빠가 집 나간 거 아니냐고!
정현: (발끈하며) 뭐? (어이없다는 듯 **헛웃음**을 지으며) 넌 항상 이런 식이지? 엄마 생각은 한 번도 안 해! 억지쟁이, 불만투성이! 심술만 잔뜩 부리고! 너 정말 언제 철들래. 20
지소: 철은 엄마가 들어야지. 엄마가 돼 가지고 애들을 차에서 키우고.
정현: 야! (**분**을 못 이겨 목소리를 높이며) 누군 이게 좋아서 그러는 줄 알아! (지소를 ㉠<u>째려보며</u>) 너 자꾸 이러면 엄마도 집 나가는 수가 있어!
지소: 집? 이게 집이야? 그리고 엄마도 나간다고! 그게 엄마가 할 소리야? 무슨 부모가 애들을 두고 집을 나가! 난 세상에서 엄마 아빠가 제일 싫어! 25

- **승합차** 많은 사람을 태울 수 있는 대형 자동차.
- **발끈하며** 갑자기 화를 내며.
- **격해지는** 감정이 급하게 거세지는.
- **지긋지긋하다고** 참고 견디기 힘들 정도로 몹시 괴롭고 싫다고.
- **헛웃음** 어이가 없어서 피식 웃는 웃음.
- **분** 억울하고 화가 난 마음.

갈래

1 이 글에 대한 설명으로 알맞은 것은 무엇인가요? (　　　)

① 실제로 일어난 사건을 꾸밈없이 있는 그대로 이야기한다.
② 말하는 이가 규칙적인 리듬에 맞춰 자신의 마음을 노래한다.
③ 글쓴이가 자신이 겪은 일을 통해 깨달은 내용을 이야기한다.
④ 말하는 이 없이 인물들의 대사와 행동으로 이야기가 펼쳐진다.
⑤ 말하는 이가 인물들의 성격을 직접 보여주며 이야기를 전개한다.

세부 내용

2 이 글의 내용으로 알맞지 않은 것은 무엇인가요? (　　　)

① 엄마는 지소가 철없는 투정을 부린다고 생각한다.
② 지석이는 엄마에게 대드는 지소의 마음을 이해한다.
③ 지소는 엄마 때문에 아빠가 집을 나갔다고 생각한다.
④ 지소는 조금만 참으면 된다는 엄마의 말을 믿지 않는다.
⑤ 엄마는 예전에도 조금만 더 참자며 지소를 설득한 적이 있다.

어휘

3 ㉠과 바꾸어 쓸 수 있는 말로 알맞은 것은 무엇인가요? (　　　)

① 알아보며　② 넘겨보며　③ 노려보며
④ 지켜보며　⑤ 찔러보며

적용

4 이 글에 나오는 배우가 할 표정 연기를 알맞게 설명한 것의 기호를 쓰세요.

㉮ 지석은 엄마와 누나를 번갈아 보면서 걱정스러운 표정을 짓는다.
㉯ 정현은 말대꾸를 하는 지소를 보며 속마음을 들켜 당황하는 표정을 짓는다.
㉰ 지소는 눈물을 글썽거리며 엄마에게 미안해하고 어쩔 줄 몰라 하는 표정을 짓는다.

(　　　　　　)

지문 분석

정답과 해설 40쪽

1 인물 마음 다음 대사와 지시문을 통해 알 수 있는 인물의 마음으로 알맞은 것을 찾아 선으로 이으세요.

정현: (한숨을 쉬며) 힘들어도 조금만 참자.	• •	짜증 남.
지소: (소리 지르며) 여긴 우리 학교 애들이 다닌단 말이야.	• •	기운이 빠짐.

2 갈등 이 글에서 일어난 갈등을 생각하며 보기에서 알맞은 말을 찾아 빈칸에 쓰세요.

보기

반항　　길어져서　　짧아져서　　분석　　이해　　원망

원인	• 약속과 달리 승합차에서의 생활이 (　　　　　　) • 서로의 입장을 (　　　　　　)하려는 태도가 부족해서

↓

지소(딸)		정현(엄마)
아빠가 집을 나간 것은 모두 엄마 때문이라고 생각하며, 엄마를 (　　　　　　)하고 불신하는 마음이 커짐.		가족을 위해 고생하는 자신의 마음을 알아주지 않고 불평하고 자신에게 (　　　　　　)하는 지소에게 화가 남.

배경지식 희곡과 같은 듯 다른 시나리오

시나리오는 영화 상영을 위해 작가가 꾸며 낸 이야기인 영화의 대본입니다. 연극의 대본인 희곡처럼 주로 등장인물의 대사와 지시문을 통해 사건을 전개합니다. 그러나 무대에서 공연하기 위해 막과 장으로 구분되는 희곡과 달리, 장면(S#)을 기본 단위로 구성된다는 특징이 있습니다. 그리고 장면의 변화가 자유롭고, 시간적·공간적 배경이나 등장인물 수가 자유롭다는 것도 희곡과 다른 시나리오만의 특징입니다.

오늘의 어휘

다음 낱말의 알맞은 뜻을 찾아 선으로 이으세요.

분 •	• 갑자기 화를 내며.
심술 •	• 억울하고 화가 난 마음.
헛웃음 •	• 감정이 급하게 거세지는.
격해지는 •	• 어이가 없어서 피식 웃는 웃음.
발끈하며 •	• 괜한 일로 고집을 피우거나 화가 난 마음.

1 다음 빈칸에 들어갈 알맞은 말을 오늘의 어휘에서 찾아 쓰세요.

- 농담으로 한 말에 친구는 (   ) 화를 냈다.
- 그 남자는 (   )에 못 이겨 소리를 질렀다.
- 엄마는 기가 막히다는 듯이 (   )만 지었다.
- 두 아이의 장난이 점점 (   ) 모습을 보였다.
- 형은 어른들의 관심을 모두 차지한 동생에게 (   )을 부렸다.

2 다음 글에서 밑줄 친 말과 뜻이 비슷한 말을 찾아 쓰세요.

흥부가 부자가 되었다는 소문을 들은 놀부는 무척 <u>심통</u>이 났다. 흥부는 자신을 찾아온 놀부를 반갑게 맞으며 상다리가 휠 정도로 푸짐하게 식사를 대접했다. 하지만 놀부는 심술을 부리며 흥부에게 도둑질을 해서 부자가 된 게 아니냐고 트집을 잡았다. 흥부는 놀부에게 그동안 있었던 이야기를 들려주었고, 놀부는 더 큰 부자가 되고 싶은 욕심에 흥부의 이야기를 귀 기울여 들었다.

(   )

오늘의 어휘 찾아보기

바른 독해의 **빠**른시**작**

정답과 해설

초등 국어

문학 독해 4단계

3·4학년

동아출판

- **글의 종류** 창작 동화
- **글의 특징** 새 학교로 전학을 온 종민이가 학교와 친구들에 적응하는 과정에서 겪는 일들을 종민이의 마음이 잘 드러나게 쓴 이야기입니다.
- **글의 주제** 전학을 온 종민이가 학교생활을 하면서 겪는 어려움을 슬기롭게 극복하는 모습을 보여 줍니다.
- **글 ❶ 중심 내용** 새 학교로 전학을 온 지 얼마 안 된 종민이가 '왕, 거지' 놀이를 몰라서 아이들에게 '거지'라고 놀림을 받게 되었습니다.

013쪽 지문 독해

1 ⑤ **2** 달랑달랑 **3** ⑤ **4** ㉮

1 이 이야기는 글쓴이가 있음 직한 일을 상상하여 쓴 동화로, 글쓴이가 상상한 인물을 중심으로 일어나는 일을 쓴 글입니다.

2 어머니께서 싸 주신 도시락 가방이 종민이 어깨 위에서 흔들리는 모습을 '달랑달랑'이라는 흉내 내는 말을 사용하여 표현하였습니다. '달랑달랑'은 작은 방울이나 매달린 물체 따위가 자꾸 흔들릴 때 나는 소리나 모양을 흉내 내는 말입니다.

3 덩치 큰 아이가 소변기마다 왕 자리, 거지 자리라고 이름을 붙이자 다른 아이들도 모두 왕이라 정한 자리에 재빠르게 가서 섰습니다. 그 까닭을 모르는 종민이는 아이들의 이러한 모습을 보고 당황해서 어안이 벙벙했습니다.

유형 분석/세부 내용

글의 내용을 꼼꼼하게 읽으면 문제를 푸는 데 도움이 됩니다. 본문의 내용과 문항의 내용을 비교하며 읽고, 본문에 나오지 않은 내용을 고릅니다.

4 종민이는 화장실에서 어떤 일이 일어났는지 상황을 금방 파악하지 못하였습니다. 따라서 ㉮처럼 종민이가 눈치가 빠르다는 것은 이 글을 읽고 짐작한 내용으로 알맞지 않습니다.

오답 풀이

㉯ 덩치 큰 아이가 '왕, 거지' 하며 소변기에 이름을 붙이자 아이들이 왕 자리에만 줄을 서고 거지 자리에는 서지 않는 것을 통해 짐작할 수 있습니다.

㉰ 도시로 이사 왔다는 것, 교실에서 종민이는 덩그렇게 자리만 지키고 있는 것에서 종민이가 전학을 와서 친한 친구가 없다는 것을 짐작할 수 있습니다.

014쪽 지문 분석

1

- 종민 — 새로운 반 친구들에게 쉽게 말을 걸지 못하는 것으로 보아 (적극적인, (소극적인)) 성격임.
- 큰 덩치 — 장군이 전쟁터에서 호령하듯 아이들 앞에서 큰 소리로 외치는 것으로 보아 ((적극적인), 소극적인) 성격임.

2

장소	일어난 일
종민이네 집	종민이가 학교에 갈 준비를 함.

↓

(교실)	아이들이 모여 이야기를 나누는 동안 종민이는 덩그렇게 자리만 지키고 있음.

↓

(화장실)	아이들이 들어와 '왕, 거지'라고 외치더니 종민이가 거지 자리에서 오줌을 눈다며 놀림.

1 새로운 반 아이들에게 말을 걸지 못하고 덩그러니 자리만 지키고 있는 것으로 보아 종민이는 소극적인 성격일 것입니다. 큰 덩치는 장군이 전쟁터에서 호령하듯이 아이들 앞에서 큰 소리로 외치는 것으로 보아 적극적인 성격일 것입니다.

2 일이 일어난 시간이나 장소의 변화에 따라 인물의 행동과 마음을 파악하면 이야기를 이해하는 데 도움이 됩니다. 이 글에서는 '종민이네 집 → 교실 → 화장실'의 순서로 장소가 바뀌며 이야기가 일어나고 있습니다.

015쪽 오늘의 어휘

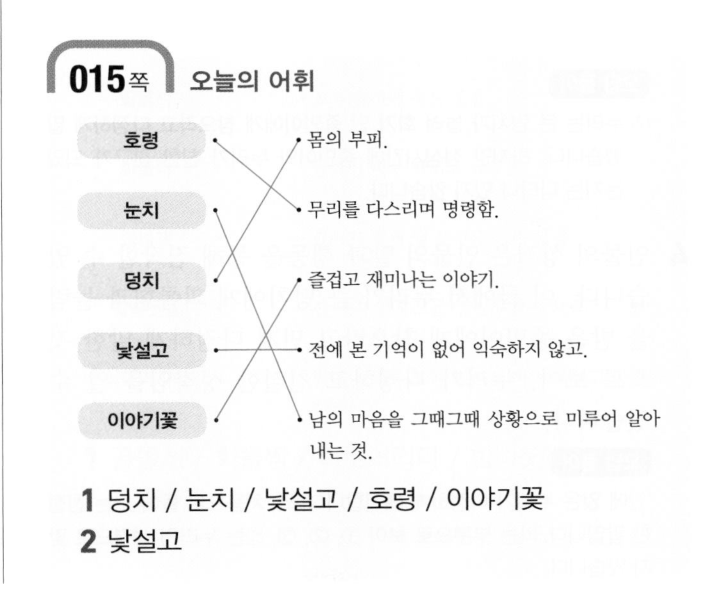

1 덩치 / 눈치 / 낯설고 / 호령 / 이야기꽃
2 낯설고

- **글의 종류** 창작 동화
- **글의 특징** 아버지의 사업 실패로 할머니가 살고 계신 시골로 내려와 살게 된 '나'의 가족이 할머니의 주도로 마을 사람들에게 아침을 대접하고 가마솥을 옮기며 가족에게 닥친 어려움을 함께 극복해 간다는 내용으로, 가족 간의 따뜻한 사랑을 느낄 수 있습니다.
- **글의 주제** 어려움을 함께 극복하는 가족 간의 사랑에 대해 알 수 있습니다.
- **글 ❶ 중심 내용** 할머니가 새벽녘에 헛간에서 가마솥을 끄시는 소리에 '나'와 식구들이 잠에서 깼습니다.

025쪽 지문 독해

1 가마솥 **2** ㉣ **3** ① **4** ⑤

1 이 글의 제목이 「가마솥」이고, 할머니께서 가마솥을 꺼내시며 이야기가 시작되고 있는 것으로 보아, 중심이 되는 글감이 '가마솥'임을 짐작할 수 있습니다. 가마솥은 이야기를 풀어 나가는 글감이 됩니다.

2 '더디게'는 '어떤 움직임이나 일에 걸리는 시간이 오래되게.'라는 뜻으로, '얼른'과 반대되는 뜻을 나타내는 말입니다. ㉮~㉰는 '얼른'과 뜻이 비슷한 낱말입니다.

오답 풀이

㉮ 어서: 지체 없이 빨리.
㉯ 금세: 시간이 얼마 지나지 않아서.
㉰ 빨리: 걸리는 시간이 짧게.

3 할머니께서 가마솥을 끄시는 소리를 듣고 '나'와 가족 모두 자리에서 일어난 것에서 아무도 깊게 잠들지 못했음을 짐작할 수 있습니다. 가마솥 끄는 소리를 듣고 '내'가 가장 먼저 일어났고, 이어서 누나, 어머니, 아버지의 차례대로 일어났습니다.

4 아버지께서는 정리되지 않은 이삿짐 옆에 장작, 절구통과 절굿공이, 잡다한 그릇들이 놓여 있는 것을 보고 어리둥절해 하셨습니다. 그리고 한참 동안 방문 앞에 앉아 계셨습니다.

유형 분석/추론

인물의 생각을 짐작하려면 인물이 처한 상황이 어떠한지 잘 살펴야 합니다. 바로 앞 문장인 '마치 잔칫집 같았다.'라는 부분에서 마당에 있는 물건들을 보고 아버지께서 물건이 꺼내져 있는 까닭을 몰라 어리둥절해 하셨다는 것을 짐작할 수 있습니다.

026쪽 지문 분석

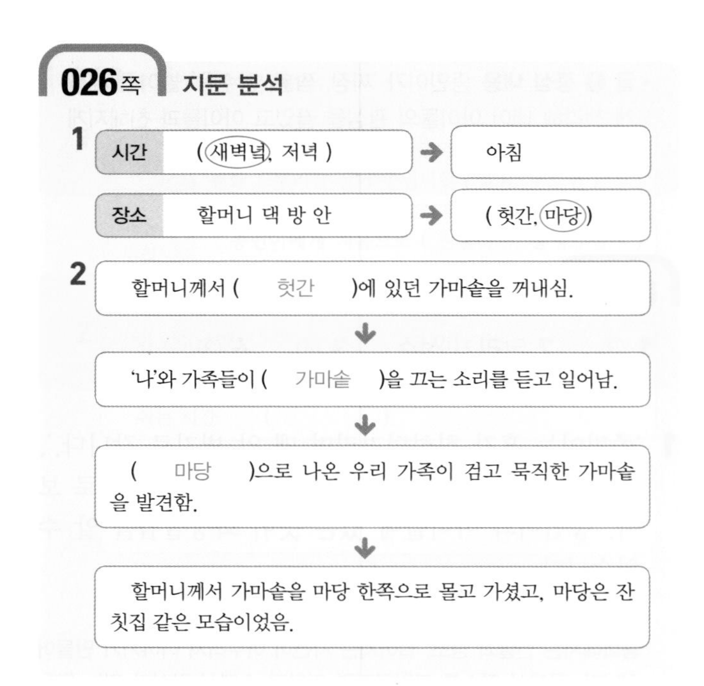

1 새벽녘 할머니 댁 방 안에서 잠을 자던 가족들은 할머니께서 가마솥을 끄시는 소리에 일어나 마당으로 나왔습니다.

2 할머니께서 가마솥을 끄시는 소리를 듣고 일어난 가족들은 마당에 놓인 검고 묵직한 가마솥을 보았고, 마당은 잔칫집 같은 모습이었습니다.

027쪽 오늘의 어휘

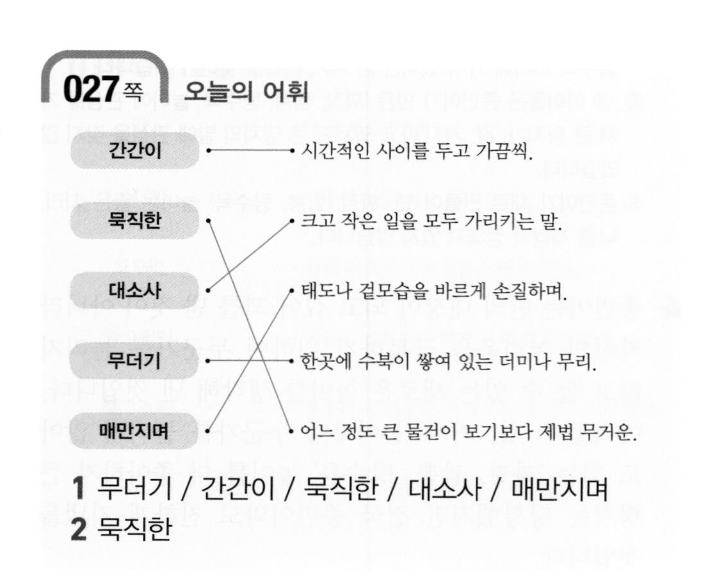

1 무더기 / 간간이 / 묵직한 / 대소사 / 매만지며
2 묵직한

• **글 ❷ 중심 내용** '나'는 아버지 사업의 부도로 집안 사정이 어려워져 시골에 내려오게 되었을 때의 상황을 떠올렸습니다.

029쪽 지문 독해

1 ⑤ **2** (4) × **3** ⑤ **4** ②

1 이 글에서는 아버지의 사업이 부도를 겪으면서 우리 가족에게 어떤 일이 일어났는지에 대해 이야기하고 있습니다.

2 아버지의 소식을 들은 할머니께서 시골에서 올라오셨고, 아버지가 경찰서에서 풀려나오자 할머니께서는 아버지에게 누구라도 농사를 지을 수 있다며 시골에 가서 살자고 말씀하셨습니다. 따라서 집으로 찾아오는 사람들을 피해서 할머니 댁으로 도망갔다는 내용은 이 글의 내용과 맞지 않습니다.

3 할머니께서는 어려운 상황에 처했지만 다시 시작할 수 있다는 용기를 주시기 위해서 아버지에게 시골에 가서 농사를 지으며 살자고 말씀하신 것입니다. 따라서 할머니께서 아버지에게 하고 싶으신 말과 관련 있는 속담은 '하늘이 무너져도 솟아날 구멍이 있다'입니다. 이 속담은 아무리 어려운 경우에 처하더라도 살아나갈 방법이 생긴다는 뜻입니다.

오답 풀이

① 아무리 작은 것이라도 모이고 모이면 나중에 큰 덩어리가 됨을 비유적으로 이르는 속담입니다.
② 몸집이 작은 사람이 큰 사람보다 재주가 뛰어나고 야무짐을 비유적으로 이르는 속담입니다.
③ 원인이 없으면 결과가 있을 수 없음을 비유적으로 이르는 속담입니다.
④ 시작할 때는 크게 마음먹고 훌륭한 것을 만들려고 하였으나 생각과는 다르게 초라하고 엉뚱한 것을 만들게 됨을 비유적으로 이르는 속담입니다.

4 아버지께서 할머니께 죽고 싶다는 말을 하신 것과 울음을 터뜨리신 행동에 하던 일이 잘 안 되어 절망하는 아버지의 마음이 잘 드러나 있습니다.

유형 분석/추론

인물의 마음을 짐작하기 위해서는 인물의 말과 행동을 잘 살펴봐야 합니다. 다 망해서 시골에 갈 수 없고 죽고 싶다는 아버지의 말과 울음을 터트리는 행동에서 아버지의 절망적인 마음을 짐작할 수 있습니다.

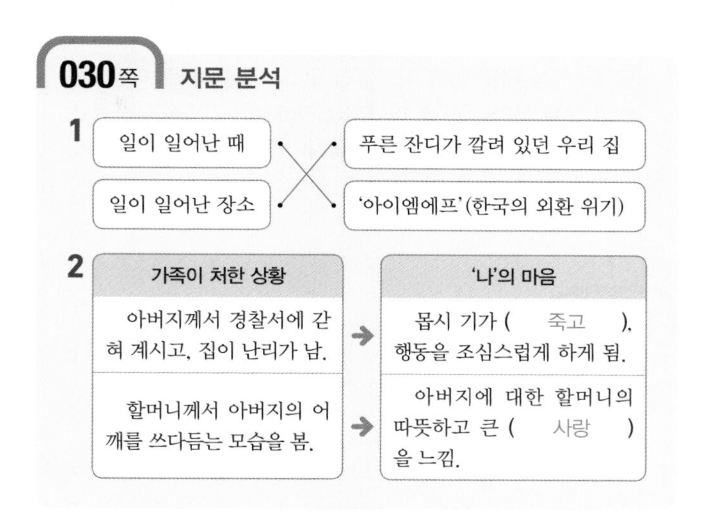

1 이야기에서 배경은 일이 일어난 때(시간적 배경)와 일이 일어난 장소(공간적 배경)로 나눌 수 있습니다. 이 이야기에서 일이 일어난 때는 아이엠에프(한국의 외환 위기) 때이고, 장소는 가족이 함께 살던 집입니다.

2 아버지께서 경찰서에 갇혀 계시고 집이 난리가 났을 때 '나'와 누나, 엄마는 모두 게처럼 옆으로 걷게 되었고, 고개도 절로 숙어졌다고 하였습니다. 이것으로 보아, '내'가 주눅이 들어 행동을 조심스럽게 했음을 알 수 있습니다. 또 경찰서에서 풀려나온 아버지께 할머니께서 하신 행동을 보며 아버지에 대한 할머니의 큰 사랑을 느꼈습니다.

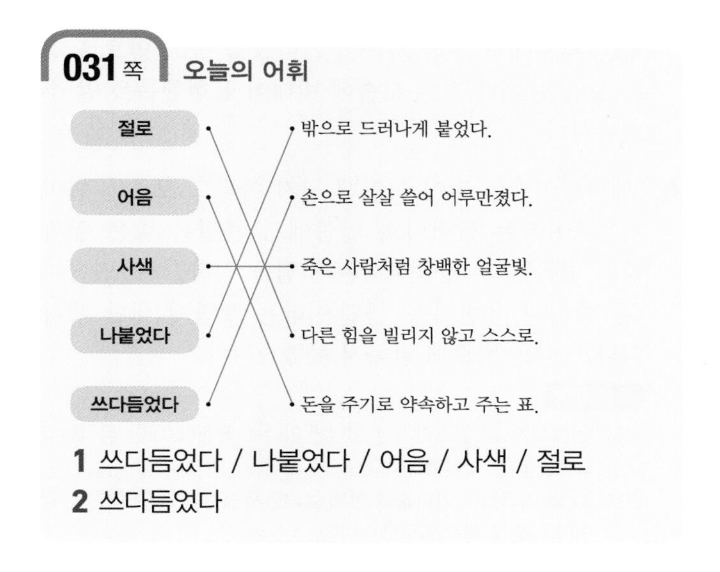

1 쓰다듬었다 / 나붙었다 / 어음 / 사색 / 절로
2 쓰다듬었다

• 글 ❸ 중심 내용 마을 사람들이 우리 가족이 차린 아침밥을 먹고 모두 돌아간 뒤, 할머니께서 가마솥에 기름칠을 하셨고, 그 가마솥을 온 식구가 함께 옮기며 웃음을 찾게 되었습니다.

033쪽 지문 독해

1 ③ 2 ④ 3 게 4 유빈

1 이 글에서 가장 중심이 되는 장면은 온 가족이 가마솥을 함께 들어 옮기는 장면입니다. 이 장면은 어려움을 함께 극복해 나가는 가족의 모습을 보여 주는 것으로 이 글의 주제와도 관련 있는 중요한 장면입니다.

오답 풀이

①, ② 글의 내용과 맞지 않는 장면입니다.
④, ⑤ 글의 내용에 맞는 장면이지만 중심이 되는 장면은 아닙니다.

유형 분석/중심 내용

이야기의 중심이 되는 장면을 찾을 때에는 먼저 보기에 제시된 장면들이 글의 내용과 맞는지부터 살펴봐야 합니다. 그런 뒤에 글에서 찾을 수 없는 장면이거나 이야기와 다른 장면은 제외합니다. 그리고 남은 보기에서 글에서 가장 중요한 내용을 담고 있는 장면을 골라 보면 답을 쉽게 찾을 수 있습니다.

2 할머니께서는 가마솥은 큰일이 있을 때 쓰는 솥이라고 말씀하시며, 다음에 큰일이 있을 때를 대비하기 위해서 가마솥이 녹슬지 않게 가마솥에 기름칠을 해야 한다고 하셨습니다. ①, ②, ③, ⑤는 할머니께서 하신 일이 아닙니다.

3 '할머니만 빼고 우리 모두는 게처럼 옆으로 걸었다.'라는 부분에서 우리 가족이 가마솥을 들고 옆으로 걷는 모습을 게가 걷는 모습에 빗대어 표현했음을 알 수 있습니다.

4 "세상일이라는 것이 어떻게 될지 아무도 모르는 법이거든."이라는 할머니의 말씀에서 큰일은 좋은 일과 나쁜 일을 모두 말씀하시는 것임을 짐작할 수 있습니다. 따라서 유빈이는 '큰일'이라는 표현에 대한 생각이나 느낌을 바르게 말하지 못했습니다.

오답 풀이

민지: '굴렁쇠가 잘 굴러가기만 한다면'이라는 표현에 대한 생각이나 느낌을 바르게 말했습니다.
연호: '나'와 가족들이 가마솥을 함께 옮기면서 웃은 행동에 대한 생각이나 느낌을 바르게 말했습니다.

034쪽 지문 분석

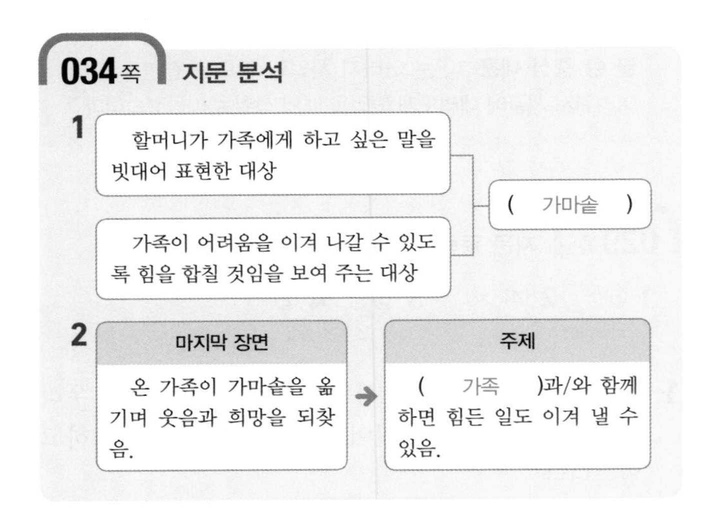

1 할머니께서 다음 큰일을 위해 가마솥에 기름칠을 해야 한다고 말씀하신 것, 가족이 모두 힘을 합해 가마솥을 옮긴 것을 통해 '가마솥'이 할머니께서 가족에게 하고 싶은 말을 빗대어 표현한 대상이자 가족이 어려움을 이겨 나갈 수 있도록 힘을 합칠 것임을 보여 주는 대상임을 알 수 있습니다.

2 마지막 장면을 통해서 가족과 함께하면 어려운 일도 이겨 낼 수 있다는 희망을 전하고 있으며 이 부분을 통해 가족 간의 사랑을 느낄 수 있습니다.

035쪽 오늘의 어휘

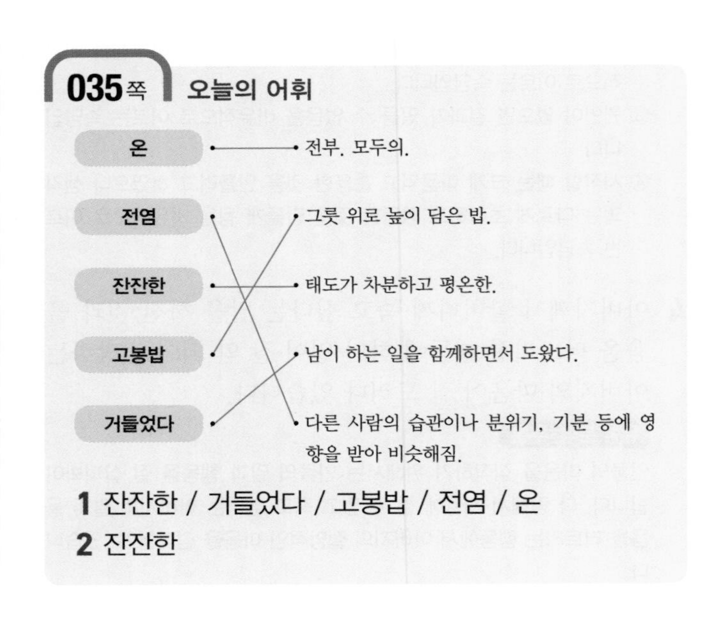

1 잔잔한 / 거들었다 / 고봉밥 / 전염 / 온
2 잔잔한

- **글의 종류** 창작 동화
- **글의 특징** 동물을 주인공으로 한 우화로, 모습을 흉내 내는 말을 풍부하게 사용해 왕치, 소새, 개미의 모습을 재미있게 쓴 글입니다.
- **글의 주제** 이기적인 태도를 버리고 공동체와 조화롭게 살아가는 태도를 가져야 합니다.
- **글 ❶ 중심 내용** 옛날에 개미와 소새와 왕치가 한집에 살았는데, 소새가 사흘 동안 하루씩 돌아가며 음식을 준비해 잔치를 하자고 제안하였습니다.

037쪽 지문 독해

1 ① **2** ⑤ **3** (4) ○ **4** ㉰

1 이 글은 왕치와 소새, 개미가 주인공인 우화입니다. 우화는 사람처럼 말과 행동을 하는 동물이나 식물을 주인공으로 등장시켜서 그들의 말과 행동을 통해 교훈을 전달하는 이야기입니다.

오답 풀이

② 무대에서 공연하기 위해 쓴 글은 희곡입니다.
③ 실제로 살았던 인물의 이야기를 쓴 글은 전기문입니다.
④ 일을 하는 순서를 자세히 알려 주는 글은 설명하는 글입니다.
⑤ 정해진 글자 수를 정확하게 지켜서 쓴 글은 시 중에서 글자 수가 정해진 정형시입니다.

2 백곡이 풍성한 계절인 가을이 되자 왕치와 소새와 개미는 사흘 동안 돌아가면서 준비를 하여 잔치를 하기로 했습니다.

오답 풀이

① 개미는 천성이 너그럽고 낙천적이어서 남의 허물을 별로 탓하지 않았습니다.
② 왕치와 소새와 개미는 한집에서 살고 있었습니다.
③ 왕치는 약질이라서 날마다 놀고먹었지만 배 속은 커서 남의 배나 먹었습니다.
④ 소새는 염치없는 왕치를 미워하였고 걸핏하면 꽁하여 구박을 하고 눈치를 주었습니다.

3 이 글에 쓰인 '속이 없다'는 '어떤 일의 이치를 제대로 판단하여 깨닫지 못하다.'라는 뜻입니다.

4 왕치는 잔치를 준비할 생각보다는 음식을 먹을 생각만으로 잔치를 하는 것에 냉큼 찬성을 하였습니다.

유형 분석/추론

이야기를 꼼꼼하게 읽고, 보기의 내용과 이야기의 내용에 다른 점이 없는지 살펴봅니다. 이 글에서 왕치는 남이 차린 음식을 먹을 생각만 하며 잔치를 하는 것에 찬성했습니다.

038쪽 지문 분석

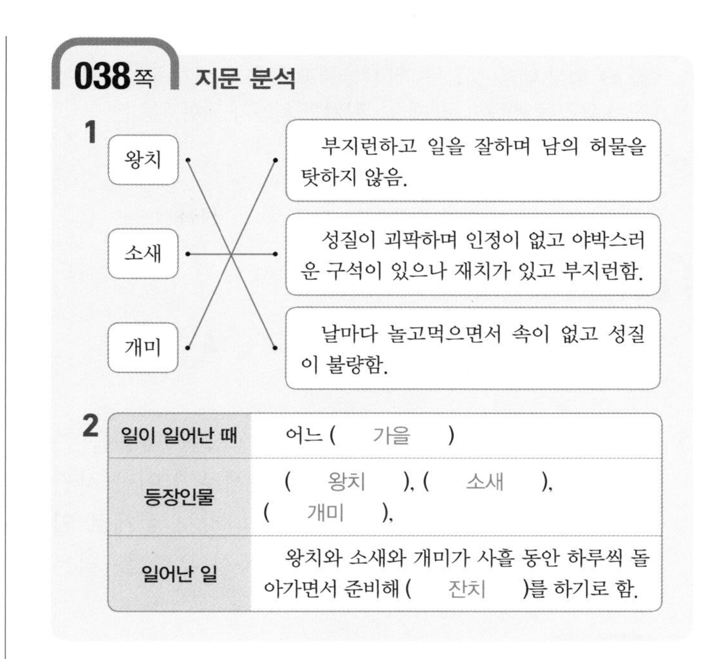

1 이 글의 두 번째, 세 번째 문단에서 말하는 이가 인물의 성격을 설명한 부분을 통해 인물의 성격을 파악할 수 있습니다.

2 일이 일어난 때는 어느 가을이며 왕치, 소새, 개미가 등장하여 사흘 동안 하루씩 돌아가면서 준비해 잔치를 하기로 한 것이 일어난 일입니다.

039쪽 오늘의 어휘

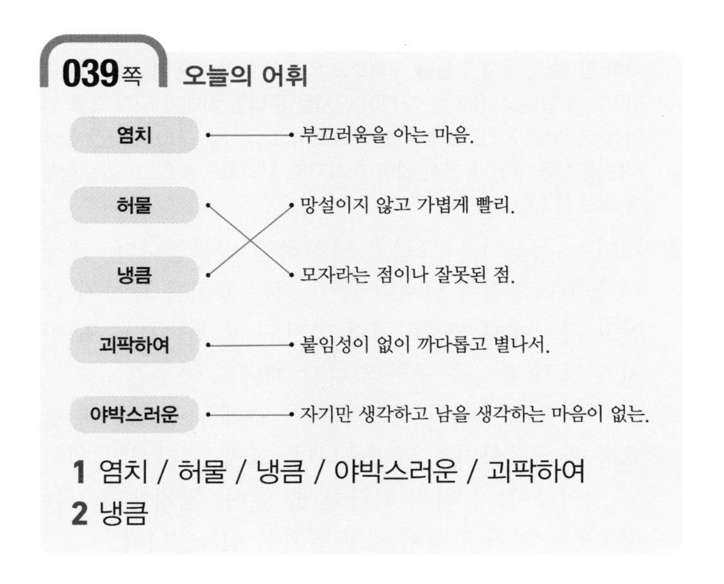

• **글 ❷ 중심 내용** 첫날은 개미가, 둘째 날은 소새가 풍성하게 잔치 음식을 차렸고, 셋째 날, 왕치의 차례가 되어 왕치는 먹을 것을 구하러 집을 나섰습니다.

041쪽 지문 독해

1 ⑤ **2** 개미, 소새, 왕치 **3** ③ **4** ②, ④, ⑤

1 이와 같은 동화(우화)는 글쓴이가 상상한 내용을 쓴 것으로, 동화에서 일어나는 일은 실제로 일어난 사건과 꼭 관련이 있는 것은 아닙니다. 따라서 실제로 일어난 사건과 비교하며 읽는 것은 동화(우화)를 읽는 방법으로 알맞지 않습니다.

오답 풀이

① 일어난 일을 정리하며 읽으면 이야기의 내용을 이해하는 데 도움이 됩니다.
②, ③ 이야기에 등장하는 인물의 성격을 파악하고 인물의 마음을 짐작하면 이야기 속 사건을 잘 이해할 수 있습니다.
④ 모르는 단어의 뜻을 찾아보며 읽으면 이야기의 내용을 이해하는 데 도움이 됩니다.

2 첫째 날은 개미가 잔치를 준비하러 들로 나섰고, 둘째 날은 소새가 잔치를 준비하러 물가로 갔습니다. 셋째 날이 되어 왕치가 잔치를 준비하게 되자 왕치는 무작정 들로 나갔습니다.

3 '진퇴양난'은 '이러지도 저러지도 못하는 어려운 상황에 빠짐.'이라는 뜻으로 잔치를 준비해야 하는 왕치의 상황과 비슷합니다.

유형 분석/어휘

인물이 처한 상황과 관련 있는 말을 찾기 위해서는 이야기 속에서 인물이 한 말, 인물의 행동을 살펴보고 인물이 어떤 상황에 처해 있는지 파악해야 합니다. 왕치는 자신이 잔치를 준비할 차례가 되자 대충 넘어갈 생각이었지만, 소새의 눈치도 보이고 음식을 구하러 나간 들에서는 음식을 구하기 쉽지 않아 이러지도 저러지도 못하고 있는 상황에 처해 있습니다.

4 개미는 천성이 너그럽고 낙천적인 인물입니다. 그래서 놀고먹으면서 남보다 많이 먹는 왕치를 탓하지 않았고 왕치에게 깍쟁이처럼 굴지도 않았습니다. 또 왕치가 잔치 음식을 구하러 나갈 때에도 아무런 눈치도 주지 않았고 왕치가 잔치 음식을 구해올 수 있도록 단호하게 행동하지도 않았습니다. 소새는 자신이 원하는 잉어를 잡기 위해 기다릴 줄 알며, 왕치에게 하는 행동으로 보아 인정이 없고 깐깐한 인물입니다.

042쪽 지문 분석

1

개미	소새	왕치
(새참)을 이고 가는 촌 아주머니를 물어 아주머니가 들고 가던 음식을 가져옴.	맑은 물에 헤엄치던 싯누런 (잉어)를 주둥이로 꿰어 음식을 준비함.	무작정 집을 나서서 넓은 (들)로 갔지만 가져갈 것이 마땅치 않음.

2

일이 일어난 장소	왕치의 마음
집	대충 넘어가려고 했는데 소새의 (눈치, 염치)가 보임.

↓

들	일단 음식을 구하러 나왔지만 가져갈 것이 마땅치 않아서 몹시 (피곤함, 곤란함).

1 개미와 소새, 왕치가 잔치에 내놓을 음식을 구하기 위해 어떻게 했는지 살펴봅니다.

2 이 글에서 왕치는 자신이 잔치를 준비할 차례가 되자 핑계를 대고 넘어가려다 소새의 눈치가 보여 무작정 집을 나왔습니다. 들로 나간 후에는 음식을 구하기 쉽지 않아서 곤란해하였습니다.

043쪽 오늘의 어휘

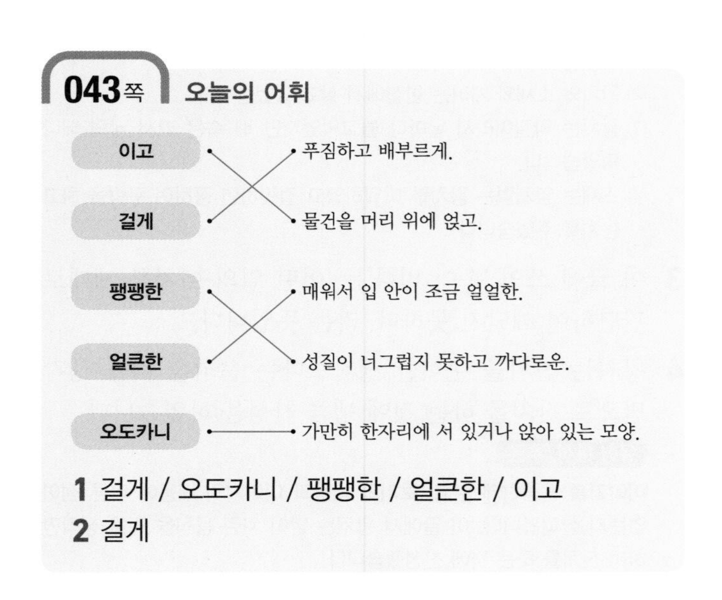

• **글 ❸ 중심 내용** 소새가 잡은 잉어로 개미와 저녁을 먹으려는데 그 속에서 사라졌던 왕치가 뛰어나와서는 살려 준 은혜도 모르고 생색을 내었고, 이 일로 왕치와 소새와 개미의 모습이 지금과 같이 바뀌게 되었습니다.

045쪽 지문 독해

1 ④ **2** (3) ○ (4) ○ **3** ② **4** ③

1 이 글의 중심 내용은 왕치와 소새와 개미의 모습이 지금처럼 변하게 된 까닭입니다.

2 (3) 개미는 머리가 벗어진 왕치와 주둥이가 길어진 소새를 보고 허리가 부러지도록 웃었습니다.
(4) 소새는 개미와 함께 자신이 잡아 온 잉어를 먹고 있었는데 그 안에서 왕치가 뛰어나왔습니다.

오답 풀이
(1) 왕치는 자신이 잉어를 잡느라 애를 썼다며 개미와 소새에게 어서 들 먹으라고 생색을 냈습니다.
(2) 소새는 주둥이가 한 자가 되게 나와서는 눈을 내리깔고 앉아 아무 말도 없었습니다.

3 왕치는 자신을 구해 준 소새에게 고마운 마음을 표현하기는커녕 부끄러움을 모르고 생색을 내며 염치없이 행동하였습니다. 이러한 행동과 가장 관련 있는 속담은 '도무지 부끄러움을 모르고 염치가 없다.'라는 뜻의 '낯바닥이 땅 두께 같다'입니다.

오답 풀이
① 모든 일에는 질서와 차례가 있는 법인데 일의 순서도 모르고 성급하게 덤빈다는 뜻의 속담입니다.
③ 평소에 흔하던 것도 막상 급하게 쓰려고 구하면 없다는 뜻의 속담입니다.
④ 결점이 있기는 마찬가지이면서, 조금 덜한 사람이 더한 사람을 흉본다는 뜻의 속담입니다.
⑤ 뜻하는 성과를 얻으려면 그에 마땅한 일을 하여야 한다는 뜻의 속담입니다.

4 소새는 왕치 없이 개미와 둘이서만 저녁을 먹을 때에는 섭섭한 마음이 들었다가, 잉어 배 속에서 뛰어나온 왕치를 보고 반갑고 놀라운 마음이 들었다가, 생색을 내는 왕치를 보고 화가 났습니다.

유형 분석/추론
이야기에서 등장인물의 마음을 짐작하려면 인물이 어떤 행동과 말을 했는지 살펴봅니다. 잉어의 배 속에서 나온 왕치를 본 소새는 반갑고 놀라운 마음이 들었으므로, 배신감이 들었다는 것은 알맞지 않습니다.

046쪽 지문 분석

1

인물	모습이 변한 까닭	바뀐 모습
왕치	공짜를 좋아하며 이마의 땀을 쓱쓱 닦다가	(대머리)가 됨.
소새	왕치의 말을 듣고 화가 나서.	(주둥이)가 길어짐.
개미	웃으며 대굴대굴 구르다가	(허리)가 부러짐.

2

이 글은 사람들이 살아가는 모습을 다양한 성격을 가진 세 친구인 왕치, 소새, 개미가 함께 살며 겪은 일에 빗대어 그려냄.

주제

사람은 누구나 (단점)과 허물을 가지고 있으니 서로의 단점을 보며 미워하기보다는 누구나 가지고 있는 (장점)을 보며 함께 어우러져 살 수 있도록 노력해야 함.

1 글의 끝부분에서 왕치와 소새와 개미가 모습이 바뀐 까닭과 바뀐 모습을 찾을 수 있습니다.

2 이 글은 우화로 글에 나오는 동물을 통해 교훈과 주제를 전하고 있습니다. 왕치와 소새, 개미는 다양한 성격을 가진 사람들의 모습을 대표하는 인물로, 이 글에서는 서로의 장점을 보며 함께 어우러져 살아가는 것이 중요함을 말하고 있습니다.

047쪽 오늘의 어휘

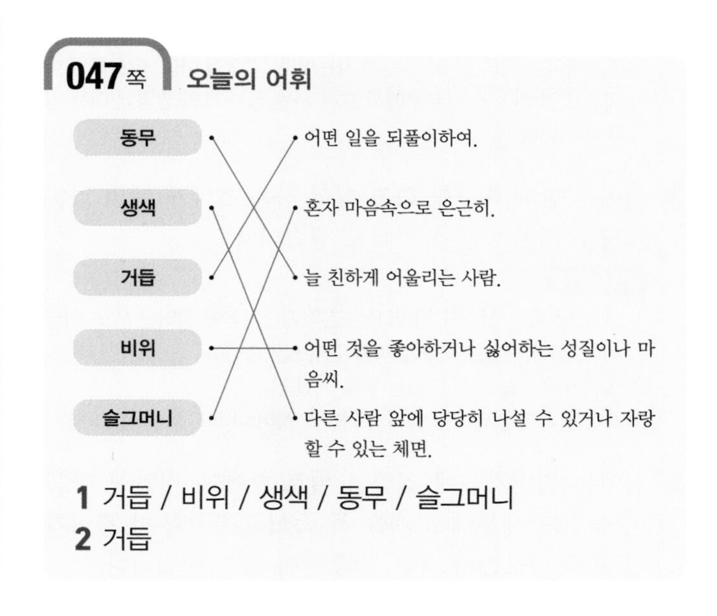

1 거듭 / 비위 / 생색 / 동무 / 슬그머니
2 거듭

- **글의 종류** 창작 동화
- **글의 특징** 병실에서 눈사람을 만들어 주겠다는 친구의 약속을 기다리는 석이를 안쓰러워하는 청소부 할아버지는 직접 눈사람이 되어 아이에게 기쁨이 되어 줍니다. 이 이야기를 통해 아이의 동심을 지켜 주려는 어른의 따뜻한 마음을 느낄 수 있습니다.
- **글의 주제** 눈사람을 만들며 친구들과 놀고 싶은 아이의 마음을 이해하고, 아이를 기쁘게 해 주려는 청소부 할아버지의 따뜻하고 착한 마음을 알 수 있습니다.
- **글 ❶ 중심 내용** 축구 선수가 꿈인 석이는 다리를 다쳐 병실에 있는데 아무도 찾아오지 않아 외로움을 느낍니다. 석이는 자신을 찾아와 준 호에게 지난가을에 있었던 일을 사과합니다.

049쪽 지문 독해

1 (1) ㉯ (2) ㉮ **2** ③ **3** ③, ⑤ **4** ④

1 현재 석이는 왼쪽 다리를 다쳐 병실에 있고, 호와 있었던 이야기는 지난가을 축구를 대결하던 장소에서 있었던 일입니다.

유형 분석/갈래

이야기의 배경이 되는 때와 장소를 알아야 정확한 내용을 파악할 수 있습니다. 글을 읽으며 시간을 나타내는 말과 장소를 나타내는 말에 표시해 봅니다.

2 이 글에 호의 키에 대한 내용은 나와 있지 않습니다.

오답 풀이

① 호가 시골에서는 자신도 반 축구 선수로 이름났다고 말했습니다.
② 석이는 병원에 병문안을 온 호에게 지난가을에 미안하다며 사과했습니다.
④, ⑤ '석이는 저의 집 첫 골목에 사는 연탄 가겟집 아이, 박호를 호박이라고 불렀다.'라는 부분에서 호가 사는 집과 호의 별명에 대해 알 수 있습니다.

3 철이는 함께 축구를 하고 싶어 하는 호에게 예의 없는 태도로 대하며 말을 함부로 했습니다.

오답 풀이

① 호가 반 축구 선수가 되었다는 것은 지난가을에 일어난 일이 아닙니다. 철이는 호를 축구에 끼워 주지 않았습니다.
② 철이가 축구를 시켜 달라는 호를 때렸습니다.
④ 호에게 사과한 아이는 철이가 아니라 석이입니다.

4 석이는 지난가을에 있었던 일로 호에게 미안한 마음이 들었기 때문에 고개를 푹 숙이고 뚜벅뚜벅 걸어가던 호의 뒷모습이 기억 속에 남아 있는 것입니다.

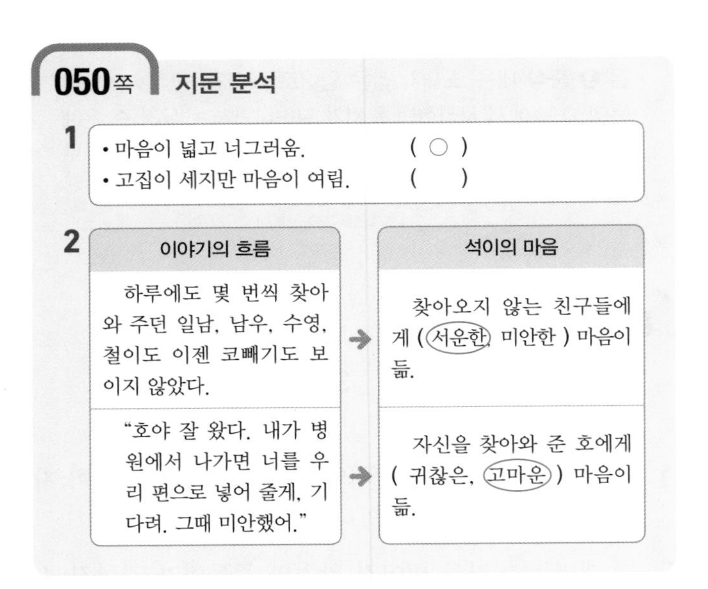

1 호는 성격이 원만하고 너그러워서 철이가 놀려도 크게 화를 내지 않았고 석이의 사과에도 그때 일은 다 잊었다고 말하였습니다.

2 석이는 같이 축구를 하던 친구들마저 병원에 오지 않자 서운하고 화가 났을 것입니다. 반면에 챙겨 주지 못했던 호가 찾아오자 미안하고 고마운 마음이 들었을 것입니다.

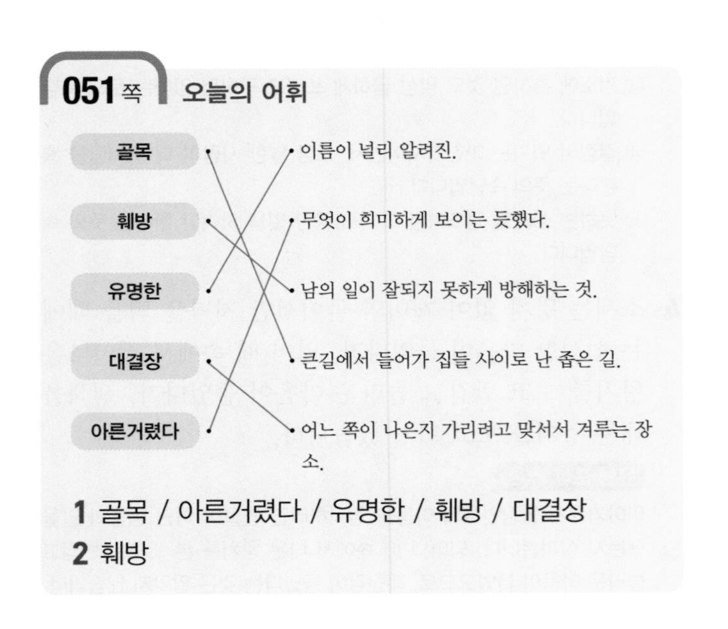

• **글 ❷ 중심 내용** 석이는 겨울에 눈이 많이 오면 눈사람을 같이 만들자는 호의 말을 기억하며 눈을 쓸어 버리는 청소부 할아버지에게 화를 냈고, 청소부 할아버지는 석이가 찢어 버린 편지를 보고 석이의 마음을 이해합니다.

053쪽 지문 독해

1 눈사람 **2** ③ **3** (3) ○ **4** ㉰

1 눈이 많이 오면 호와 함께 눈사람을 만들기로 한 석이는 청소부 할아버지에게 눈을 쓸지 말라고 말하였습니다.

2 눈사람을 잘 만드는 호 덕분에 연탄 공장 앞 빈터에는 겨울 내내 눈사람이 서 있었습니다.

오답 풀이

① 시골에 가 있더라도 석이가 병원에서 나오면 서울로 놀러 오겠다는 내용에서 호가 현재 시골에 살고 있다는 것을 알 수 있습니다.
② 호는 연탄 공장에서 일을 했습니다.
④ 석이 또래의 아이들은 눈사람을 잘 만드는 호를 부러워했습니다.
⑤ 아이들은 눈이 오지 않는 봄과 여름과 가을에는 호를 거들떠보지도 않았습니다.

3 '콧등으로 들어 넘기다'는 듣고도 들은 체 만 체 한다는 말로, 관련 있는 속담은 남의 말을 귀담아듣지 않는다는 뜻을 가진 '한 귀로 듣고 한 귀로 흘린다'입니다. '누워서 떡 먹기'는 '아주 쉬운 일.', '바늘 도둑이 소도둑 된다'는 '자그마한 나쁜 일도 자꾸 하게 되면 나중에 더 큰 잘못을 저지르게 된다.'는 뜻의 속담입니다.

유형 분석/어휘

내용을 이해한 후 내용에 어울리는 속담을 찾을 수 있어야 합니다. 속담의 뜻을 모를 때에는 사전 등을 활용하여 찾아보고 글의 내용과 가장 관련 있는 것을 고릅니다.

4 청소부 할아버지는 석이가 혼자 병원에 너무 오래 있더니 정신이 가물가물하는 모양이라며 석이의 말을 들은 체 만 체 하였습니다. 그러다가 석이가 찢어 버린 편지를 읽게 되었고, 다리가 나아서 동네 아이들과 뛰어놀면서 눈사람을 만들고 싶어 하는 석이의 외로운 마음을 이해하게 되었습니다. 이러한 모습에서 청소부 할아버지가 따뜻한 마음을 가진 분이라는 것을 짐작할 수 있습니다.

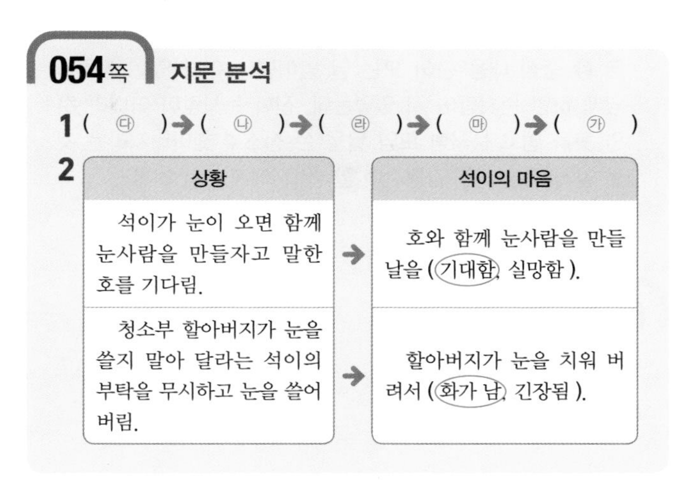

1 석이는 눈이 많이 오면 함께 눈사람을 만들자고 말하고 시골로 떠난 호를 기다리며 청소부 할아버지에게 눈을 쓸지 말라고 부탁합니다. 하지만 청소부 할아버지가 석이의 부탁을 들어주지 않고 눈을 쓸어 버리자 석이는 화가 나서 호에게 보내려던 편지를 찢어 창밖으로 던집니다. 그 모습을 본 청소부 할아버지는 찢어진 편지를 하나씩 맞추어 읽고 석이의 마음을 이해합니다.

2 석이는 눈이 많이 오면 눈사람을 함께 만들자고 한 호를 기다리면서 눈사람을 만들 날을 기대하고 있었을 것입니다. 하지만 청소부 할아버지가 눈을 쓸지 말아 달라는 부탁을 무시하고 눈을 쓸어 버려서 화가 났을 것입니다.

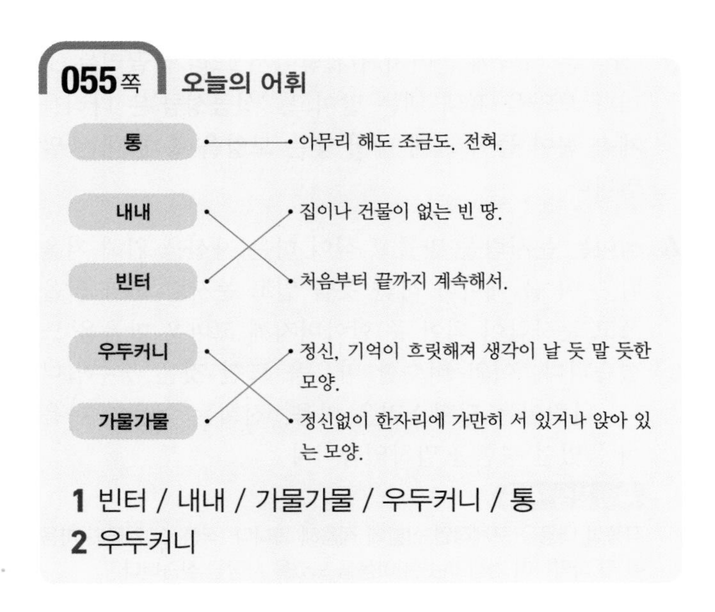

- **글 ❸ 중심 내용** 눈이 오는 날 밤이면 석이가 있는 삼호실 앞에 하얀 눈사람이 서 있었는데, 진짜 눈사람이 아니라 하얀 옷을 입고 눈사람 모양 탈을 쓴 청소부 할아버지라는 것을 알게 된 석이는 감동하여 할아버지에게 안겼습니다.

057쪽 지문 독해

1 밤, 눈사람 **2** ②, ⑤ **3** (1) 질질 (2) 성큼성큼
4 경수

1 석이는 눈 오는 날 밤에만 자신이 누워 있는 삼호실 병실 창밖에 눈사람이 와 있는 것을 이상하게 여겼습니다. 그래서 밖으로 나가 직접 확인해 보니 그것은 진짜 눈사람이 아니라 청소부 할아버지가 자신을 위해 눈사람이 되어 준 것이었습니다.

2 석이는 눈이 쌓이면 한 번도 빠지지 않고 자신이 누워 있는 삼호실 창밖에 눈사람이 와 있는 것, 그것도 눈이 오는 밤에만 와 있는 것을 이상하게 여겼습니다. 청소부 할아버지가 석이를 위해 눈사람이 되어 준 것이기 때문에 할아버지가 일을 다 마치고 난 밤에만 눈사람이 될 수 있었던 것이고, 석이가 누워 있는 삼호실 창밖에만 나타나신 것입니다.

오답 풀이
① 눈사람이 자리를 계속 옮겼다는 내용은 이 글에 나오지 않았습니다.
③ 눈사람은 석이가 볼 수 있는 삼호실 창밖에만 나타났습니다.
④ 눈사람은 겨울에 눈이 내리는 날 밤에만 나타났습니다.

3 '질질'은 바닥에 늘어지거나 닿아서 느리게 끌리는 소리나 모양을 흉내 내는 말이고, '성큼성큼'은 다리를 계속 높이 들어 크게 떼어 놓는 모양을 흉내 내는 말입니다.

4 석이는 눈사람을 만들고 싶어 하는 자신을 위해 겨울밤 눈이 올 때마다 하얀 옷을 입고 눈사람 모양 탈을 쓰고 눈사람이 되어 준 할아버지께 고마운 마음을 느꼈습니다. 이와 비슷한 마음을 느낀 것은 경수입니다. 나림이는 당황스러운 마음, 진희는 억울한 마음이 들었던 경험을 말하였습니다.

유형 분석/적용
작품의 내용을 구체적인 상황에 적용해 봅니다. 작품 속 인물의 마음을 잘 파악하여 가장 비슷한 마음을 느꼈을 사람을 찾습니다.

058쪽 지문 분석

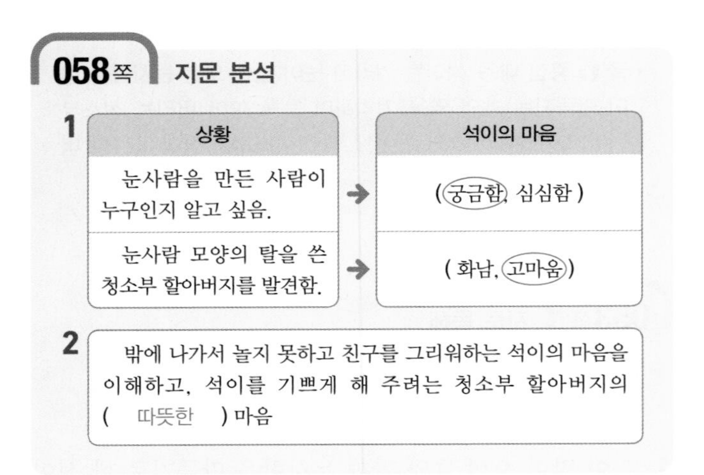

1

상황	석이의 마음
눈사람을 만든 사람이 누구인지 알고 싶음.	(궁금함, 심심함)
눈사람 모양의 탈을 쓴 청소부 할아버지를 발견함.	(화남, 고마움)

2 밖에 나가서 놀지 못하고 친구를 그리워하는 석이의 마음을 이해하고, 석이를 기쁘게 해 주려는 청소부 할아버지의 (따뜻한) 마음

1 석이는 삼호실 창밖에 눈이 오는 밤마다 서 있는 눈사람을 누가 만들었는지 알고 싶고 궁금했을 것입니다. 또, 눈사람 모양의 탈을 쓴 청소부 할아버지를 발견했을 때는 자신을 위해 눈사람이 되어 주신 할아버지에게 고마운 마음이 들었을 것입니다.

2 이 글은 눈사람을 만들며 친구들과 놀고 싶어 하는 석이의 마음을 이해하고, 석이를 기쁘게 해 주기 위해 눈 오는 날마다 기꺼이 눈사람 모양의 탈을 쓰고 눈사람이 되어 준 청소부 할아버지의 따뜻한 마음에 대해 이야기하고 있습니다.

059쪽 오늘의 어휘

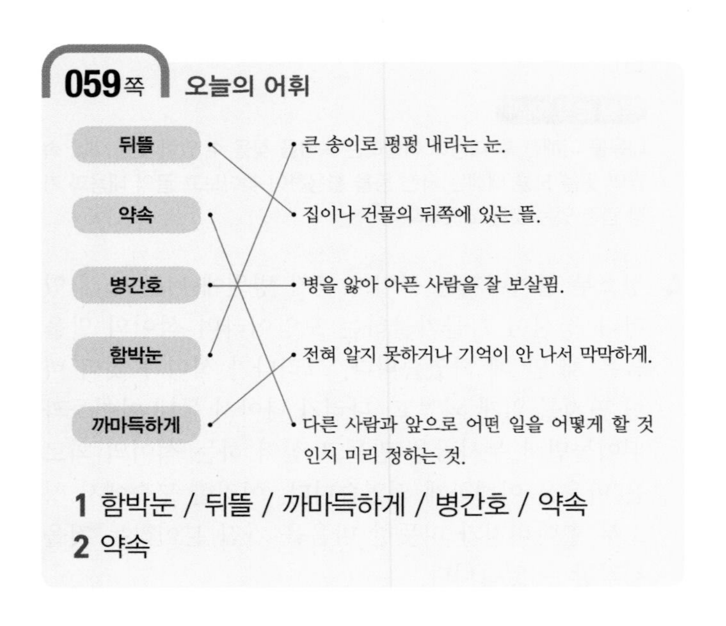

1 함박눈 / 뒤뜰 / 까마득하게 / 병간호 / 약속
2 약속

- **글의 종류** 창작 동화
- **글의 특징** 사람이 아닌 사물들이 등장하는 동화로, 외짝 꽃신의 이야기를 통해 행복이란 어떤 것인지에 대해 생각해 볼 수 있는 이야기입니다.
- **글의 주제** 행복이란 남을 위해 무슨 일인가 할 때 생기는 것임을 알고, 남을 먼저 위하는 행복한 사람이 되려는 마음을 배워야합니다.
- **글 ❶ 중심 내용** 풀숲에 떨어져 외롭게 지내던 외짝 꽃신에 빗물이 담겨 외짝 꽃신은 기뻐하지만 빗물들은 불만이 가득합니다.

061쪽 지문 독해

1 ① **2** ④ **3** 하얀 구름 **4** ㉰

1 이 글의 중심인물은 외짝 꽃신이고, 말하는 이는 이 글에 등장하지 않습니다. 따라서 등장인물이 직접 자신의 이야기를 하고 있지 않다는 것을 알 수 있습니다. 동화에서는 말하는 이가 등장인물이 아닌 경우도 많습니다.

2 다람쥐는 사람이 잘 다니지 않던 풀숲에 혼자 떨어져 있던 외짝 꽃신을 툭 건들고 지나갔습니다. 또 낮에는 개미 몇 마리가 꽃신 안을 돌아보고 먹이가 없는 것을 알게 되자 곧 나가 버렸습니다. 이렇게 외짝 꽃신은 친구 없이 외롭게 지내고 있었습니다.

유형 분석/세부 내용

글의 세부 내용을 확인할 때에는 글의 내용과 문제에 보기로 나온 내용을 비교해 봐야 합니다. 그래서 두 내용이 일치하는지 또는 일치하지 않는지를 살펴보면 답을 쉽게 찾을 수 있습니다.

3 빗물들이 외짝 꽃신에게 자신들이 하얀 구름이었을 때에는 널따란 하늘을 마음껏 날아다녔다고 말한 것에서 빗물들의 원래 모습이 무엇인지 짐작할 수 있습니다.

4 외짝 꽃신은 자신 때문에 빗물들이 꿈을 펼치지 못하게 된 것 같아 미안한 마음이 들었습니다. 그래서 스스로 움직일 수 있다면 빗물들이 자유로울 수 있도록 모두 쏟아 주고 싶었던 것입니다. 이를 통해 다른 사람에 대한 이해심이 깊은 외짝 꽃신의 성격을 짐작할 수 있습니다.

오답 풀이

㉮와 ㉯는 외짝 꽃신과 빗물들의 마음에 대한 생각이나 느낌으로 알맞습니다.

062쪽 지문 분석

1

빗물들을 처음 만났을 때	→	빗물들과 대화를 나눈 후
혼자 있다가 빗물들과 함께 있게 되어서 몹시 (기쁨, 불쾌함).		자신이 빗물들의 꿈을 이루지 못하게 한 것 같아 (그리움, 안타까움).

2

외짝 꽃신	↔	빗물들
빗물들에게 (미안)해하며 빗물들의 (꿈)을 이루어 주고 싶어 함.		외짝 꽃신에 담기는 바람에 꿈이 망가졌다고 꽃신을 (원망) 하며 투덜거림.

1 외롭게 지내던 외짝 꽃신은 빗물들이 자기 안으로 들어오자 기뻐했고, 빗물들의 말을 듣고 난 후에는 빗물들에게 안타까운 마음과 미안한 마음이 들었습니다.

2 빗물들은 외짝 꽃신에 담기는 바람에 자신들의 꿈이 망가졌다고 꽃신을 원망하며 투덜거렸습니다. 외짝 꽃신은 이러한 빗물들에게 미안해하며 빗물들의 꿈을 이루어 주고 싶어 했습니다.

063쪽 오늘의 어휘

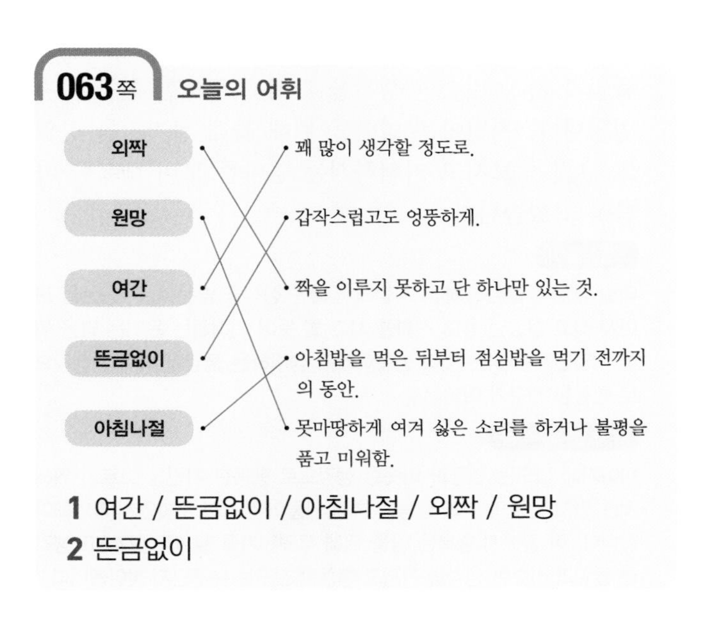

1 여간 / 뜬금없이 / 아침나절 / 외짝 / 원망
2 뜬금없이

• 글 ❷ 중심 내용 빗물들은 자신보다 남의 행복을 더 소중하게 생각하는 외짝 꽃신의 꿈과 풀잎의 이야기를 듣게 되었습니다.

065쪽 지문 독해

1 풀잎, 외짝 꽃신, 빗물들 2 ⑤ 3 ③ 4 ㉰

1 이야기에서 인물은 이야기에서 어떤 일을 겪는 사람이나 사물로, 이야기를 이끌어 나갑니다. 이 글에 등장해서 이야기를 이끌어 가는 인물은 외짝 꽃신과 빗물들, 풀잎입니다.

오답 풀이
풀씨, 곤충은 이 글에 등장하는 인물이 아닙니다.

2 외짝 꽃신의 주인은 꼬마인데 엄마 품에 업혀 외갓집에 가다가 깜빡 잠이 들어 버려 꽃신이 한 짝 떨어진 줄도 몰랐습니다. 외짝 꽃신은 자신을 데려가 달라고 소리를 쳤지만 사람들은 외짝 꽃신의 목소리를 듣지 못했고, 외짝 꽃신은 결국 외톨이가 되었습니다.

3 '자기들이 이 작은 꽃신 안에 갇혀서는 도저히 행복해질 수가 없다고 생각했기 때문입니다.'라는 부분에서 빗물들이 난처해한 까닭을 짐작할 수 있습니다. 외짝 꽃신의 꿈을 들은 빗물들은 작은 꽃신 안에서는 자신들이 행복해질 수 없다고 생각했기 때문에 난처해하였습니다.

4 행복이란 남을 위해 무슨 일인가 할 때 생긴다고 말한 풀잎과 가장 비슷한 생각을 가지고 행동한 친구는 지민입니다. 지민이는 엄마를 위해 몰래 설거지를 하였고 그것을 보시고 기뻐하시는 엄마를 보며 행복한 마음을 느꼈습니다.

오답 풀이
매일 공부를 열심히 해서 시험에서 좋은 성적을 받은 현수, 용돈을 모아서 갖고 싶었던 휴대 전화를 사고 뛸 듯이 기뻐하는 윤지는 남을 위해 무엇인가를 하는 것이 행복이라고 생각하는 풀잎과 비슷한 생각으로 행동한 친구가 아닙니다.

유형 분석/적용
이야기에 나오는 인물과 비슷한 생각으로 행동한 사람을 고르기 위해서는 먼저 인물의 말과 행동을 통해 인물의 생각이 무엇인지 파악해야 합니다. 이 글에서 행복은 남을 위해 무엇인가를 할 때 생긴다고 생각한 풀잎과 비슷한 생각을 가지고 행동한 친구는 누구인지 찾아봅니다.

066쪽 지문 분석

1

일이 일어난 때	외짝 꽃신의 꿈
꼬마의 귀여운 발을 품고 있을 때	((행복), 불행)했기 때문에 다른 꿈이 없었음.
꼬마의 발에서 떨어진 뒤	(빗물, (꼬마))이/가 자신을 잊지 않고 생각해 주기를 바람.
빗물들을 품었을 때	(풀잎, (빗물들))이 행복해지기를 바람.

2

꽃신과 풀잎	(남)을 위해 무슨 일인가 할 때 행복하다고 생각함.

1 이 글에서 외짝 꽃신의 꿈은 시간의 흐름에 따라 바뀌었습니다. 외짝 꽃신은 꼬마의 귀여운 발을 품고 있을 때에는 행복했기 때문에 다른 꿈이 없었지만 꼬마의 발에서 떨어진 뒤에는 꼬마가 자신을 잊지 않고 생각해 주기를 바라는 것, 빗물들을 품었을 때에는 빗물들이 행복해지는 것이 꿈이라고 하였습니다.

2 꽃신은 자신의 행복이 아닌 빗물들이 행복해지는 것이 자신의 꿈이라고 하였고, 풀잎은 행복이란 남을 위해 무슨 일인가 할 때 생기는 것이라고 하였습니다.

067쪽 오늘의 어휘

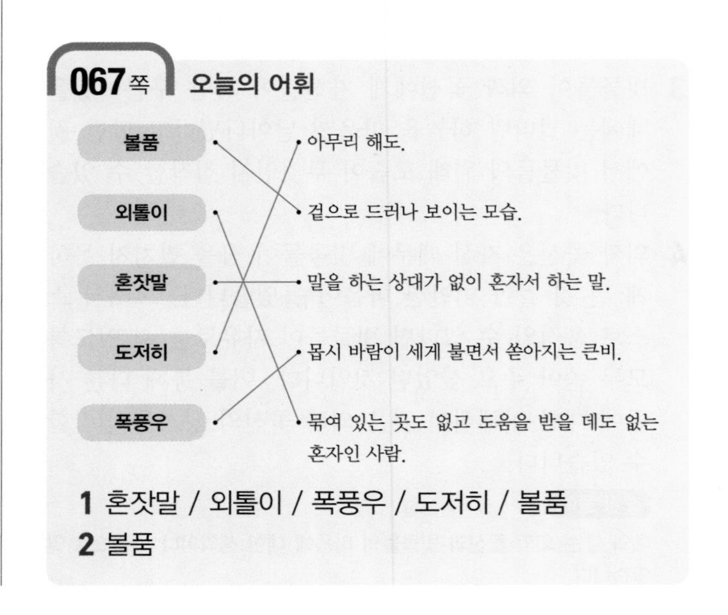

1 혼잣말 / 외톨이 / 폭풍우 / 도저히 / 볼품
2 볼품

• **글 ❸ 중심 내용** 빗물들은 수증기가 되어 하늘로 올라가 꽃신을 위해 무지개를 만들었고, 무지개를 본 꼬마가 외짝 꽃신을 떠올리며 외짝 꽃신의 꿈이 이루어집니다.

069쪽 지문 독해

1 ⑤ **2** 수증기 **3** ⑤ **4** 유정

1 자신들의 꿈을 망가뜨려 놓았다며 외짝 꽃신을 원망하던 빗물들이 꽃신의 마음을 이해하게 된 일, 빗물들이 외짝 꽃신을 행복하게 해 준 일이 이 글에서 가장 중요한 일입니다.

2 어느 날 햇빛이 쨍쨍 내리쬐었고, 꽃신 안에 담겼던 빗물들의 몸이 가벼워지기 시작했습니다. 그러다가 아주 작은 수증기가 된 빗물들은 햇살을 타고 하늘로 올라갔습니다.

3 작은 수증기가 된 빗물들이 하늘로 올라가면서 외짝 꽃신에게 한 말에 빗물들의 꿈이 무엇인지 나와 있습니다. 하늘로 올라가게 된 빗물들은 구름이 되어 다시 꿈을 갖게 된다면 외짝 꽃신 안에 담겨서 꽃신을 행복하게 해 주는 것이 될지도 모르겠다고 하였습니다.

4 풀숲 아래 마을에서 무지개를 본 여자아이는 무지개를 가리키며 외짝 꽃신을 떠올린 것이지 외짝 꽃신을 찾으러 온 것은 아닙니다. 따라서 글의 내용을 바탕으로 짐작할 수 있는 사실을 바르게 말하지 못한 친구는 유정이입니다.

오답 풀이

규민: '자기를 위해 예쁜 무지개를 만들어 준 빗물들이 고마웠습니다.'라는 부분으로 보아 하늘로 올라갔던 빗물들이 꽃신이 행복해지기를 바라면서 무지개를 만들어 주었음을 짐작할 수 있습니다. 따라서 규민이는 글의 내용을 바탕으로 내용을 바르게 추론하여 말하였습니다.

현우: '그 여자아이는 풀숲에 떨어진 꽃신과 똑같은 외짝 꽃신을 들고 있었습니다.'라는 부분으로 보아 여자아이가 외짝 꽃신의 주인임을 짐작할 수 있습니다. 따라서 현우도 글의 내용을 바탕으로 내용을 바르게 추론하여 말하였습니다.

유형 분석/추론

글의 내용을 바르게 추론한 사람을 고르는 문제를 해결하기 위해서는 먼저 글의 내용과 일치하는 내용을 말했는지를 살펴보아야 합니다. 그리고 그 내용을 바탕으로 짐작할 수 있는 내용을 바르게 말한 사람을 골라야 합니다.

070쪽 지문 분석

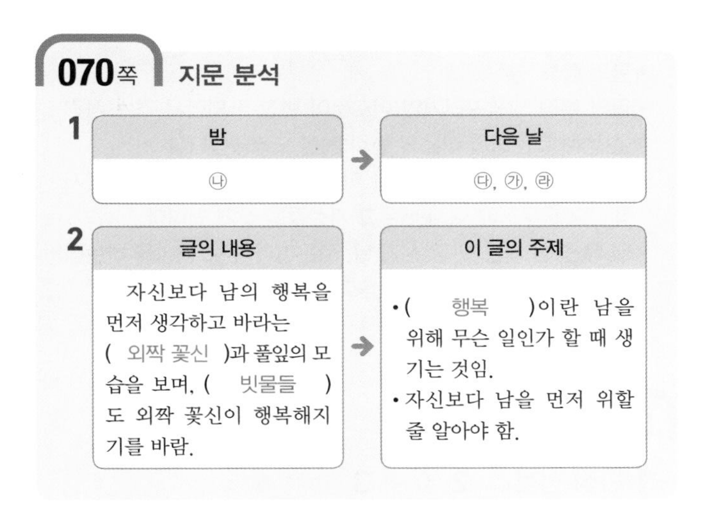

1 '밤 – 다음 날'의 시간 흐름에 따라 꽃신과 빗물에게 어떤 일이 일어났는지 정리해 봅니다.

2 이 글에 나타난 외짝 꽃신과 풀잎의 모습을 통해 행복이란 남을 위해 무슨 일인가 할 때 생긴다는 것과 남을 먼저 위하는 사람이 되어야 한다는 주제를 확인할 수 있습니다.

071쪽 오늘의 어휘

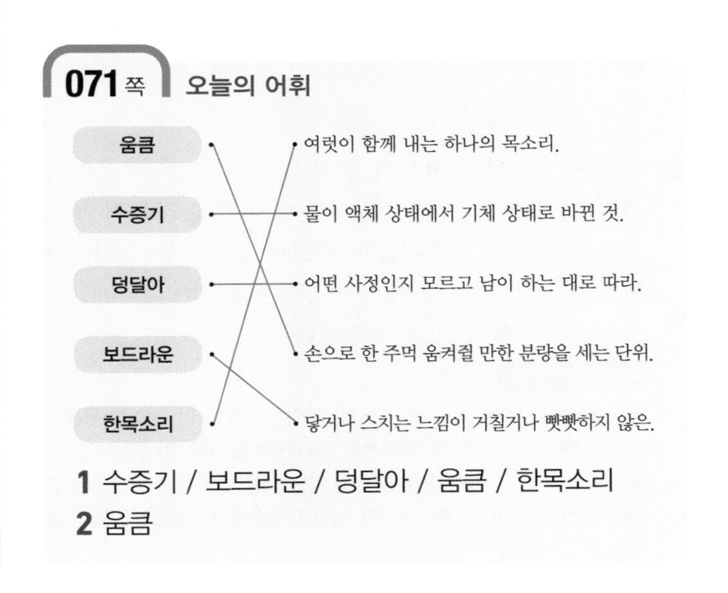

1 수증기 / 보드라운 / 덩달아 / 움큼 / 한목소리
2 움큼

- **글의 종류** 창작 동화
- **글의 특징** 말썽꾸러기인 이로운이 반장이 되면서 겪는 사건을 통해 로운이의 마음의 변화를 잘 드러냈습니다.
- **글의 주제** 골통으로 불리던 이로운이 우연히 반장이 되면서 책임감과 우정에 대해 배우고 자신감을 찾게 됩니다.
- **글 ❶ 중심 내용** 반장 선거 날, 로운이가 후보 연설을 하는데 친구들이 로운이의 연설을 듣고 계속 웃음을 터뜨립니다.

073쪽 지문 독해

1 반장 선거 **2** ⑤ **3** ⑤ **4** ③

1 이 이야기는 로운이가 반장 선거에 나가면서 벌어지는 일들을 이야기하고 있는데, 이 글에서는 로운이가 선거 연설을 한 일이 가장 중요한 일입니다.

2 아이들은 말썽꾸러기 로운이가 반장 선거에 나왔다는 것만으로도 계속 웃었으므로 로운이가 무슨 말을 할지 숨을 죽이고 기다렸다는 것은 알맞지 않습니다.

오답 풀이

① 앞부분 이야기에서 로운이는 대광이와 함께 장난삼아 반장 선거에 나가기로 했다고 하였습니다.
② 글의 마지막 문장에서 후보들 중 로운이처럼 아이들을 신나게 웃긴 사람도 없었다고 하였습니다.
③ 로운이가 교실이 들썩일 정도로 우렁차게 인사하였다는 부분에서 알 수 있습니다.
④ 로운이는 연설에서 반장으로 뽑아 주기 싫으면 부반장도 괜찮다고 말하였습니다.

3 아이들은 말썽꾸러기 로운이가 반장이 되면 반 아이들의 머슴이 되어 시키는 일은 뭐든지 다 하고, 언제 어디서나 반 아이들을 돕겠다고 말하자 더 큰 소리로 웃기 시작했습니다.

4 제하는 로운이와 사이가 좋지 않은 인물로, 로운이가 선거 연설을 하러 앞으로 나가자 어떻게 하는지 두고 보자는 얼굴로 로운이를 바라보며 느물느물 웃었다고 하였습니다. 따라서 제하가 로운이를 떨리는 마음으로 응원하지는 않았을 것입니다.

유형 분석/추론

글에 등장하는 인물에 대해 추론할 때에는 인물이 한 말과 행동뿐만 아니라 인물 간의 관계에 대해서도 파악해야 합니다. 이 글에서 로운이와 제하 사이가 어떤지 추론할 수 있는 내용을 자세히 살펴보면 연설을 하러 나간 로운이를 제하가 어떤 마음으로 바라보고 있을지 짐작할 수 있습니다.

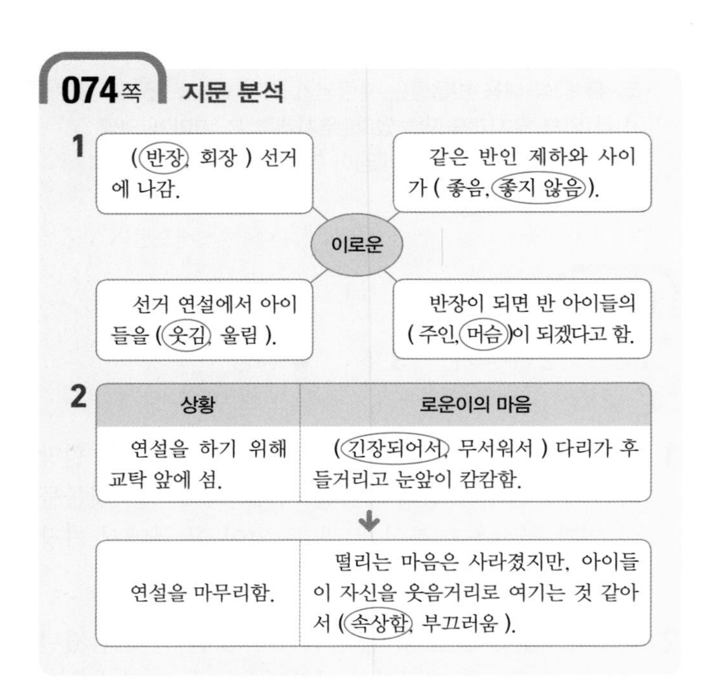

1 글의 주인공인 '이로운'이 한 말과 행동, 처한 상황을 살펴보고 빈칸에 들어갈 알맞은 말을 찾아봅니다.

2 로운이는 반장 후보 연설을 하기 전에는 긴장되어서 다리가 후들거리고 눈앞이 캄캄했는데, 연설을 하기 시작하자 아이들이 교실이 흔들리도록 웃는 것을 보고 자신을 웃음거리로 여기는 것 같아 속상하였습니다.

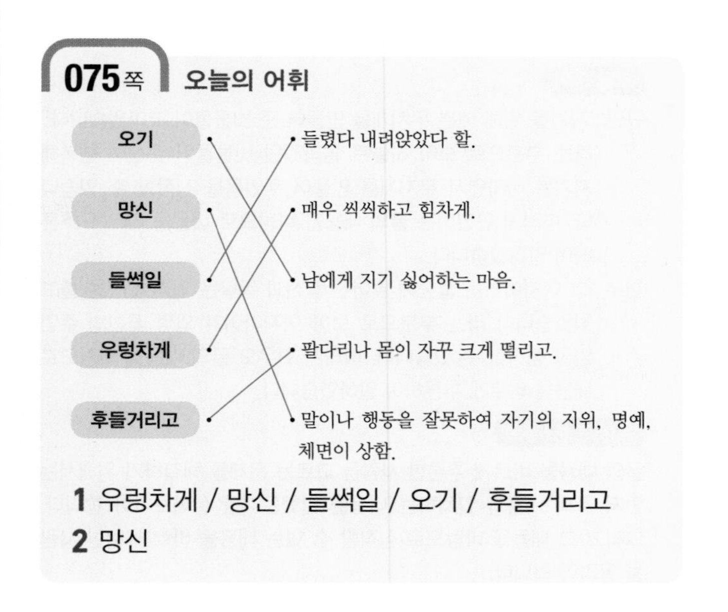

• **글 ❷ 중심 내용** 로운이는 제하가 다른 친구들의 그림을 베끼는 걸 봤다고 선생님께 말씀드렸지만 선생님께서는 믿지 않으셨고, 그때 채영이가 로운이 편을 들어 주었습니다.

077쪽 지문 독해

1 ③ **2** ③ **3** ④ **4** ㉮

1 영화를 찍기 위해 장면을 나누어 쓴 글은 '시나리오'입니다.

오답 풀이

① 이 글은 '나'를 말하는 이로 하여 일어난 일을 이야기하고 있습니다.
② 이 글은 동화로, 있음 직한 이야기를 상상하여 쓴 글입니다.
④ 제하와 로운이, 로운이와 선생님의 갈등을 통해 이야기가 펼쳐집니다.
⑤ 인물들이 하는 말과 행동을 통해서 인물의 성격을 파악할 수 있습니다.

2 제하는 선생님께 그림을 잘 그렸다는 칭찬을 받았고, 그 모습을 본 로운이는 속이 뒤틀렸습니다. 그래서 자신이 본 대로 제하가 아이들의 그림의 잘된 부분만 그대로 베껴 그렸다는 사실을 선생님과 아이들 앞에서 말했습니다.

3 '입에 침이 마르다.'라는 말은 '다른 사람이나 물건에 대하여 여러 번 반복해서 말을 하다.'라는 뜻입니다.

유형 분석/표현

글에 쓰인 표현의 뜻을 묻는 문제를 풀 때는 보기에 제시된 낱말의 뜻을 표현이 쓰인 자리에 직접 넣어 보고, 뜻이 통하는지, 문장이 자연스럽게 이어지는지 살펴봅니다.

4 채영이가 선생님께 제하가 전에도 자신의 그림을 베낀 적이 있다고 말한 것에서 제하가 친구들의 그림을 베낀 것이 이번이 처음이 아니었다는 것을 짐작할 수 있습니다.

오답 풀이

㉯ 제하가 다른 애들 그림을 베끼는 것을 다 봤다는 로운이의 말을 들은 순간부터 제하가 당황하는 기색이 역력했다는 부분, 제하가 선생님께 다른 애들 그림을 베낀 것이 아니라고 떨리는 목소리로 대답했다는 부분으로 보아, 제하가 친구들의 그림을 베낀 것이 사실임을 짐작할 수 있습니다.
㉰ 선생님께서는 제하가 아닌 로운이에게 화를 내셨고, 로운이의 말도 무시하셨습니다. 이것으로 보아 선생님은 로운이보다 제하를 더 믿고 있었는데 채영이까지 제하가 그림을 베꼈다고 말해서 무척 당황스러우셨을 것임을 알 수 있습니다.

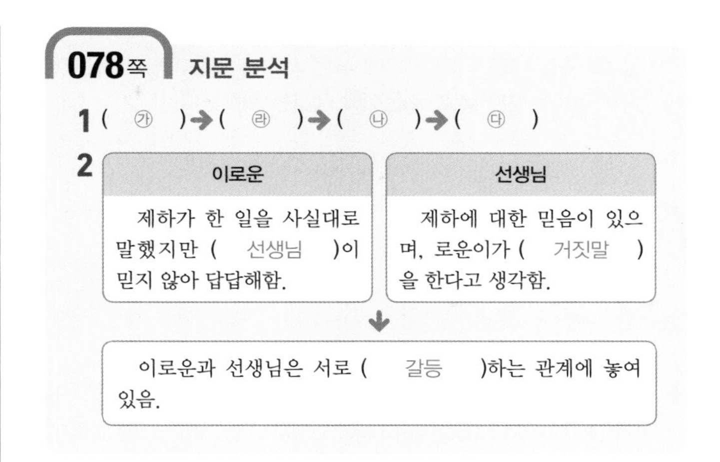

1 교실에서 인물들에게 일어난 일을 순서대로 정리해 봅니다.

2 처음에 선생님께서는 로운이의 말을 믿지 않고 화를 내셨고, 로운이는 자신을 믿어 주지 않는 선생님의 모습에 답답해했습니다. 이러한 모습에서 이로운과 선생님이 갈등 관계에 놓여 있다는 것을 알 수 있습니다.

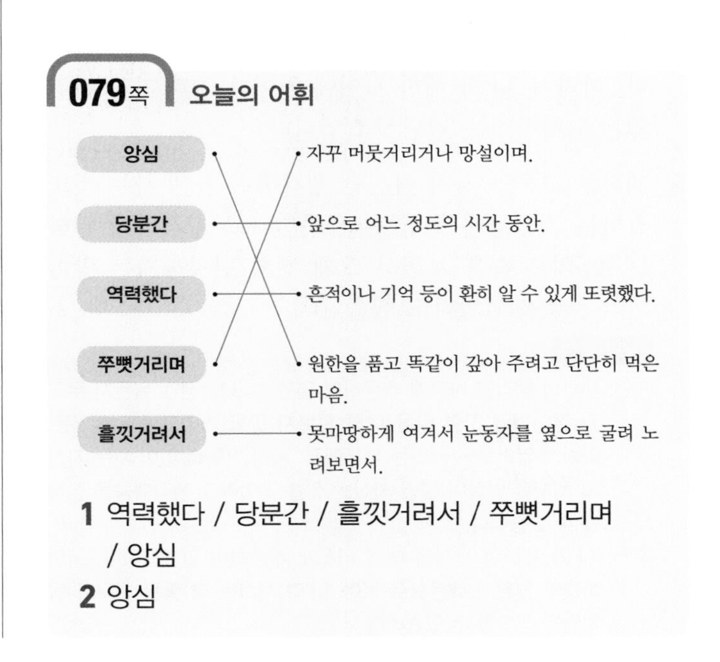

• 글 ❸ 중심 내용 다시 학교에 나온 제하가 로운이에게 자신의 속마음을 털어놓고, 로운이와 제하는 화해합니다.

081쪽 지문 독해

1 ③ 2 ⑤ 3 (2) ○ 4 우림

1 이 글은 '나'와 제하가 화해하는 장면을 중심으로 이야기가 진행되고 있습니다.

2 제하는 전에는 뭐든지 무조건 잘하기만 하면 다들 자신을 깔보지 못할 것이라고 생각해 잘 못하는 것도 잘하는 척했습니다. 그런데 '나'를 통해 그런 행동이 부끄러운 것임을 알게 되었고, 앞으로는 그러지 않겠다고 반성하는 모습을 보였습니다.

오답 풀이
① "반장 도우미가 반장 허락도 없이 전학 간다는 게 말이 되냐?"라는 '나'의 말에서 알 수 있습니다.
② 제하가 "난 엄마랑 외할머니랑 같이 살아."라고 한 말에서 알 수 있습니다.
③ 제하가 "그래도 넌 나처럼 잘 못하는 걸 잘하는 척하지는 않잖아."라고 한 말에서 알 수 있습니다.
④ 제하는 '나'에게 자신의 집안 사정을 말하며 자신의 속마음을 솔직하게 말했습니다.

3 '나'와 제하는 화해하면서 서로 속마음을 솔직하게 털어놓았습니다. 그리고 제하가 이제부터 한번 잘 지내보자고 말하며 내민 손을 '내'가 잡은 것에서 앞으로 제하와 '내'가 친하게 지낼 것임을 짐작할 수 있습니다. 따라서 '나'와 제하 사이에 일어난 일과 가장 관련 있는 고사성어는 '간담상조'입니다.

4 제하는 그동안 자기 자신만 생각하며 잘 못하는 것도 잘하는 척했는데 못하는 건 못한다고 솔직하게 말하는 '나'의 모습을 보면서 그게 진짜 당당해지는 방법이라는 것을 알았다고 했습니다.

오답 풀이
지민: 제하의 생각을 바르게 추론하여 말했습니다. '전엔 뭐든지 무조건 잘하기만 하면 다들 나를 깔보지 못할 거라고 생각했거든. 아빠가 없어도…….'라는 부분에서 제하가 아빠 없이 사는 자신의 처지를 남들이 알면 자신을 깔볼 것이라고 생각했음을 짐작할 수 있습니다.
수연: '나'와 제하의 관계에 대해 바르게 추론하여 말했습니다. 글의 마지막 부분의 내용으로 보아 '나'와 제하는 더 좋은 친구가 될 것임을 짐작할 수 있습니다.

082쪽 지문 분석

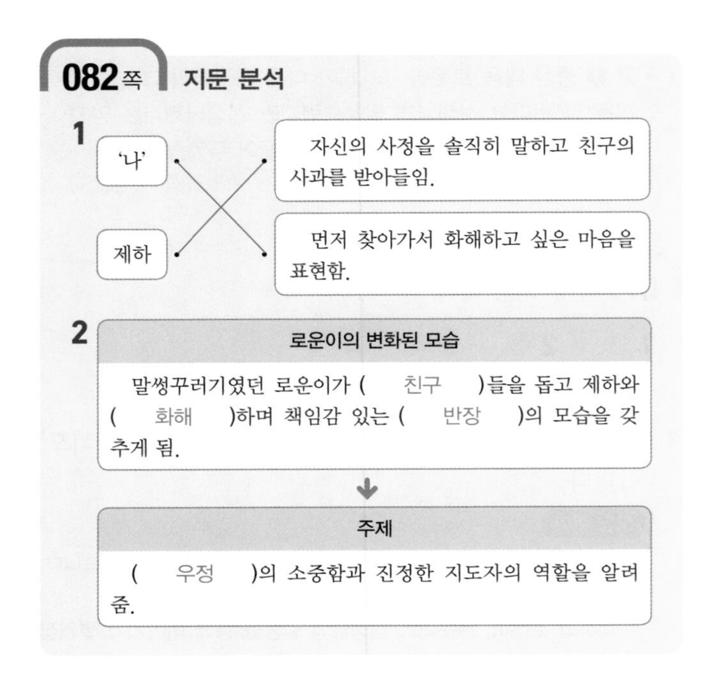

1 '나'는 학교에 오지 않는 제하의 집에 찾아가고 학교에 나온 제하에게도 먼저 말을 걸며 화해하고 싶은 마음을 표현했습니다. 제하는 이런 '나'의 마음을 알고 자신의 속마음을 말하며 '나'와 화해했습니다.

2 로운이의 변화된 모습을 통해서 우정의 소중함과 진정한 지도자의 역할이 무엇인지 알려 주고 있습니다.

083쪽 오늘의 어휘

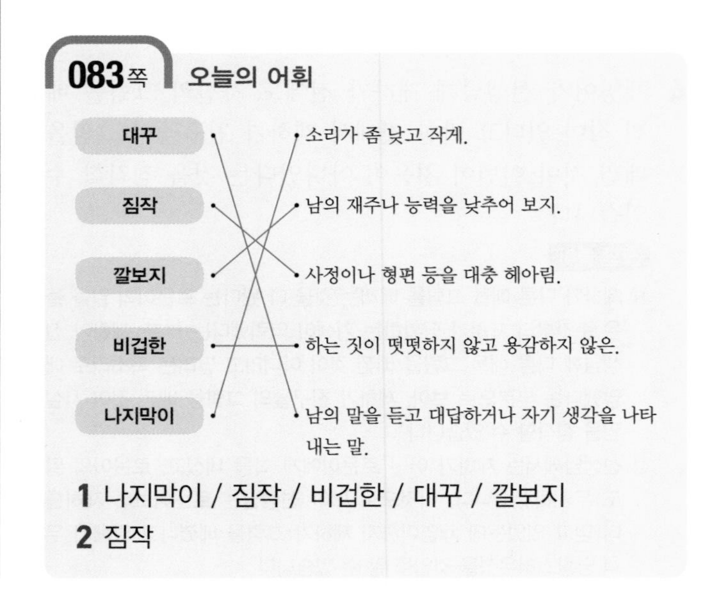

- **글의 종류** 전래 동화
- **글의 특징** 한 총각이 좁쌀 한 톨로 생쥐, 고양이, 말, 황소를 차례로 바꾸어 갖게 되는 상황이 반복되는 형식으로 구성되어 있습니다.
- **글의 주제** 작은 것도 아끼고 소중하게 여겨야 하며, 어떤 상황에서도 당당해야 한다는 것입니다.
- **글 ❶ 중심 내용** 무엇이든 소중하게 여기는 총각이 좁쌀 한 톨을 주막에 맡겼다가 생쥐를 받게 됩니다.

085쪽 지문 독해

1 ⑤ **2** ⑤ **3** (3) ○ **4** ㉯

1 이 글은 전해져 내려오는 이야기를 바탕으로 쓴 전래 동화입니다. 전래 동화는 글쓴이가 누구인지 알려지지 않은 경우가 많습니다. ②는 전기문, ③은 수필이나 일기, ④는 설명하는 글의 특징으로 알맞습니다.

2 총각은 길을 걷다가 땅에 떨어져 있는 좁쌀 한 톨을 주웠고, 그것을 주막에 있는 주인 부부에게 맡아 달라고 했습니다.

오답 풀이

① 주인 부부는 총각이 맡긴 좁쌀을 대수롭지 않게 여겨 아무 데나 휙 던져 버렸습니다.
② 첫 번째 문단에서 총각은 무엇이든 아끼고 소중하게 여기는 사람이라고 하였습니다.
③ 총각이 어제 맡긴 좁쌀을 내어 달라고 하자 주인 부부는 간밤에 생쥐가 먹었다고 말했습니다.
④ 총각은 주인 부부에게 자신이 맡긴 좁쌀이 아니면 안 된다고 하며 자신이 맡긴 좁쌀을 먹은 생쥐라도 달라고 하였습니다.

3 주막의 주인 부부는 좁쌀을 아무 데나 버리고 총각이 좁쌀을 찾자 생쥐가 먹은 것 같다고 둘러대어 말했습니다. 이러한 모습과 가장 관련 있는 고사성어는 '임기응변'입니다.

4 주인 부부는 총각이 맡긴 좁쌀을 대수롭지 않게 여기고는 아무 데나 던져 버렸습니다. 이것으로 보아, 주인 부부는 값비싼 물건만 가치가 있으며, 하찮다고 생각되는 물건을 맡아 달라는 총각의 부탁을 가볍게 생각했음을 짐작할 수 있습니다.

유형 분석/추론

인물의 가치관에 대해 짐작하기 위해서는 인물이 한 말과 행동을 잘 살펴보아야 합니다. 말과 행동을 통해 인물의 가치관을 파악할 수 있습니다.

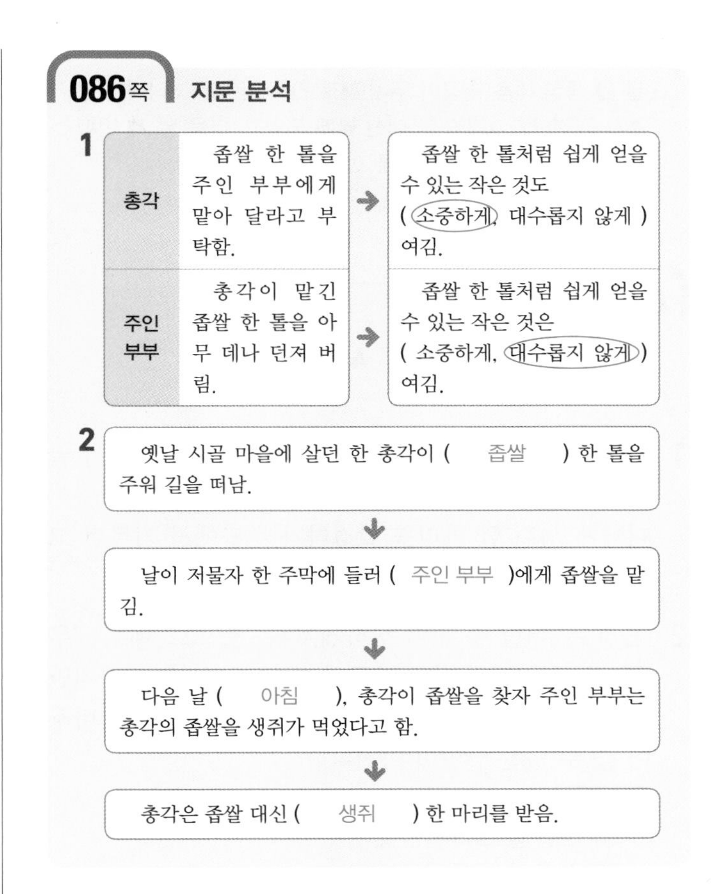

1 이야기에서 인물이 한 일을 통해 인물의 생각을 알 수 있습니다.

2 시간의 흐름에 따라 총각이 겪은 일을 정리해 봅니다.

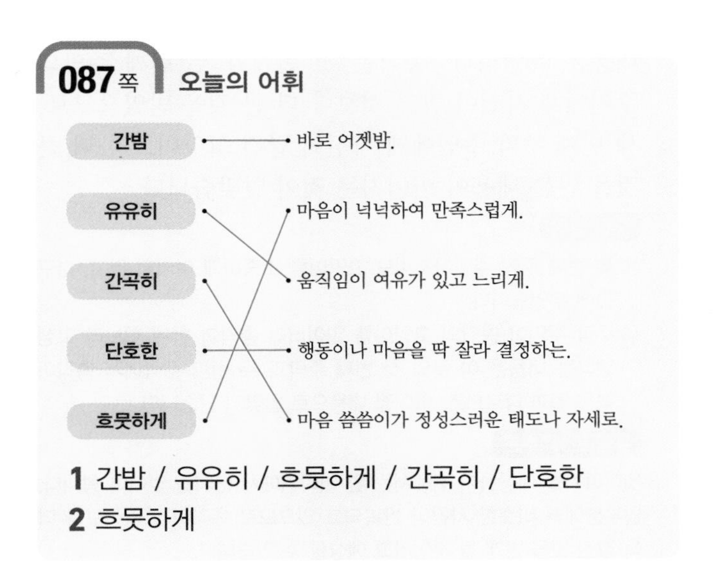

• **글 ❷ 중심 내용** 총각이 두 번째로 간 주막 아주머니에게 생쥐를 맡겼다가 고양이를 대신 받게 되었고, 다음 날 세 번째 주막에 가서 주인아저씨에게 고양이를 맡겼습니다.

089쪽 지문 독해

1 ② 2 ④ 3 ⑤ 4 ㉰

1 이 글의 중심 사건이 무엇인지 파악해 봅니다. 이 글의 중심 사건은 두 번째 주막에 간 총각이 주인아주머니에게 생쥐 한 마리를 맡겼다가 주막에서 기르던 고양이를 대신 받게 된 것입니다.

2 '몹시'는 '더할 수 없이 심하게.'라는 뜻으로 '매우', '무척', '아주', '굉장히'와 바꾸어 쓸 수 있습니다. 하지만 '적당히'는 '정도에 알맞게.'라는 뜻으로 '몹시'와 바꾸어 쓸 수 있는 낱말이 아닙니다.

오답 풀이

① 매우: 보통 정도보다 훨씬 더.
② 무척: 다른 것과 견줄 수 없이.
③ 아주: 보통 정도보다 훨씬 더 넘어선 상태로.
⑤ 굉장히: 보통 이상으로 대단하게.

3 총각은 다른 생쥐를 주겠다는 주막 주인아주머니에게 자신이 맡긴 생쥐는 누군가 땀 흘려 농사지은 소중한 좁쌀을 먹은 생쥐이기 때문에 다른 생쥐는 안 된다고 하였습니다.

4 세 번째 주막 주인아저씨가 총각이 맡긴 고양이를 마구간에 두었다는 내용과 가장 자연스럽게 이어지는 내용은 ㉰입니다. 총각은 첫 번째와 두 번째 주막의 주인에게 자신이 맡긴 것보다 더 큰 것을 받았으므로, 세 번째 주막 주인에게 자신이 맡긴 고양이보다 더 큰 것을 받는 내용이 이어지는 것이 알맞습니다.

오답 풀이

㉮ 세 번째 주막 주인아저씨도 고양이를 소중하게 여기지 않고, 마구간에 두었습니다.
㉯ 주막 주인이 총각의 고양이를 잃어버려 총각과 함께 찾느라 고생했다는 내용은 이 글의 첫 번째 주막과 두 번째 주막에서 총각이 겪은 일과 다르므로, 이어질 내용으로 알맞지 않습니다.

유형 분석/추론

뒷이야기를 예상하기 위해서는 앞 이야기에서 단서를 얻어야 합니다. 앞부분에서 비슷한 사건이 반복되고 있으므로 총각이 고양이보다 더욱 값진 것을 받게 될 것이라고 예상할 수 있습니다.

090쪽 지문 분석

1

두 번째 주막의 주인아주머니	총각이 맡긴 (생쥐)를 마당에 널브러져 있는 (바구니) 속에 넣어 둠.
세 번째 주막의 주인아저씨	총각이 맡긴 (고양이)를 (마구간)에 둠.

2

총각이 길을 떠난 후 날이 저물면 주막에 들러서 자신이 갖고 있는 것을 주인에게 ((맡김), 되찾음).

↓

다음 날 아침 주막 주인에게 찾아가서 자신이 맡긴 것을 달라고 하지만, 주막 주인은 총각이 맡긴 것을 (돌려줌, (잃어버림)).

↓

총각은 자신이 맡긴 것보다 더 (허름한, (값진)) 것을 대신 받음.

1 두 번째 주막의 주인아주머니는 총각이 맡긴 생쥐를 마당에 널브러져 있는 바구니 속에 넣어 두었고, 세 번째 주막의 주인아저씨는 총각이 맡긴 고양이를 마구간에 두었습니다.

2 이 이야기의 특징은 총각이 겪는 일이 계속 반복되고 있다는 것입니다. 반복되는 일의 흐름을 정리하면, 내용을 파악하고 앞으로 이어질 일을 예상하는 데에 도움이 됩니다.

091쪽 오늘의 어휘

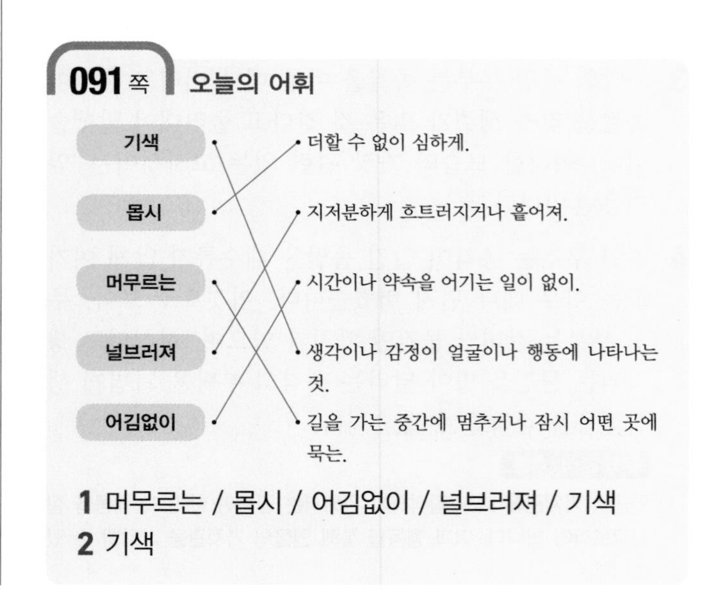

1 머무르는 / 몹시 / 어김없이 / 널브러져 / 기색
2 기색

- **글 ❸ 중심 내용** 총각이 다섯 번째 주막 주인에게 맡긴 황소를 주막집 아들이 황 부자 댁에 팔아서 황 부자 댁에서 먹어 버렸고, 총각은 황 부자 댁으로 가 자신의 황소를 넣어 만든 고깃국을 먹은 사람을 대신 달라고 하였습니다.

093쪽 지문 독해

1 다섯 번째 주막, 황 부자 댁　**2** (1) ○ (3) ○
3 ㉮, ㉱, ㉯　**4** ㉰

1 이 이야기의 장소 변화를 파악하기 위해서는 총각이 어디에서 어디로 갔는지를 살펴보면 됩니다. 이 이야기에서 일이 일어난 장소는 다섯 번째 주막에서 황 부자 댁으로 변하였습니다.

유형 분석/갈래
일이 어떤 장소에서 일어났는지 파악하기 위해서는 장소를 나타내는 말에 주의하며 글을 읽어야 합니다. 이 글에 나온 장소를 나타내는 말은 '다섯 번째 주막'과 '황 부자 댁'입니다.

2 (1) 황 부자 댁에 간 총각이 자신의 황소를 돌려 달라고 하자 황 부자는 잔치에 쓰려고 지난밤에 황소를 이미 잡아 버렸다고 했습니다.
(3) 다섯 번째 주막 주인은 황소를 맡아 달라는 총각의 부탁을 듣고 황소를 어디에 둘지 고민하다가 외양간에 매어 두었습니다.

오답 풀이
(2) 구두쇠 황 부자 댁에 황소를 판 사람은 다섯 번째 주막 주인의 아들입니다.
(4) 황 부자는 총각이 황소를 얻게 된 과정을 듣고 총각이 마음에 들었습니다.

3 총각이 황 부자에게 황소를 돌려 달라며 한 말에서 총각이 좁쌀 한 톨, 생쥐, 고양이, 말, 황소의 차례대로 얻게 되었음을 알 수 있습니다.

4 자신의 황소를 넣어 만든 고깃국을 먹은 사람을 달라고 말하는 모습에서 총각이 배짱이 좋고, 기개가 있는 사람임을 알 수 있습니다.

오답 풀이
㉮ 총각의 행동으로 보아 배짱이 있고 자신감이 있는 사람임을 알 수 있습니다.
㉯ 총각이 좁쌀을 황소로 바꾸어 낸 과정으로 보아, 총각은 결국 황 부자의 마음에 들어 황 부자의 딸과 결혼하게 될 것임을 짐작할 수 있습니다.

094쪽 지문 분석

1

상황		황 부자의 마음
총각이 황 부자에게 자신의 황소를 넣어 만든 고깃국을 먹은 사람을 대신 달라고 함.	→	총각의 말에 (속상함, (놀람)).
총각이 좁쌀 한 톨로 황소를 얻게 된 과정을 들음.	→	총각이 ((마음에 듦), 신기함).

2

이어지는 내용	구두쇠 황 부자는 작은 것도 아끼고 소중하게 여기고, 가난하지만 기죽지 않는 당당한 총각의 모습에 감탄하였어요. 황 부자는 작은 좁쌀도 소중하게 여기는 총각은 사람도 더욱 소중하게 여길 것이라며 총각과 자신의 딸을 결혼시켰고, 두 사람은 결혼하여 평생 행복하게 살았답니다.

↓

주제	(하찮은) 것이라도 (소중하게) 여기고, 어떤 상황에서도 (당당하게) 행동하는 것이 좋다.

1 황 부자는 총각이 당당하게 자신의 황소를 넣어 만든 고깃국을 먹은 사람을 달라고 하자 몹시 놀랐습니다. 또 총각이 황소를 얻게 된 과정을 듣고 총각이 마음에 들었습니다.

2 총각이 작은 좁쌀 한 톨도 소중히 여기며 가는 곳마다 다른 사람들에게 당당하게 행동한 것을 통해 글의 주제를 짐작할 수 있습니다.

095쪽 오늘의 어휘

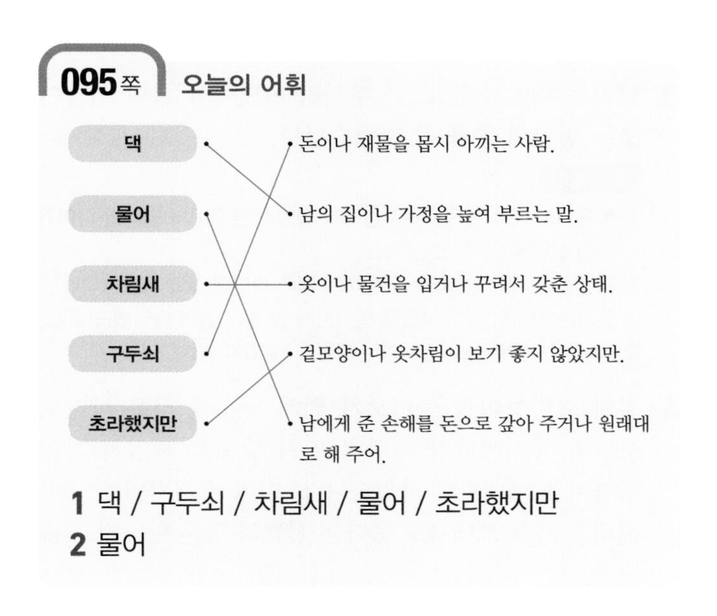

1 댁 / 구두쇠 / 차림새 / 물어 / 초라했지만
2 물어

- **글의 종류** 전래 동화
- **글의 특징** 바다 속 동물들이 등장하는 이야기로, 멸치의 꿈풀이와 물고기들이 지금의 모습이 된 까닭을 알려 줍니다.
- **글의 주제** 같은 일도 어떻게 생각하는 지에 따라 좋은 일이 될 수도, 나쁜 일이 될 수도 있습니다.
- **글 ❶ 중심 내용** 옛날 동쪽 바다에 살던 멸치가 꿈풀이를 하기 위해 가자미를 서쪽 바다로 보내 망둥이를 모셔 오게 하였습니다.

097쪽 지문 독해

1 ①, ⑤ **2** ② **3** ③ **4** 선호

1 이 글은 옛날 어느 날에 있었던 일을 시간의 흐름에 따라 전개하고 있습니다. 또 말하는 이는 '멸치의 꿈 이야기 한번 들어 볼래?'와 같은 말로 이야기를 시작하며 이야기에서 일어난 일을 직접 들려주고 있습니다.

2 '훨훨, 펑펑, 뭉게뭉게, 허위허위'는 사람이나 사물의 모양을 흉내 낸 말입니다.

오답 풀이

① 훨훨: 새 등이 높이 떠서 느리게 날개를 치며 매우 시원스럽게 나는 모양을 흉내 내는 말입니다.
③ 펑펑: 눈이나 비가 세차게 쏟아져 내리는 모양을 흉내 내는 말입니다.
④ 뭉게뭉게: 구름이나 연기가 계속 나오며 덩어리를 이루는 모양을 흉내 내는 말입니다.
⑤ 허위허위: 손발 등을 이리저리 내두르는 모양을 흉내 내는 말입니다.

유형 분석/표현

사람이나 사물의 모양을 흉내 낸 말을 찾기 위해서는 제시된 말이 어떤 모양을 생동감 있게 나타낸 말인지 찾아보아야 합니다.

3 멸치는 나이가 많고 큰 부자라 바닷속에 살던 이들이 모두 멸치의 말을 잘 따랐습니다.

오답 풀이

① 동쪽 바다에 삼천 년 묵은 멸치가 살았다는 것에서 멸치의 나이가 삼천 살임을 알 수 있습니다.
② 제법 꿈풀이를 잘한다는 망둥이는 서쪽 바다에 살고 있었습니다.
④ 멸치는 자신의 꿈이 무엇을 뜻하는지 알 길이 없어 답답했습니다.
⑤ 망둥이는 팔백 살로 멸치의 손자뻘도 채 되지 않습니다.

4 멸치는 망둥이를 불러오기 위해 누구를 서쪽 바다로 보낼까 궁리하다가 때마침 멸치 옆으로 헤엄쳐 가는 가자미를 보내기로 하였습니다. 따라서 가자미에 대한 신뢰가 커서 보내기로 했다는 선호의 말은 알맞지 않습니다.

098쪽 지문 분석

1

일이 일어난 때	(옛날)
일이 일어난 장소	(동쪽) 바다
중심인물	삼천 년 묵은 (멸치), 가자미

2 (㉱) → (㉮) → (㉯) → (㉰)

1 동화에서는 일이 일어나는 때와 장소(배경)를 바탕으로 등장인물에게 일(사건)이 벌어집니다. 그런데 전래 동화에서 일이 일어나는 때와 장소는 '옛날 어느 마을'과 같이 구체적이지 않다는 특징이 있습니다.

2 옛날 동쪽 바다에 사는 멸치가 이상한 꿈을 꾸어 바다에 사는 동물들에게 꿈풀이를 할 만한 이가 있느냐고 묻자 누군가 망둥이를 일러 주었고, 멸치가 가자미를 보내 망둥이를 모셔 오게 하였다는 내용의 글입니다. 시간의 흐름에 따라 일이 일어난 차례대로 정리해 봅니다.

099쪽 오늘의 어휘

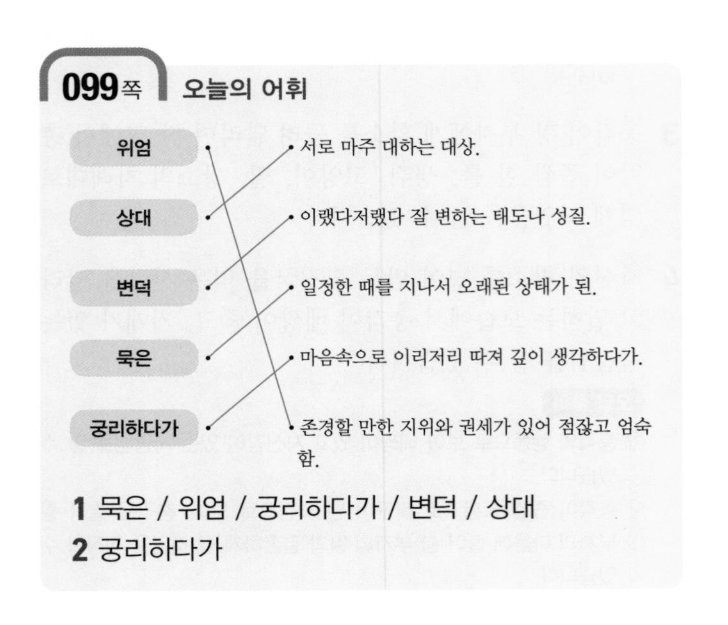

1 묵은 / 위엄 / 궁리하다가 / 변덕 / 상대
2 궁리하다가

• **글 ❷ 중심 내용** 가자미가 망둥이를 동쪽 바다로 데려오자 멸치는 망둥이를 극진히 대접하며 망둥이의 꿈풀이를 들었습니다.

101쪽 지문 독해

1 ③ **2** (2) ○ (3) ○ **3** ④ **4** ㉣

1 이 글에서 가장 중요한 일은 가자미가 데려온 망둥이가 멸치의 꿈풀이를 해 주는 것이므로, 중심이 되는 장면은 ③입니다. ①, ④, ⑤는 이 글에 나오는 내용이지만 가장 중요한 장면이 아닙니다.

유형 분석/중심 내용

글에서 중심이 되는 장면을 파악하기 위해서는 이야기에서 중심이 되는 인물들 사이에 일어난 가장 중요한 일이 무엇인지 잘 파악해야 합니다.

2 (2) 가자미가 망둥이와 함께 동쪽 바다로 돌아오자, 멸치는 온갖 산해진미를 가득 차려 놓고, 집 앞으로 마중까지 나오며 자신의 꿈풀이를 해 줄 망둥이를 극진히 대접하였습니다.
(3) 멸치와 망둥이는 술잔을 주고받으며 서로 온갖 좋은 말들을 늘어놓았습니다.

오답 풀이

(1) 망둥이는 공손히 꿇어앉은 채, 머리를 조아리고 멸치의 꿈 이야기를 귀 기울여 다 들었습니다. 이것은 거들먹거리는 자세가 아닙니다.

3 가자미는 멸치가 부탁하여 망둥이를 데리고 왔지만 멸치가 수고했다는 말을 한 마디도 하지 않자 그만 토라졌습니다.

오답 풀이

①, ②, ⑤ 글의 내용에는 맞지만 가자미가 멸치에게 서운한 마음이 든 까닭으로 알맞지 않습니다.
③ 이 글에서 망둥이가 멸치에게 꿈 이야기를 해 보라고 재촉하지는 않았습니다.

4 ㉠은 멸치가 망둥이의 꿈풀이를 듣고 몹시 만족스럽지만 겉으로는 아닌 척하며 한 말입니다. 멸치는 자신의 꿈이 용이 되어 하늘로 올라갔다 비를 내리게 하려고 땅으로 내려오고, 구름을 타고 다니며, 사계절을 다스린다는 뜻이라는 망둥이의 꿈풀이를 듣고 몹시 흐뭇한 마음이 들었습니다.

102쪽 지문 분석

1

가자미	멸치	망둥이
서쪽 바다에 사는 망둥이를 ((동쪽), 남쪽) 바다로 데려옴.	(가자미, (망둥이))에게 극진한 대접을 하고 꿈풀이를 들음.	멸치의 꿈을 다 듣고 ((좋은), 나쁜) 꿈풀이를 해 줌.

2

멸치의 꿈 내용	망둥이의 꿈풀이
하늘로 올라갔다.	(용)이 되어 하늘로 오른다.
땅으로 곤두박질쳤다.	용이 (비)를 내리게 하려고 땅으로 내려온다.
누군가에게 실려갔다.	용이 (구름)을 타고 다닌다.
흰 눈이 쏟아진다.	날씨가 추워져서 비가 (눈)이 된다.
날씨가 더웠다 추웠다 했다.	멸치가 용이 되어 (사계절)을 다스린다.

1 가자미는 망둥이를 서쪽 바다에서 동쪽 바다로 데려왔고, 멸치는 가자미가 데려온 망둥이에게 극진한 대접을 하고 망둥이에게 꿈풀이를 들었습니다. 망둥이는 멸치에게 좋은 꿈풀이를 해 주었습니다.

2 망둥이는 멸치의 꿈을 모두 좋은 뜻으로 해석해 주었습니다.

103쪽 오늘의 어휘

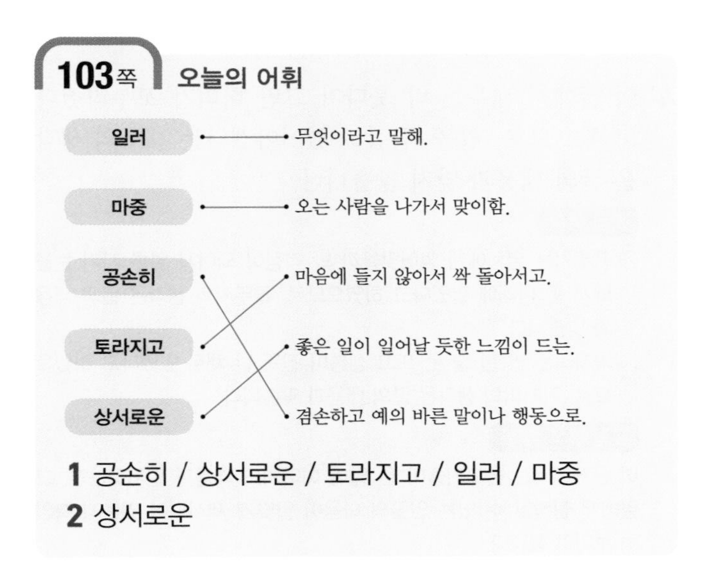

1 공손히 / 상서로운 / 토라지고 / 일러 / 마중
2 상서로운

• 글 ❸ 중심 내용 심통이 난 가자미는 멸치의 꿈을 나쁘게 풀이하고, 화가 난 멸치가 가자미를 때리며 소동이 일어나 바다 속 물고기들의 모습이 바뀌게 되었습니다.

105쪽 지문 독해

1 ㉮ **2** ⑤ **3** ④ **4** ㉯

1 가자미가 멸치의 꿈을 다시 나쁘게 해석하여 멸치에게 얻어맞는 모습을 물고기들이 보면서 물고기들 사이에 한바탕 소동이 일어난 것이 이 글에서 가장 중요한 일입니다.

2 다른 물고기들이 가자미의 꿈풀이에 동의했는지는 알 수 없습니다.

3 '설상가상'은 난처한 일이나 불행한 일이 잇따라 일어난다는 뜻의 말로, '엎친 데 덮친 격'과 바꾸어 쓸 수 있습니다. '엎친 데 덮친 격'은 어렵거나 나쁜 일이 겹치어 일어난다는 뜻의 말입니다.

오답 풀이

① 말이 씨가 된다: 늘 말하던 것이 마침내 사실대로 되었을 때를 비유적으로 이르는 속담입니다.
② 가재는 게 편: 모양이나 형편이 서로 비슷하고 인연이 있는 것끼리 서로 잘 어울리고, 사정을 보아주며 감싸 주기 쉬움을 비유적으로 이르는 속담입니다.
③ 떡 본 김에 제사 지낸다: 우연히 운 좋은 기회에 하려던 일을 해치운다는 뜻의 속담입니다.
⑤ 믿는 도끼에 발등 찍힌다: 잘되리라고 믿고 있던 일이 어긋나거나 믿고 있던 사람이 배반하여 오히려 해를 입음을 비유적으로 이르는 속담입니다.

4 이 글에서 새우는 막 웃다가 그만 허리가 꼬부라졌다고 했으므로, 입을 꼭 잡고 있어야겠다는 새우의 생각은 글의 내용과 맞지 않습니다.

오답 풀이

㉮ 꼴뚜기는 멸치에게 얻어맞을까 봐 걱정이 되어서 얼른 자기 눈을 빼서 몸 아래에 달았다고 하였으므로, 꼴뚜기의 생각은 글의 내용과 맞습니다.
㉰ 가자미는 밥 한 술 못 뜨고 심통이 잔뜩 난 채로 있었다고 하였으므로, 가자미의 생각은 글의 내용과 맞습니다.

유형 분석/추론

이 문제에서는 물고기들이 한 말이 이야기의 내용과 일치하는지, 그 말에서 짐작할 수 있는 인물의 마음이 알맞게 제시되어 있는지 확인해 보아야 합니다.

106쪽 지문 분석

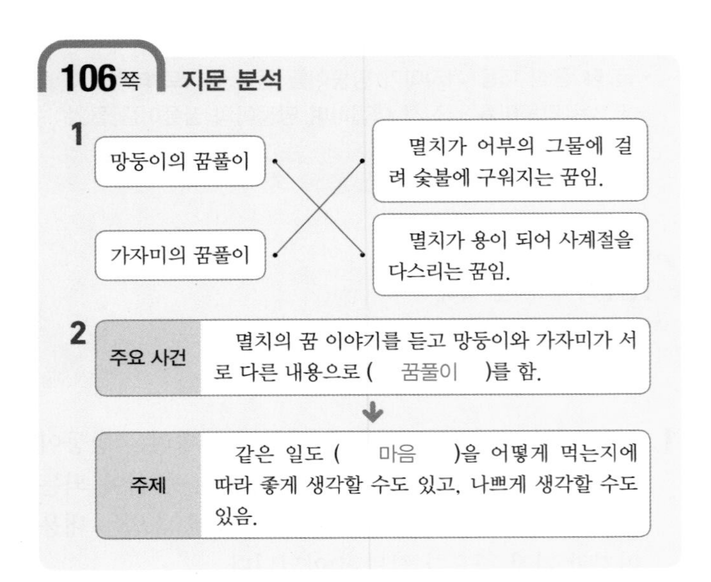

1 망둥이는 멸치의 꿈을 듣고 좋은 꿈풀이를 해 주었고, 가자미는 멸치에게 화가 나서 나쁜 꿈풀이를 해 주었습니다.

2 멸치의 꿈을 들은 망둥이와 가자미가 같은 꿈을 다르게 해석하는 것에서 어떤 일이든 마음먹기에 따라 다르게 생각할 수 있다는 교훈을 줍니다.

107쪽 오늘의 어휘

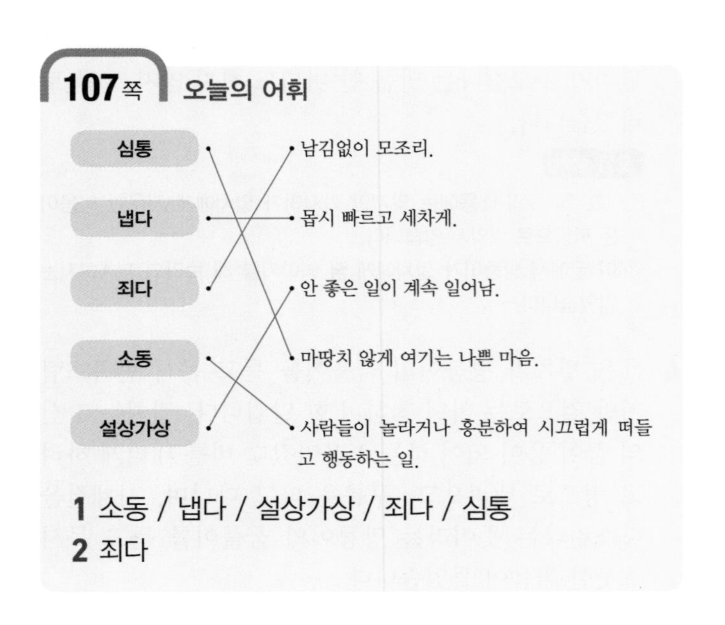

1 소동 / 냅다 / 설상가상 / 죄다 / 심통
2 죄다

- **글의 종류** 외국 동화
- **글의 특징** 호랑 애벌레가 다른 애벌레들과의 경쟁에서 벗어나 진정한 삶의 의미를 찾아가는 과정을 그린 이야기입니다.
- **글의 주제** 다른 이들과 경쟁만 하는 것보다 더불어 살아가는 것이 진정한 행복임을 알려 줍니다.
- **글 ❶ 중심 내용** 호랑 애벌레는 먹고 자라기만 하는 삶이 따분해져 새로운 것들을 찾아나섰지만 실망만 하게 됩니다.

109쪽 지문 독해

1 ③ **2** ④ **3** ㉰ **4** ⑤

1 이 글은 가상의 인물과 배경을 바탕으로 일어나는 일에 대해 쓴 동화입니다.

오답 풀이

① 시에 대한 설명입니다.
② 수필에 대한 설명입니다.
④ 희곡에 대한 설명입니다.
⑤ 설명문에 대한 설명입니다.

2 나무에서 기어 내려온 호랑 애벌레가 만난 풀과 흙, 구멍, 작은 곤충들은 호랑 애벌레의 마음을 사로잡았지만 그 어느 것도 호랑 애벌레를 만족시켜 주지는 못했습니다.

3 자신이 태어난 곳인 초록빛 나뭇잎을 먹으며 살던 호랑 애벌레는 어느 날, 그저 먹고 자라는 것만이 삶의 전부는 아니며 다른 무언가가 있을 거라는 생각에 오랫동안 그늘과 먹이를 제공해 준 정든 나무에서 기어 내려왔습니다.

4 호랑 애벌레는 자기처럼 기어 다니는 애벌레들과 만나 삶에 대해 이야기할 생각에 가슴이 설레었습니다. 하지만 얼마 전까지 자신이 그랬던 것처럼 애벌레들이 먹는 일에만 정신이 팔려 있는 것을 보고, 호랑 애벌레는 저 애벌레들은 삶에 대해 자신보다 아는 게 없다고 생각하며 한숨을 지었습니다. 이것으로 보아 호랑 애벌레는 자신과 닮은 존재를 만났지만 삶에 대한 답을 얻지 못해서 실망스러운 마음이 들었음을 짐작할 수 있습니다.

유형 분석/추론

인물의 마음이나 생각은 인물의 말이나 행동을 통해 나타납니다. 호랑 애벌레가 "저 애들은 삶에 대해 나보다도 아는 게 없어."라고 말하며 한숨짓는 부분을 통해 답을 찾을 수 있습니다.

110쪽 지문 분석

1

중심인물	(호랑) 애벌레
일이 일어나는 장소	(나무) 위 → 나무 아래 세상

2 (㉮) → (㉯) → (㉱) → (㉰) → (㉲)

1 동화(또는 소설)는 인물, 일이 일어나는 시간과 장소(배경)를 바탕으로 일(사건)이 벌어집니다. 이 이야기는 호랑 애벌레를 중심으로 이야기를 풀어 나가고 있으며, 시간에 따라 장소도 달라지고 있습니다.

2 일이 일어난 차례대로 호랑 애벌레가 한 일을 정리해 봅니다. 알을 깨고 나온 호랑 애벌레는 나뭇잎을 먹으며 자라다가 먹는 일을 멈추고 삶의 의미에 대해 생각하게 되었고 정든 나무에서 내려와 다른 애벌레들을 만났습니다.

111쪽 오늘의 어휘

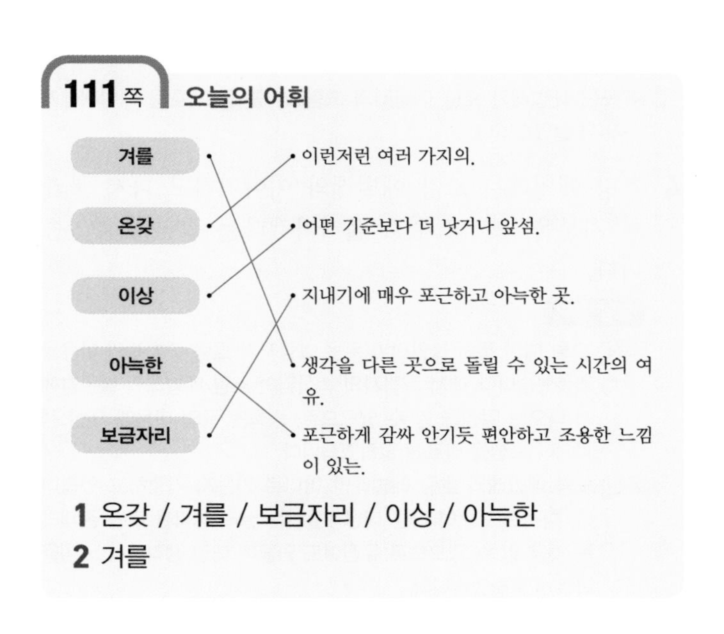

1 온갖 / 겨를 / 보금자리 / 이상 / 아늑한
2 겨를

• **글 ❷ 중심 내용** 호랑 애벌레가 자기 안의 불안의 그림자의 소리를 듣고 고함을 질러 노랑 애벌레와 이야기를 나누게 되었고, 어디로 가는지에 대한 의문을 갖게 되었습니다.

113쪽 지문 독해

1 ② **2** ㉮ **3** (1) ○ (2) ○ **4** 원영

1 호랑 애벌레와 노랑 애벌레는 애벌레 기둥 꼭대기에 무엇이 있는지, 자신들이 어디로 가고 있는 것인지 궁금해하였습니다.

2 '얼굴을 붉히며'는 화가 나거나 부끄러워 얼굴이 붉어지는 것을 의미하므로 '민망해하며', '부끄러워하며', '쑥스러워하며'와 바꾸어 쓸 수 있습니다.

유형 분석/어휘
바꾸어 쓸 수 있는 말을 찾는 문제는 문장의 앞뒤를 잘 살펴보면 단서를 얻을 수 있습니다. '스스로 생각해도 이 말이 어리석게 느껴졌는지'와 같은 부분을 통해 노랑 애벌레가 부끄러워한다는 것을 짐작할 수 있습니다.

3 (1) '호랑 애벌레 밑에 눌려 있던 노랑 애벌레'라는 부분을 통해 호랑 애벌레가 노랑 애벌레를 밟고 있었음을 알 수 있습니다.
(2) 노랑 애벌레와 대화를 하고 난 뒤 호랑 애벌레는 무슨 수를 써서라도 위로 올라가야 한다는 집념을 잃었습니다.

오답 풀이
(3) 노랑 애벌레가 기둥 꼭대기에 무엇이 있는지 알고 있었다는 내용은 글에 나오지 않습니다.
(4) 노랑 애벌레가 호랑 애벌레의 고함소리를 듣고 호랑 애벌레에게 말을 걸었습니다.

4 호랑 애벌레는 노랑 애벌레와 이야기하고 나서 불쾌한 기분을 느끼고 위로 올라가겠다는 집념을 잃었습니다.

오답 풀이
승희: '그럴 때면 특히 불안의 어두운 그림자가 호랑 애벌레의 마음을 괴롭혔습니다.'에서 그림자의 속삭임이 호랑 애벌레의 불안감에서 나오는 말임을 알 수 있으므로, 승희는 글의 내용에 대한 생각이나 느낌을 바르게 말하였습니다.
유진: 노랑 애벌레와 호랑 애벌레만 어디로 가는지 걱정하고 있습니다. 이것으로 보아 다른 애벌레들과는 달리 생각을 하는 존재라는 것을 알 수 있으므로 유진이도 인물에 대한 생각이나 느낌을 바르게 말하였습니다.

114쪽 지문 분석

1

호랑 애벌레	노랑 애벌레
다른 애벌레들을 따라 꼭대기를 향해 올라가지만, 거기에 무엇이 있을지 계속 (의문, 확신)을 가짐.	어디로 가고 있는지는 잘 모르지만 우리가 가는 곳은 틀림없이 멋질 거라고 (의문, 확신)함.
↓	↓
(삶의 의미, 순간의 행복)에 대해 계속해서 고민하고 중요한 것을 찾으려고 함.	자신이 마주한 (현실과 미래, 과거)를 긍정적으로 생각하며 희망을 가지고 바라봄.

2

일이 일어난 때	인물의 마음
노랑 애벌레와 이야기하기 전	(그림자)의 속삭임을 듣고 화가 남.
↓	↓
노랑 애벌레와 이야기하고 난 후	(불쾌)한 느낌이 들었고, 올라가야겠다는 (집념)을 잃음.

1 호랑 애벌레는 꼭대기를 향해 올라가고는 있지만 그곳에 무엇이 있는지 의문을 가진 상태이고, 노랑 애벌레는 어디로 가는지 잘은 모르지만 좋은 곳일 거라고 희망적으로 바라보고 있습니다.

2 이 글에서 호랑 애벌레는 노랑 애벌레와 이야기하고 난 후 마음에 큰 변화를 겪게 됩니다.

115쪽 오늘의 어휘

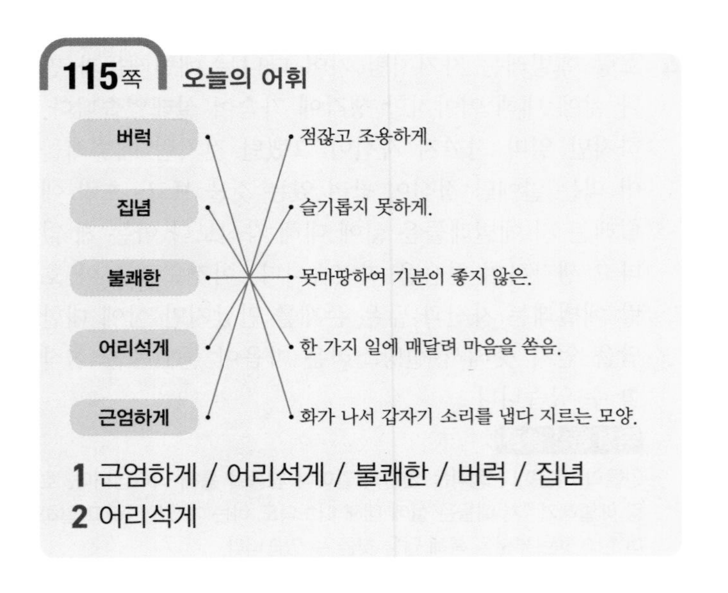

1 근엄하게 / 어리석게 / 불쾌한 / 버럭 / 집념
2 어리석게

• 글 ❸ 중심 내용 호랑 애벌레는 노랑 애벌레와 함께 꼭대기에 오르는 것을 포기하고 기둥을 내려가기로 하였습니다.

117쪽 지문 독해

1 꼭대기 2 ② 3 ④ 4 ④

1 이 글의 가장 중요한 내용은 다른 애벌레들을 짓밟으면서까지 꼭대기에 오르는 것이 간절한 소망이 아니라는 것을 알게 된 호랑 애벌레와 노랑 애벌레가 기둥 꼭대기에 올라가는 것을 포기한 일입니다.

2 '문득'은 '생각이나 느낌 따위가 갑자기 떠오르는 모양.'이라는 뜻의 낱말로, '갑자기, 돌연히, 별안간, 언뜻'과 바꾸어 쓸 수 있습니다. '선뜻'은 동작이 빠르고 시원스러운 모양을 뜻하는 말로 '문득'과 바꾸어 쓸 수 있는 낱말이 아닙니다.

오답 풀이

① 언뜻: 생각이나 기억 따위가 문득 떠오르는 모양.
③ 갑자기: 미처 생각할 겨를도 없이 급히.
④ 별안간: 갑작스럽고 아주 짧은 동안.
⑤ 돌연히: 얘기치 못한 사이에 급히.

3 노랑 애벌레가 지금 생활을 좋아하지 않는다는 것을 깨닫게 되었다고 말한 것, 호랑 애벌레와 함께 기어 다니며 풀이나 뜯어먹는 생활을 하고 싶다고 말한 것을 통해 노랑 애벌레가 호랑 애벌레와 함께 기어 다니며 즐겁게 살아가고 싶다는 소망을 갖게 되었음을 알 수 있습니다.

4 호랑 애벌레와 노랑 애벌레의 이야기를 통해 다른 사람과 경쟁하며 살아가는 것보다 더불어 살아가는 것이 진정한 행복이라는 교훈을 얻을 수 있습니다. 이러한 교훈을 들려주기에 가장 알맞은 친구는 경쟁을 중요하게 생각하여 무슨 일이든 다른 사람을 이기기 위해 애쓰는 영준이입니다.

오답 풀이

민수와 수미는 다른 사람을 돕는 것을 중요하게 여기는 친구들이고, 세현이는 다른 사람을 부러워하지만 노력은 하지 않는 친구입니다.

유형 분석/적용

교훈을 들려주기에 적절한 사람을 고르는 문제는 이야기의 주제와 관련지어 생각해야 합니다. 무슨 일이든 다른 사람을 이기기 위해 애쓰는 친구에게 경쟁만이 중요한 것이 아니라는 이 이야기의 교훈을 들려줄 수 있습니다.

118쪽 지문 분석

1

등장인물	(호랑) 애벌레, (노랑) 애벌레
장소	애벌레들이 꼭대기로 올라가기 위해 만든 (기둥)
일어난 일	호랑 애벌레와 노랑 애벌레가 (꼭대기)에 오르는 것이 의미 없는 일임을 깨닫고, 기둥을 내려가서 함께 기어 다니며 살기로 함.

2

마지막 장면		이야기의 주제
호랑 애벌레와 노랑 애벌레가 꼭대기에 오르는 것을 (포기하고, 포기하지 않고) 함께 기둥을 내려가기로 함.	➔	다른 이들과 (경쟁, 협동) 하며 살아가는 것보다 (혼자, 더불어) 살아가는 것이 진정한 행복임.

1 동화(소설)의 구성 요소는 인물, 사건, 배경입니다. 이야기의 등장인물, 장소, 일어난 일을 떠올려 보면 동화의 구성 요소를 찾을 수 있습니다.

2 다른 애벌레들을 밟고 꼭대기에 오르는 일은 다른 이들과 경쟁하는 것을 의미합니다. 호랑 애벌레와 노랑 애벌레가 경쟁하며 사는 것보다 더불어 행복하게 사는 것을 택하는 장면에서 이 이야기의 주제를 찾을 수 있습니다.

119쪽 오늘의 어휘

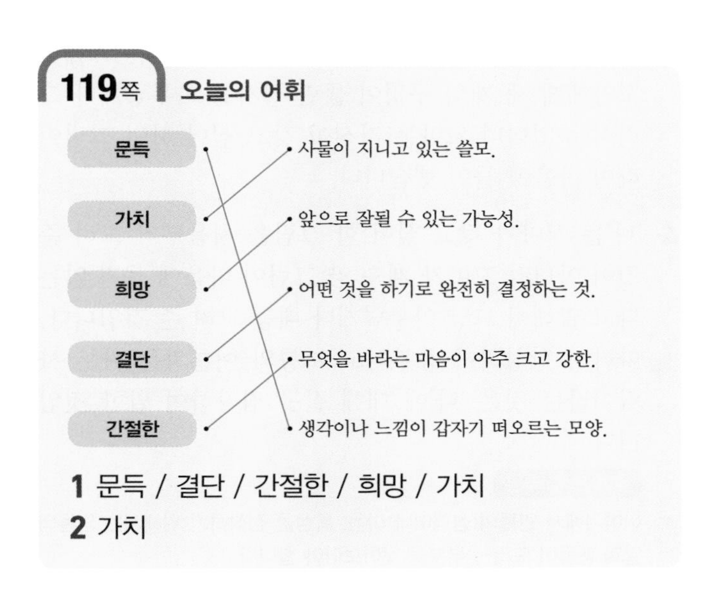

1 문득 / 결단 / 간절한 / 희망 / 가치
2 가치

- **글의 종류** 외국 동화
- **글의 특징** 작은 혹성에 혼자 사는 어린 왕자가 자신의 별에 핀 장미꽃 때문에 별을 떠나 다른 별들을 방문하며 겪는 이야기입니다.
- **글의 주제** '중요한 것은 눈에 보이지 않는다.', '길들인다.'는 것의 의미를 말하였습니다.
- **글 ❶ 중심 내용** '나'는 비행기 고장으로 사막에 내리게 되었는데, 이상한 꼬마가 나타나서 양을 그려 달라고 하였습니다.

121쪽 지문 독해

1 ④ **2** ③ **3** 세 개의 구멍 **4** ㉯

1 비행기를 빨리 고쳐야 한다는 것, 비행기를 고칠 정비사도, 이야기를 나눌 승객도 없었다는 것을 통해 '나'의 직업이 비행기와 관련이 있으며 비행기를 잘 알지만 정비사는 아니라는 것을 알 수 있습니다. 주어진 문제의 보기 중에서 이러한 조건에 모두 해당하는 직업은 '비행기 조종사'입니다.

2 이튿날 해가 뜰 무렵에 아무도 없는 사막에 꼬마가 갑자기 나타났습니다.

오답 풀이

① 드넓은 사막에는 오직 '나' 혼자뿐이라고 하였습니다.
② 마실 물도 일주일 정도의 여유밖에 남아 있지 않았습니다.
④ 꼬마는 '나'에게 와서 양 한 마리만 그려 달라고 부탁하였습니다.
⑤ 비행기는 엔진이 크게 고장 났는지 꼼짝도 하지 않았다는 부분에서 비행기 엔진 고장으로 사막에 오게 되었음을 알 수 있습니다.

3 양 그림을 여러 번 그려 주었지만 꼬마가 계속 마음에 들지 않는다고 말해서 '나'는 화가 났습니다. 그래서 꼬마에게 세 개의 구멍이 뚫린 상자를 아무렇게나 그려서 주었더니 꼬마는 자신이 갖고 싶어 하던 그림이라며 마음에 들어 했습니다.

4 '나'는 꼬마가 갖고 싶어 한 그림을 처음부터 그려 준 것이 아니라 꼬마가 계속 양 그림이 마음에 들지 않는다고 말해서 그냥 아무렇게나 대충 그려 준 것입니다. 따라서 상상력이 풍부하고 보통의 어른과는 다른 사람이라는 것은 '나'에 대해 잘못 짐작하여 말한 것입니다.

유형 분석/추론

이야기에서 인물의 성격이나 마음, 특성을 짐작하기 위해서는 인물의 말과 행동이 드러난 부분을 찾아보아야 합니다.

122쪽 지문 분석

1

일이 일어난 곳	드넓은 (사막) 한가운데
등장인물	'나', (꼬마(어린 왕자))
일어난 일	사막에 떨어져 혼자 있던 '나'에게 갑자기 꼬마가 나타나서 (양) 그림을 그려 달라고 함.

2

일이 일어난 때	'나'의 마음
첫날 밤	사막에 홀로 있는 것이 외롭고 (쓸쓸함, 지루함).
↓	
이튿날 해가 뜰 무렵	혼자 있다고 생각했는데 갑자기 사람의 목소리가 들려서 몹시 (신기함, 놀람).

1 사막 한 가운데에 떨어진 '나'는 갑자기 나타난 꼬마(어린 왕자)를 만났습니다.

2 사막에 떨어진 첫날 밤 '나'는 사막에서 혼자 외롭고 쓸쓸한 기분을 느끼다가, 이튿날 해가 뜰 무렵에 갑자기 나타난 꼬마(어린 왕자) 때문에 몹시 놀랐습니다.

123쪽 오늘의 어휘

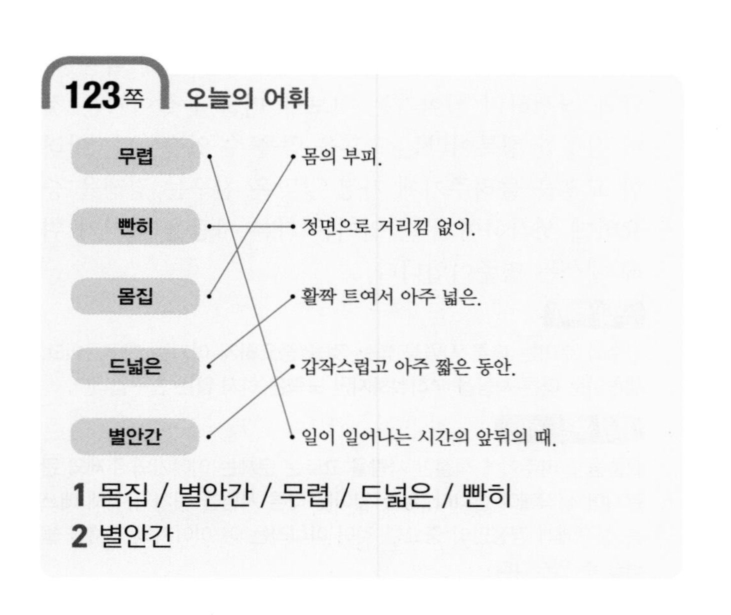

1 몸집 / 별안간 / 무렵 / 드넓은 / 빤히
2 별안간

• **글 ❷ 중심 내용** 어린 왕자가 사는 별에 새로운 씨앗이 날아와 아름다운 꽃이 피고, 어린 왕자와 꽃은 서로 이야기를 나누게 되었습니다.

125쪽 지문 독해

1 어린 왕자 **2** ② **3** ⑤ **4** 하진

1 어린 왕자가 사는 별에는 옛날부터 꽃잎이 한 장만 있는, 작고 소박한 꽃들이 있었고 그 꽃들은 아침이면 저희끼리 풀밭에 피어났다가 저녁이면 조용히 졌습니다. 그 풀밭에 어디선가 씨앗이 날아와 처음 보는 싹이 돋아났고 어린 왕자는 그 씨앗에서 싹이 트는 모습을 지켜보았습니다.

2 어린 왕자는 커다란 꽃망울이 맺힌 것을 보고, 곧 깜짝 놀랄 일이 일어날 것이라고 생각했으므로, 깜짝 놀랄 일은 꽃이 활짝 피어나는 것을 가리키는 말임을 짐작할 수 있습니다.

유형 분석/표현

글에 나온 표현의 의미를 알기 위해서는 그 표현의 앞뒤 내용을 잘 살펴보아야 합니다. 꽃망울이 맺힌 후 곧 깜짝 놀랄 일이 생길 것이라고 했으므로, 깜짝 놀랄 일이 꽃이 활짝 피는 것을 가리킨다는 것을 짐작할 수 있습니다.

3 어린 왕자가 꽃이 활짝 피어난 것을 보고 참 아름답다고 말하자 꽃은 자신이 아름다운 것은 당연하다는 듯이 말했습니다. 어린 왕자는 꽃이 자신에 대해 말하는 모습을 보고 꽃이 그다지 겸손하지 않다고 생각했습니다.

4 나희는 꽃의 성격에 대한 생각이나 느낌을 바르게 말했습니다. 꽃이 자기에게는 가시 네 개가 있기 때문에 호랑이들의 발톱도 무섭지 않다고 한 것은 과장된 표현이므로, 꽃이 허풍을 부리는 것처럼 느껴질 것입니다. 또 유미는 어린 왕자의 마음에 대한 생각이나 느낌을 바르게 말했습니다. 어린 왕자는 꽃이 피어나는 모습을 보면서 새 생명이 태어나는 것 같은 기쁨을 느꼈으므로 행복한 마음이 들었을 것입니다.

오답 풀이

하진이는 어린 왕자의 마음을 바르게 파악하지 못하였습니다. 어린 왕자의 별에 날아온 것은 어린 왕자가 바라던 바오바브나무의 씨앗이 아니라 아름다운 꽃의 씨앗이었습니다.

126쪽 지문 분석

1

어린 왕자의 별에 원래 있던 꽃들	새로운 꽃
(아침)이면 피어났다가 (저녁)이면 조용히 짐.	커다란 (꽃망울)이 맺힘.
(꽃잎)이 한 장만 있음.	줄곧 (몸단장)을 하고 꽃잎들을 하나하나 가다듬음.
작고 (소박)함.	(가시)를 자랑함.

2

새로운 꽃이 피어난 후	꽃의 아름다운 모습에 (감탄함, 깜짝 놀람).
↓	
새로운 꽃과 대화를 나눈 후	꽃의 갑작스러운 요구에 (즐거움, 당황함).

1 어린 왕자의 별에 원래 있던 꽃들과 새로 핀 꽃은 서로 다른 특징을 가지고 있습니다.

2 어린 왕자는 꽃의 모습에 감탄했다가 꽃이 아침을 달라고 요구하자 당황했습니다.

127쪽 오늘의 어휘

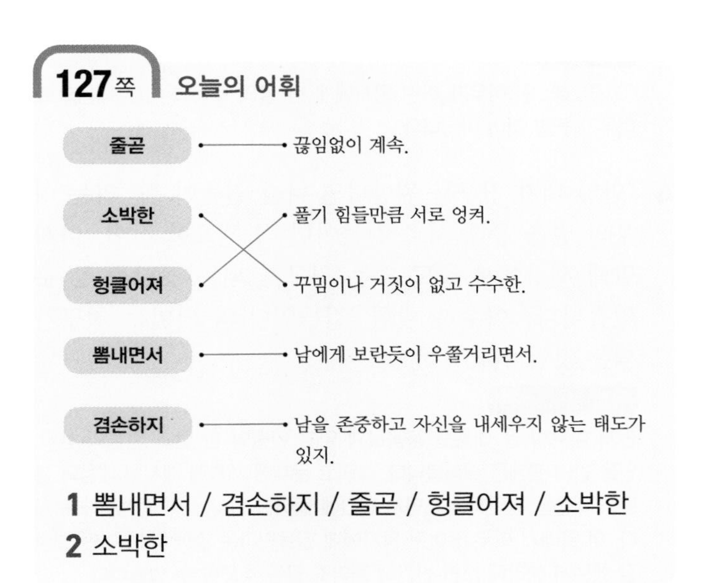

1 뽐내면서 / 겸손하지 / 줄곧 / 헝클어져 / 소박한
2 소박한

• **글 ❸ 중심 내용** 여우가 어린 왕자에게 길들인다는 것의 의미에 대해 알려 주고 어린 왕자가 여우를 길들이게 되었습니다.

129쪽 지문 독해

1 여우, 어린 왕자 **2** ④ **3** ② **4** 친구

1 동화의 등장인물은 사람만을 가리키는 것이 아니라 사람처럼 말하고 행동하는 동물이나 식물이 될 수도 있습니다. 이 글에 나와 이야기를 이끌어 가는 인물은 여우와 어린 왕자입니다.

2 여우가 어린 왕자에게 한 말을 통해 그 까닭을 알 수 있습니다. 여우는 누구든지 자기가 길들인 것밖에는 알지 못하고 사람들은 새로운 것을 알 시간조차 없다고 하였습니다. 따라서 여우는 사람들이 새로운 것(친구)을 길들일 시간이 없기 때문에 친구가 더 이상 없다고 말한 것입니다.

오답 풀이
①, ②, ③, ⑤는 여우가 어린 왕자에게 한 말의 내용과 맞지 않는 내용입니다.

3 여우가 어린 왕자에게 한 말을 잘 살펴봅니다. 여우는 어린 왕자에게 애걸하며 제발 자신을 길들여 달라고 하였고, 그러기 위해서 어린 왕자가 어떻게 해야 하는지를 알려 주었습니다. 그러자 어린 왕자는 여우의 바람대로 여우를 길들이게 되었습니다.

오답 풀이
①, ③, ④, ⑤ 여우가 어린 왕자에게 한 말의 내용과 다른 내용으로, 여우가 원한 것이 아닙니다.

4 "만일 네가 친구를 원한다면 나를 길들여 줘."라는 여우의 말을 통해 서로 길들이면 꼭 필요한 사이, 다시 말해 세상에서 둘도 없는 친구가 되는 것임을 알 수 있습니다. 여우가 말한 '길들인다'의 의미는 친구가 되는 것입니다.

유형 분석/추론
먼저 본문의 글 내용을 꼼꼼하게 읽고 인물이 한 말과 인물의 생각, 인물 간의 관계를 살펴봅니다. 그리고 문제에 새롭게 제시된 내용과 본문의 내용을 관련지어 보면서 빈칸에 들어갈 알맞은 말을 생각해 봅니다. 이 글에서 여우가 어린 왕자에게 길들인다는 것에 대해 어떤 설명을 했는지 생각해 보면 빈칸에 들어갈 말을 추론할 수 있습니다.

130쪽 지문 분석

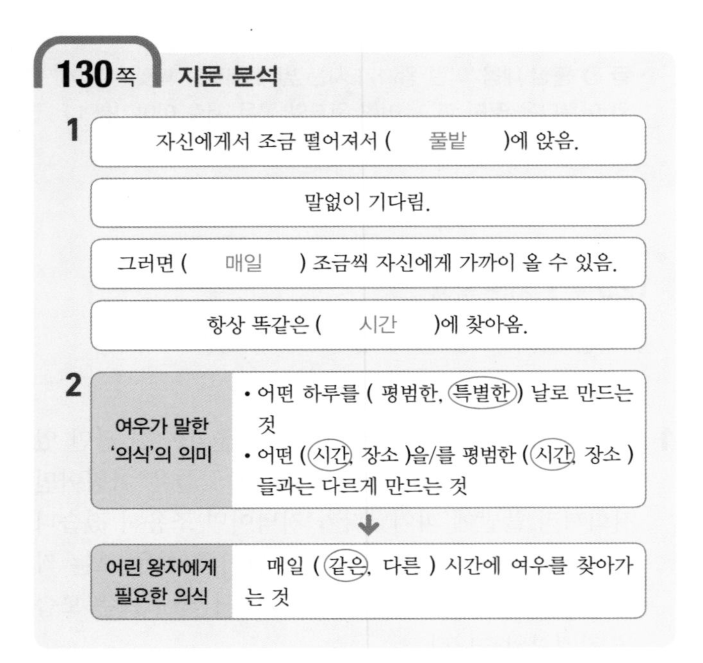

1 여우는 어린 왕자에게 자신을 길들이는 방법을 알려 주었습니다.

2 이 글에서 여우는 어린 왕자에게 누군가를 길들일 때 '의식'이 필요하다는 것과 그 의식이 무엇인지, 그리고 자신을 어떻게 길들여야 하는지 말해 주었습니다.

131쪽 오늘의 어휘

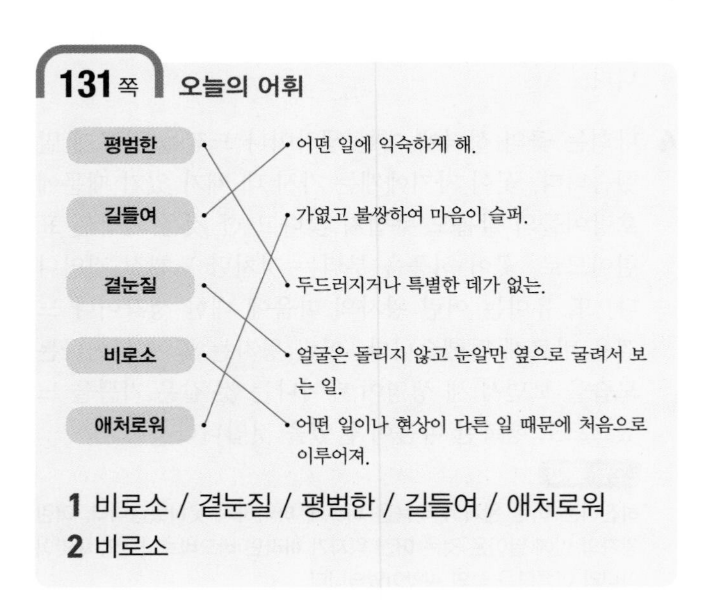

1 비로소 / 곁눈질 / 평범한 / 길들여 / 애처로워
2 비로소

- **글의 종류** 시
- **글의 특징** 저녁때의 모습을 새들, 바람, 풀잎을 통해 재미있게 표현하였습니다.
- **글의 주제** 저녁때의 조용하고 고요한 모습을 말하였습니다.
- **글의 짜임** 4연 8행

135쪽 지문 독해

1 저녁때 **2** 그림자 **3** ④ **4** ②

1 이 시는 저녁때의 모습을 재미있게 표현한 것으로, '이런 때가 저녁때랍니다.'라는 부분에 '저녁때'라는 시간적 배경을 나타내는 말이 나와 있습니다.

유형 분석/갈래

시간적 배경은 어제와 오늘, 아침이나 저녁과 같이 일이 일어난 때에 해당하는 것을 말합니다. 시의 시간적 배경을 파악하기 위해서는 먼저 시에 일이 일어난 때를 나타내는 말이 나와 있는지 파악해 봅니다. 이 시에서는 4연에 시간적 배경을 나타내는 말이 나와 있습니다.

2 '긴 치맛자락을 끌고 / 해가 언덕을 넘어갈 제,'는 저녁때 해가 지면서 길어지는 그림자의 모습을 표현한 것입니다.

3 3연에 풀잎이 고개 수그려 가시는 해님을 전송한다고 하였습니다. 이 모습은 해가 지고 풀잎이 아래로 기울어져 있는 모습을 표현한 것입니다.

오답 풀이

①, ② 2연에서 '새들은 고요하고 / 바람은 쉬고'라고 표현하였으므로, 바람이 세차게 부는 모습, 새들이 지저귀며 노래하는 모습은 이 시의 내용과 맞지 않는 장면입니다.

③, ⑤ 1연에서 '긴 치맛자락을 끌고 / 해가 언덕을 넘어갈 제'라고 표현하였습니다. 이 표현은 해가 넘어가는 모습을 표현한 것이므로, 사람들이 언덕을 넘어가는 모습, 어머니가 긴 치맛자락을 끌고 걸어가는 모습은 이 시의 내용과 맞지 않는 장면입니다.

4 이 시의 전체적인 분위기는 조용하고, 고요합니다. 특히 2연을 통해 조용하고 고요한 분위기를 느낄 수 있습니다.

유형 분석/감상

시의 분위기는 작품에 전체적으로 깔려 있는 느낌을 말합니다. 시의 분위기를 찾기 위해서는 시의 내용, 시에 쓰인 표현 등을 살펴보면서 시를 읽고 어떤 느낌이 드는지 생각해 봅니다. 이 시에서는 '새들은 고요하고', '바람은 쉬고'와 같은 표현을 통해 조용하고 고요한 분위기를 느낄 수 있습니다.

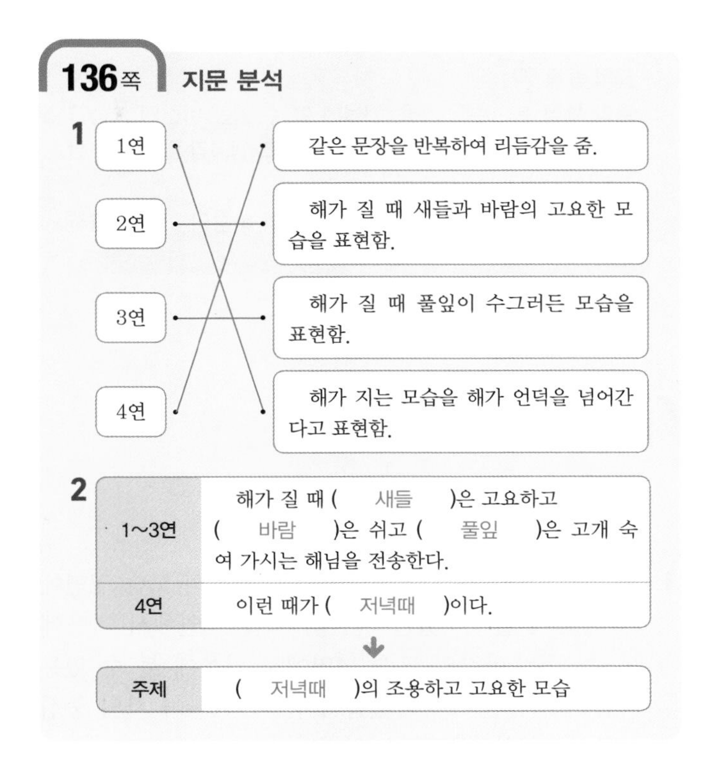

1 이 시는 해질녘의 모습을 새들, 바람, 풀잎을 통해 재미있게 표현하였습니다. 마지막 4연에서는 같은 문장을 반복하여 리듬감을 느낄 수 있습니다.

2 이 시는 1~3연에서 해가 지는 저녁때의 모습을 새들, 바람, 풀잎의 모습과 함께 생생하게 표현하고 있습니다. 마지막 4연에서는 같은 문장이 두 번 반복되며, 저녁때의 모습을 다시 한번 떠오르게 하여 주제를 정리하고 있습니다.

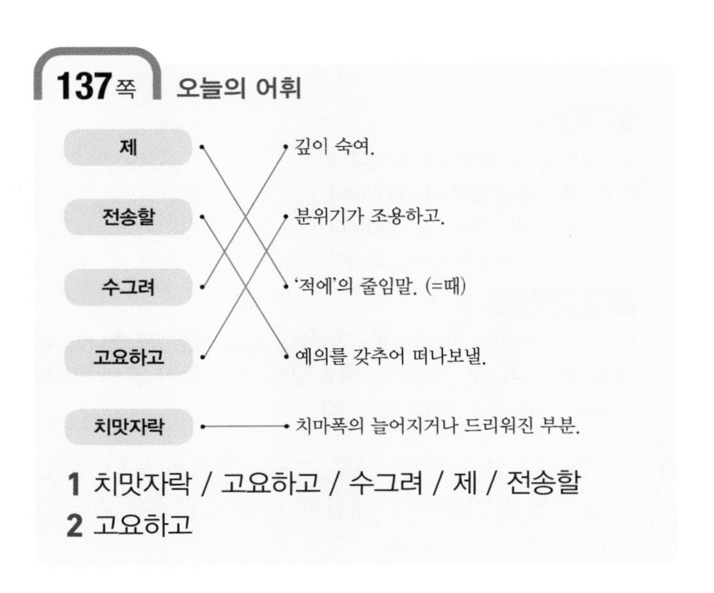

- **글의 종류** 시
- **글의 특징** 봄, 여름, 가을, 겨울에 볼 수 있는 바람의 모습을 흉내 내는 말과 반복되는 말로 재미있고 생동감 있게 표현한 시입니다.
- **글의 주제** 우리들처럼 자라는 사계절의 바람의 모습을 말하였습니다.
- **글의 짜임** 4연 16행

139쪽 지문 독해

1 바람 **2** ㉣, ㉢, ㉠, ㉡ **3** ④ **4** ③

1 이 시의 1연에서 봄에 볼 수 있는 바람의 모습, 2연에서 여름에 볼 수 있는 바람의 모습, 3연에서 가을에 볼 수 있는 바람의 모습, 4연에서 겨울에 볼 수 있는 바람의 모습을 표현하였습니다. 따라서 이 시의 중심 글감이 '바람'임을 알 수 있습니다.

2 이 시의 말하는 이는 1연부터 4연까지 순서대로 봄바람, 여름 바람, 가을바람, 겨울바람의 모습을 계절감을 드러내는 낱말들을 통해 생동감 있게 표현하였습니다.

유형 분석/세부 내용

시에 나온 내용의 순서를 파악하는 문제는 1연부터 차례대로 살펴보는 것이 좋습니다. 각 내용이 몇 번째 연에 등장했는지 표시하며 읽으면 문제를 푸는 데 도움이 됩니다.

3 이 시는 반복되는 말을 사용하여 리듬감을 느끼게 해 줍니다. ④ '매끄러운'은 이 시의 4연에 나오는 표현이지만 반복되는 말이 아니므로 리듬감을 만들어 내는 말이 아닙니다.

오답 풀이

① 1연에 나오는 반복되는 말입니다.
② 2연에 나오는 반복되는 말입니다.
③ 3연에 나오는 반복되는 말입니다.
⑤ 4연에 나오는 반복되는 말입니다.

유형 분석/표현

시에서는 리듬감을 만들어 내는 반복되는 말이 자주 등장합니다. 이 시에서는 '앙금앙금', '푸름푸름' 등과 같이 같은 단어가 두 번 반복되는 말들로 리듬감을 만들고 있습니다.

4 이 시는 각 연마다 봄, 여름, 가을, 겨울을 느낄 수 있는 표현들을 사용하여 계절이 변하는 모습을 생동감 있게 느낄 수 있습니다.

140쪽 지문 분석

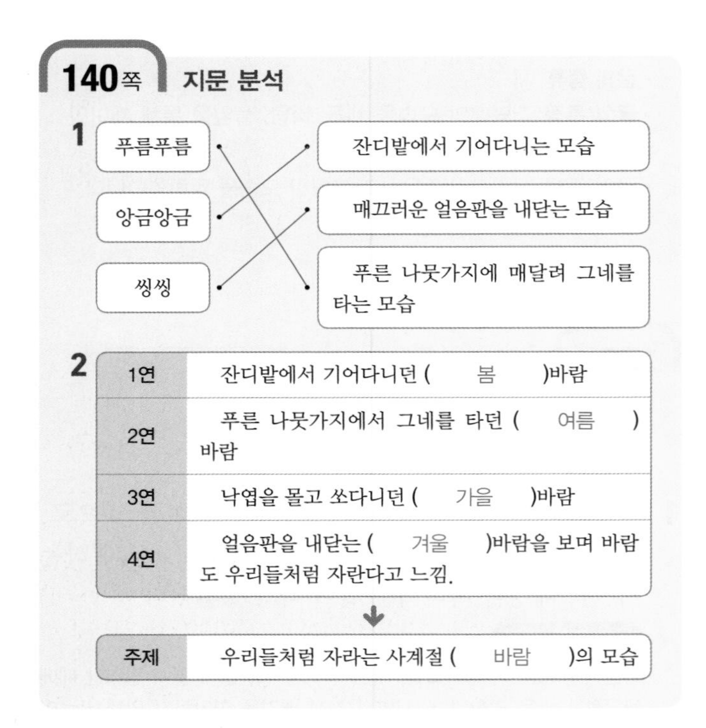

2

1연	잔디밭에서 기어다니던 (봄)바람
2연	푸른 나뭇가지에서 그네를 타던 (여름) 바람
3연	낙엽을 몰고 쏘다니던 (가을)바람
4연	얼음판을 내닫는 (겨울)바람을 보며 바람도 우리들처럼 자란다고 느낌.
주제	우리들처럼 자라는 사계절 (바람)의 모습

1 이 시에서는 모양이나 소리를 흉내 내는 말을 통해 바람의 모습을 생동감 있게 표현하고 있습니다. 시의 1연, 2연, 4연에 쓰인 '앙금앙금', '푸름푸름', '씽씽'은 각 계절의 바람의 모습을 표현한 말입니다.

2 이 시에서는 봄, 여름, 가을, 겨울의 바람의 모습을 계절감이 드러나는 낱말을 통해 표현하고 있습니다. 또 마지막 4연에서는 '바람도 우리들처럼 / 무럭무럭 자라나 봐'라는 부분을 통해 사계절의 바람의 모습과 우리들의 모습을 관련짓고 있습니다.

141쪽 오늘의 어휘

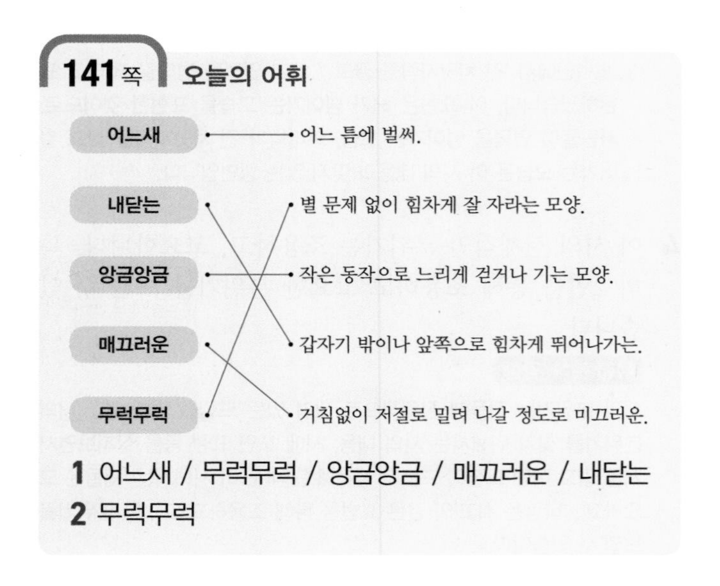

1 어느새 / 무럭무럭 / 앙금앙금 / 매끄러운 / 내닫는
2 무럭무럭

- **글의 종류** 시
- **글의 특징** 비유적 표현을 사용하여 목련꽃의 모습을 표현한 시로, 목련꽃이 피는 모습과 활짝 핀 목련꽃의 모습을 생생하게 느낄 수 있습니다.
- **글의 주제** 물새알 껍질을 깨고 흰 부리를 내놓듯이 하얗게 피어나는 목련꽃의 아름다움을 말하고 있습니다.
- **글의 짜임** 5연 18행

143쪽 지문 독해

1 ① **2** ② **3** ⑤ **4** ㉮

1 이 시는 목련꽃이 피는 모습을 새가 물새알을 깨고 나오는 모습에 빗대어 생생하게 표현한 것으로, 시의 중심 소재는 '목련꽃'입니다. ②~⑤는 시에 나오지만 중심 소재는 아닙니다.

유형 분석/중심 소재

'소재'는 글의 내용을 이루는 재료를 말합니다. 그리고 중심 소재는 글에 쓰인 소재 중에서 주제와 특히 밀접한 관련이 있는 것을 말합니다. 따라서 중심 소재를 찾기 위해서는 글에 쓰인 소재 중에서 가장 중요한 소재, 주제와 관련이 있는 소재가 무엇인지 파악해야 합니다. 이 시는 목련꽃의 아름다움을 표현한 것이므로, 중심 소재는 '목련꽃'임을 알 수 있습니다.

2 이 시의 2~4연은 목련꽃의 꽃봉오리가 벌어지면서 꽃잎이 나오고, 그 꽃잎들이 활짝 피어나는 과정을 시간의 흐름에 따라 전개하고 있습니다.

유형 분석/세부 내용

시에서는 시간의 흐름이나 공간의 변화에 따라 내용을 전개하기도 하고, 또는 말하는 이가 바라보는 대상들을 나열하거나 말하는 이의 감정 변화를 따라가며 전개하기도 합니다.

3 이 시에서는 목련꽃이 피는 과정을 물새가 알을 깨고 태어나는 모습에 빗대어 표현하였습니다. 2연에 나온 '물새알'은 목련 가지에 매달린 꽃봉오리를 비유한 말입니다.

4 이 시에서 '새'는 목련꽃을 빗대어 표현한 것으로, 새들이 날아갈까 봐 걱정되었기 때문에 말하는 이가 목련 아래를 지날 때 발소리를 죽였다는 것은 시의 내용을 잘못 파악한 것입니다.

오답 풀이

㉯, ㉰ 말하는 이가 발소리를 죽인 것은 목련꽃을 조용히 살펴보고 싶은 마음과 목련 꽃잎이 날아갈까 봐 조심스러운 마음이 들었기 때문입니다.

144쪽 지문 분석

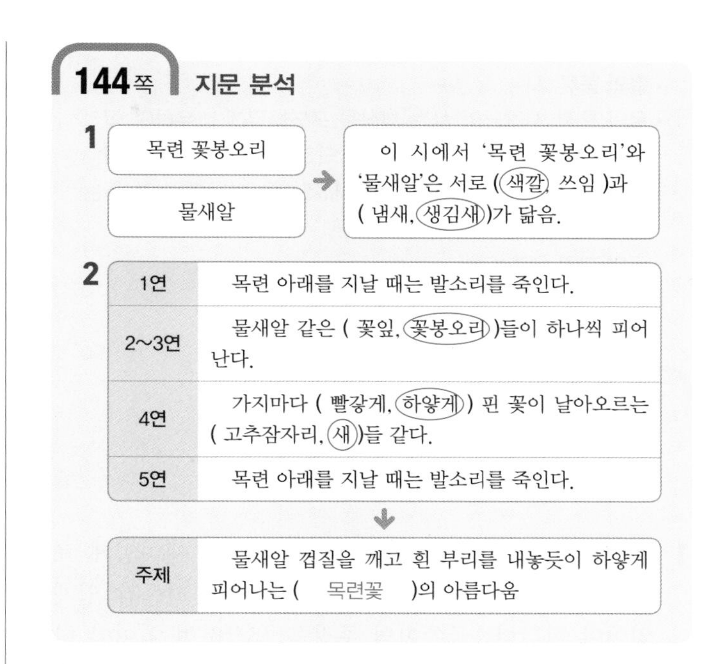

1 이 시에서는 목련 꽃봉오리를 색깔과 생김새가 닮은 '물새알'에 비유하여 표현하였습니다.

2 '꽃봉오리'를 '물새알'에 비유하고, '하얗게 핀 꽃'을 '날아오르는 새들'에 비유하였습니다.

145쪽 오늘의 어휘

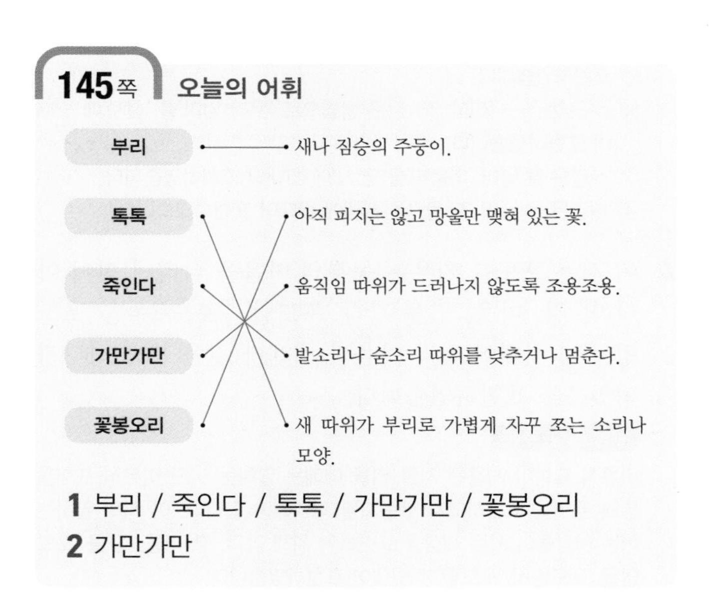

1 부리 / 죽인다 / 톡톡 / 가만가만 / 꽃봉오리
2 가만가만

- **글의 종류** 시
- **글의 특징** 사람들이 사는 세상을 포도나무에 비유하여 집과 마을과 세계가 길을 통해 하나가 되었다고 표현하였습니다.
- **글의 주제** 포도 덩굴처럼 자라서 세계를 하나로 이어 주는 길에 대해 말하고 있습니다.
- **글의 짜임** 9연 19행

147쪽 지문 독해

1 ⑤ **2** 포도알 **3** ⑤ **4** ④

1 이 시는 비유적인 표현, 인상적인 부분, 재미있게 표현된 부분을 찾아보고 운율을 느끼면서 리듬감 있게 읽어야 합니다. 글쓴이의 주장을 생각하며 읽어야 하는 글은 글쓴이의 주장이 담긴 주장하는 글입니다.

오답 풀이

①~④ 시를 읽을 때의 방법이므로 이 글을 읽는 방법으로 알맞습니다.

2 이 시의 3~5연에서 말하는 이는 '포도 덩굴', '포도송이', '포도알'의 순서대로 말하였습니다.

3 1연에서는 '~은/는 ……(이다.)'를 사용해서 '길'을 '포도 덩굴'에 빗대어 표현하였습니다. 또 4연과 5연에서는 '~같은'을 사용해서 '마을'을 '포도송이'에, '집'을 '포도알'에 빗대어 표현하였습니다. 이와 같은 표현 방법이 쓰이지 않은 것은 사물인 파도의 모습을 그대로 표현한 ⑤입니다.

오답 풀이

① '~은/는 ……(이다.)'와 같은 방법으로 '내 마음'을 '호수'에 빗대어 표현하였습니다.
② '~은/는 ……(이다.)'와 같은 방법으로 '우리 엄마'를 '천사'에 빗대어 표현하였습니다.
③ '~같은'을 넣어 '마음씨'를 '천사'에 빗대어 표현하였습니다.
④ '~같은'을 넣어 '꽃'을 '내 누님'에 빗대어 표현하였습니다.

4 이 시는 포도를 키우는 농부의 마음을 나타낸 것이 아니라, 길, 마을, 집을 각각 '포도알', '포도송이', '포도 덩굴'에 빗대어 집과 마을과 세계가 길을 통해 하나가 되었음을 표현하였습니다.

유형 분석/추론

비유적 표현이 사용된 시를 읽을 때에는 말하는 이가 비유적 표현을 통해 무엇을 표현하고자 했는지를 파악해야 합니다. 이 시의 말하는 이는 사람들이 사는 세상을 표현하기 위해 각각 '길, 마을, 집'을 '포도 덩굴, 포도송이, 포도알'에 빗대어 표현하였습니다.

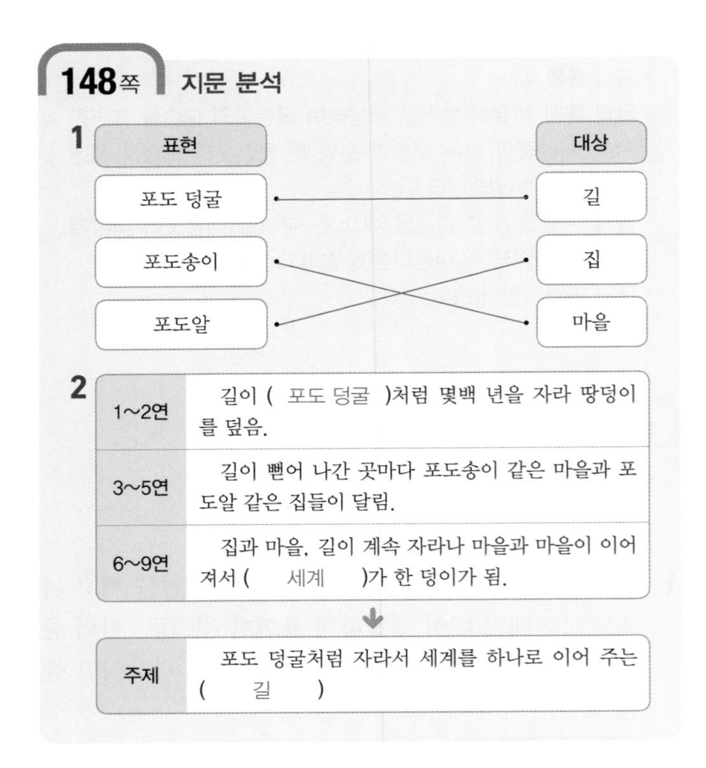

148쪽 지문 분석

1

2

1~2연	길이 (포도 덩굴)처럼 몇백 년을 자라 땅덩이를 덮음.
3~5연	길이 뻗어 나간 곳마다 포도송이 같은 마을과 포도알 같은 집들이 달림.
6~9연	집과 마을, 길이 계속 자라나 마을과 마을이 이어져서 (세계)가 한 덩이가 됨.
주제	포도 덩굴처럼 자라서 세계를 하나로 이어 주는 (길)

1 '길은 포도 덩굴', '포도송이 같은 마을', '포도알 같은 집'과 같은 표현을 통해 각각의 말이 비유하는 대상을 알 수 있습니다.

2 이 시는 길을 포도 덩굴에 비유해서 길이 집과 마을을 이어 세계를 하나로 이어 준다는 내용을 주제로 하고 있습니다.

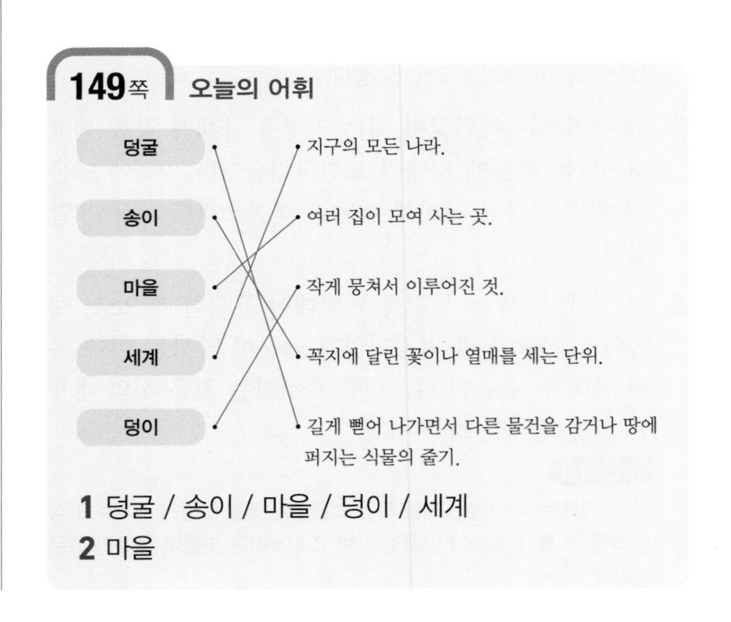

149쪽 오늘의 어휘

1 덩굴 / 송이 / 마을 / 덩이 / 세계
2 마을

시 05 하얀 눈과 마을과 | 박두진 150~153쪽

- **글의 종류** 시
- **글의 특징** 눈이 덮인 마을의 아름다움을 노래한 시로, 고요하고 아름다운 마을의 모습을 떠올리게 합니다.
- **글의 주제** 눈이 덮인 마을의 아름답고 평화로운 모습을 보여 줍니다.
- **글의 짜임** 4연 20행

151쪽 지문 독해

1 ③, ④, ⑤ **2** ④ **3** 새벽 **4** ①, ②

1 이 시는 눈이 덮인 마을의 아름다움을 노래한 것으로, 눈이 덮인 마을이 사람처럼 꿈을 꾼다고 표현했습니다. 또 '눈이 덮인 마을에'라는 반복되는 말을 사용하여 리듬감이 느껴집니다.

오답 풀이
① 이 시는 행마다 끊어 읽는 마디 수가 다르게 구성되어 있습니다.
② 이 시의 말하는 이는 시에 직접 등장하지 않습니다.

2 ㉣은 눈이 덮인 마을에 동이 터 와서 별빛이 희미해지는 모습을 의미합니다.

오답 풀이
① ㉠은 마을이 온통 눈으로 뒤덮인 모습을 표현한 것입니다.
② ㉡은 맑은 하늘에 별이 반짝이는 모습을 표현한 것입니다.
③ ㉢은 밤하늘에 별이 빛나는 모습을 표현한 것입니다.
⑤ ㉤은 날이 밝으면서 등불이 점점 희미해지는 모습을 표현한 것입니다.

3 이 시에서 시간의 흐름은 '밤 → 새벽'의 순서로 전개됩니다.

4 이 시는 하얀 눈이 덮인 마을의 밤 풍경을 아름답게 표현한 시로, 고요한 분위기가 느껴지며 '하얀', '새파란'과 같은 시어를 사용하여 시각적 표현이 주는 생생함이 잘 느껴집니다.

오답 풀이
③ 이 시에 전기가 끊겼다는 내용은 나오지 않으며, 긴박함도 느껴지지 않습니다.
④ 말하는 이가 고향을 그리워하는 내용은 이 시에 나오지 않습니다.
⑤ 이 시에서 밤늦게까지 공부하고 싶은 말하는 이의 간절한 마음은 느껴지지 않습니다.

유형 분석/감상
시에 대한 감상을 묻는 문제를 풀 때는 시를 낭송해 보며 시의 전체적인 분위기를 파악하는 것이 중요합니다. 먼저 시의 전체적인 느낌이 어떤지 파악하고 난 뒤에 시의 구체적인 내용이 알맞게 제시되어 있는지 살펴보며 알맞은 답을 고릅니다.

152쪽 지문 분석

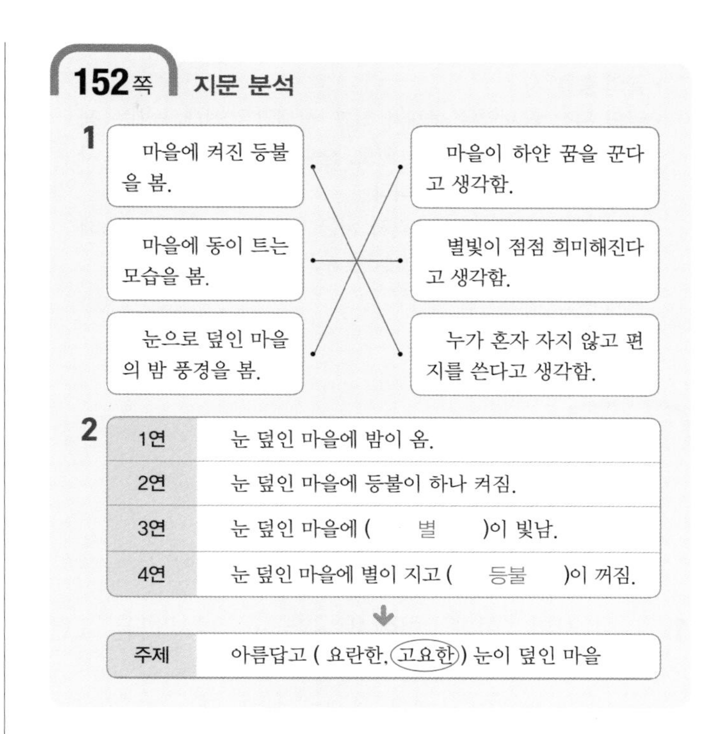

1 이 시의 1연, 2연, 4연에서 말하는 이가 본 것과 그에 대한 생각을 알 수 있습니다.

2 밤부터 동이 트는 새벽까지 눈 덮인 마을의 풍경을 노래한 시입니다. 각 연을 차례대로 읽어 보면 고요하고 아름답고 평화로운 마을의 모습을 떠올릴 수 있습니다.

153쪽 오늘의 어휘

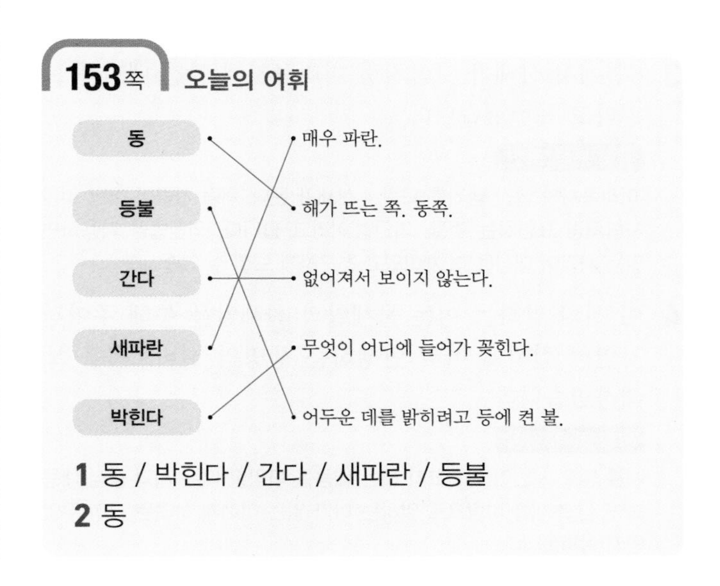

1 동 / 박힌다 / 간다 / 새파란 / 등불
2 동

- **글의 종류** 시
- **글의 특징** 물새알은 물새가 되고, 산새알은 산새가 되는 생명 탄생의 신비를 표현한 시로, 순수한 마음과 생각으로 자연의 이치를 깨우치게 합니다.
- **글의 주제** '모든 생물은 각자 처한 환경에서 생명을 계속해서 이어간다'라는 자연의 이치를 드러냅니다.
- **글의 짜임** 6연 26행

155쪽 지문 독해

1 (1) ◯ (2) ◯ (3) × (4) × **2** ④ **3** ⑤
4 ①

1 (1) 이 시의 1연과 2연에서 '~는 ……라서'라는 표현이 반복되어 쓰였습니다.
(2) 1연과 2연은 물새와 산새가 알을 낳는 것, 3연과 4연은 물새알과 산새알의 감각적인 이미지, 5연과 6연은 물새와 산새의 탄생을 노래하므로 내용상 세 부분으로 나눌 수 있습니다.
(3) 자연의 질서를 지키는 방법이 아니라 자연의 질서 속에 생명 탄생의 신비를 드러낸 시입니다.
(4) 1연과 2연, 3연과 4연, 5연과 6연이 서로 비슷한 구조로 짝을 이룹니다.

2 ①, ②, ③, ⑤는 물새알에 대한 설명으로 알맞고, ④는 산새알에 대한 설명으로 알맞습니다. 3연에서 물새알은 간간하고 짭조름한 미역 냄새와 바람 냄새가 난다고 하였고, 4연에서 산새알은 달콤하고 향긋한 풀꽃 냄새와 이슬 냄새가 난다고 하였습니다.

3 6연에서 산새가 사람처럼 머리꼭지에 빨간 댕기를 드린다고 표현했습니다.

유형 분석/표현
'머리꼭지에 빨간 댕기를 드린 / 산새가 된다.'처럼 사람이 아닌 것을 사람처럼 표현하는 것을 '의인법'이라고 합니다. 의인법을 사용하면 읽는 사람이 대상을 더 재미있고 친근하게 느낄 수 있습니다.

4 이 시의 말하는 이는 물새알과 산새알을 통해 주어진 자연의 질서에 따라 탄생하는 생명의 신비로움을 노래하였습니다.

유형 분석/감상
시를 읽고 시인이 말하고자 하는 내용을 파악할 때는 시의 중심 내용과 중심 소재를 바탕으로 말하는 이가 읽는 이에게 하려는 말이 무엇인지 살펴봅니다.

156쪽 지문 분석

1

감각적 표현	사용된 부분
시각	보얗게 하얀, 알락달락 얼룩진, 날갯죽지 (하얀), (빨간) 댕기
미각	(간간하고) 짭조름한, 달콤하고
후각	(미역) 냄새, 바람 냄새, (풀꽃) 냄새, 이슬 냄새

2

물새는 물새라서 바닷가 바위 틈에 알을 낳는다.	산새는 산새라서 잎수풀 둥지 안에 알을 낳는다.

↓

주제	'모든 생물은 각자 처한 환경에서 생명을 계속해서 이어간다.'는 자연의 (포용, (이치))를 드러냄.

1 이 시에는 물새알과 산새알을 나타내기 위해 시각, 미각, 후각의 감각적 표현을 사용했습니다.

유형 분석/표현
감각적 표현은 '오감'을 이용해서 사물에 대한 느낌을 표현하는 것입니다. 시에 쓰인 표현 중 '시각', '미각', '후각', '청각', '촉각'에 해당하는 것이 무엇인지 찾아보고, 각각 다른 기호로 표시하면 정리하는 데에 도움이 됩니다.

2 물새는 바닷가 바위 틈에 알을 낳고, 산새는 잎수풀 둥지 안에 알을 낳는 것은 자연의 이치(사실이나 사물을 바르게 이해하고 설명할 수 있게 하는 근본적인 진리나 원칙)에 따른 것입니다.

157쪽 오늘의 어휘

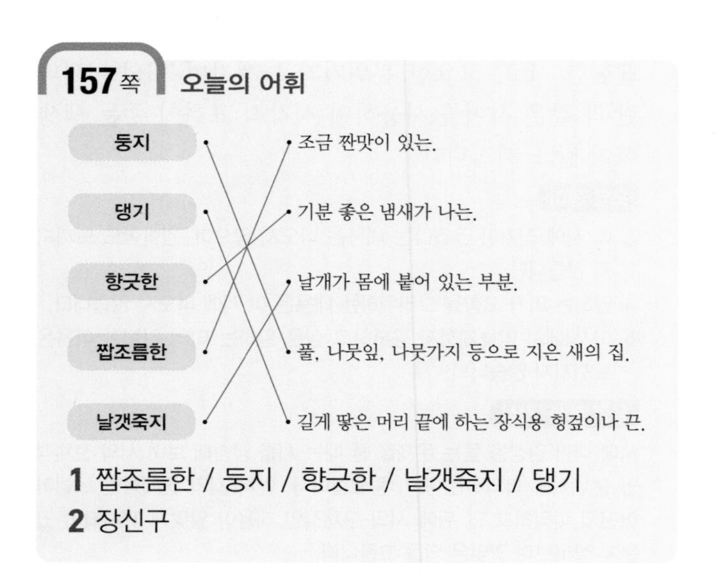

1 짭조름한 / 둥지 / 향긋한 / 날갯죽지 / 댕기
2 장신구

- **글의 종류** 수필
- **글의 특징** 소아마비로 몸이 불편했던 글쓴이가 어린 시절 자신을 돌보기 위해 고생했던 어머니를 떠올리며 그때의 경험을 바탕으로 쓴 글입니다.
- **글의 주제** 자식에 대한 어머니의 사랑을 말하고 있습니다.
- **중심 내용** 어릴 때부터 '나'를 위해 희생하신 어머니의 모습과 그 사랑에 대해 '나'는 감사한 마음을 가지고 있습니다.

161쪽 지문 독해

1 ④ **2** 전사 **3** ⑤ **4** ㉰

1 이 글은 글쓴이가 경험한 것을 솔직하게 풀어 쓴 수필입니다.

유형 분석/갈래

수필은 일상생활 속에서 겪은 일과 그 일에 대한 생각이나 느낌을 형식에 얽매이지 않고 자유롭게 쓴 글을 말합니다. 글쓴이가 자신의 경험을 솔직하게 쓴 글이기 때문에 글쓴이의 개성이 잘 드러나며 정해진 형식이 없기 때문에 누구나 쉽게 쓸 수 있습니다.

2 몸이 불편한 딸이 세상에 잘 적응할 수 있도록 무엇이든 하셨던 어머니를 '억척스러운 전사'에 빗대어 표현했습니다.

3 글쓴이의 어머니는 눈이 오면 연탄재를 깔고, 비가 오면 한 손으로는 딸을 받쳐 업고 다른 한 손으로는 우산을 든 채 딸의 길과 방패가 되었다고 하였습니다.

오답 풀이

① 글쓴이의 어머니가 딸을 위해 억척스럽게 행동하신 것을 목숨 바쳐 싸운다고 표현한 것입니다.
② 글쓴이의 어머니가 글쓴이를 상급 학교에 보내기 위해 함께 공부하셨다는 내용은 이 글에서 찾을 수 없습니다.
③ 글쓴이가 씩씩해질 수 있도록 학교에 혼자 보내셨다는 내용은 이 글에서 찾을 수 없습니다.
④ 글쓴이의 어머니는 아이들이 따라올 때면 잔뜩 긴장한 채 머리를 쳐들고 걸으시다가 어느 순간 아이들에게 그만하라고 날카롭게 말씀하시곤 하셨습니다.

4 글쓴이의 어머니는 조신하고 말 없는 성격이지만, 딸을 위해서 강인한 모습을 보여 주셨습니다.

유형 분석/추론

글의 등장인물이 한 행동과 말을 살펴보며 왜 그런 행동을 했는지, 그 행동이 뜻하는 것은 무엇인지 생각해 봅니다. 이 글에서 글쓴이의 어머니는 아픈 자식(글쓴이)을 위해 자신을 희생하셨고, 자식을 위해 원래 본인의 성격보다 더 강하게 행동하신 것이지 성격이 못되고 날카롭게 바뀐 것이 아닙니다.

162쪽 지문 분석

1

글쓴이의 경험
어머니가 초등학교 3학년 때까지 글쓴이를 업어서 (학교)에 데려다주심.
어머니는 글쓴이를 (화장실)에 데려가기 위해 두 시간에 한 번씩 학교에 오심.
아이들이 글쓴이를 놀리면 (어머니)가 아이들을 혼내며 글쓴이를 감싸 주심.
(병원) 생활과 상급 학교에 가는 과정에서 어머니 덕분에 버틸 수 있었음.

2

글쓴이의 경험	→	글쓴이의 깨달음
(건강한, (불편한)) 몸 때문에 힘들었던 어린 시절을 어머니의 희생과 도움으로 견딜 수 있었음.	→	어머니의 희생과 사랑에 대해 ((감사하는), 부담스러운) 마음을 느낌.

1 이 글에는 글쓴이가 겪은 일들이 잘 드러나 있습니다. 글쓴이가 겪은 일이 나타난 부분을 찾아 빈칸에 들어갈 알맞은 말을 써 봅니다.

2 이 글은 글쓴이의 경험을 바탕으로 글쓴이의 깨달음과 느낀 점을 풀어 나가는 수필입니다.

163쪽 오늘의 어휘

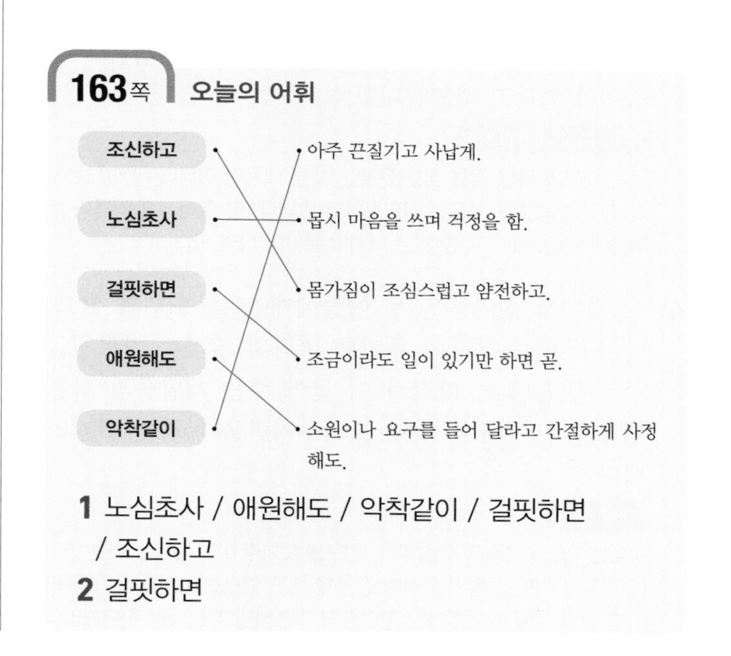

1 노심초사 / 애원해도 / 악착같이 / 걸핏하면 / 조신하고

2 걸핏하면

- **글의 종류** 편지글
- **글의 특징** 정약용이 유배지에서 두 아들을 걱정하며 쓴 편지글 중 하나입니다.
- **글의 주제** 남의 은혜를 바라지 말고, 남을 도우며 살아라.
- **글의 내용** 정약용이 자신의 어려움을 알아 주기만 바라는 아들들에게 지켜야 할 본분을 말해 주었습니다.

165쪽 지문 독해

1 ⑤ **2** 하늘, 사람 **3** ② **4** 현지

1 이 글의 제목인 「남을 도울 줄 아는 사람이 되거라」에는 자신의 두 아들이 남의 도움을 바라기보다 먼저 남을 도우며 살기를 바라는 정약용의 마음이 잘 드러나 있습니다.

2 첫 문단의 마지막 줄에 '이는 모두 하늘을 원망하고 사람을 미워하는 말투로, 큰 병이다.'라는 부분을 통해 알 수 있습니다.

3 마지막 문단에 정약용이 두 아들에게 실천하라고 한 일이 나와 있습니다. 정약용은 밥을 끓이지 못하는 집에는 쌀이라도 퍼 주고, 추운 집에는 장작개비를 나누어 주며, 병든 사람들에게는 돈을 쪼개어 약을 지을 수 있게 해 주고, 가난하고 외로운 노인이 있는 집에는 때때로 찾아가 따뜻하고 공손한 마음으로 공경하라고 하였습니다. 그리고 근심 걱정에 싸여 있는 집에 가서는 그 고통을 함께 나누며 잘 처리할 방법을 의논하여야 한다고 하였습니다.

유형 분석/세부 내용

글의 내용과 다른 것을 찾는 문제는 해당 내용이 어디에 나와 있는지 찾아서 그 내용을 꼼꼼히 살펴보아야 합니다. 이 글에서 정약용이 두 아들에게 실천하라고 한 일은 마지막 문단에 나와 있습니다.

4 이 글에서 정약용은 두 아들에게 남을 도우며 살고, 남이 은혜를 베풀어 주기를 바라지 말라는 가르침을 주고 있습니다. 따라서 이 글이 주는 깨달음과 다른 행동을 한 친구는 남이 도와주기만을 바라는 현지입니다.

오답 풀이

수호는 체육 시간에 다리를 다친 친구를 도와주었고, 민아는 매년 연말에 불우한 이웃을 돕기 위하여 성금을 내고 있으므로 남의 은혜를 바라지 말고 먼저 도와주라는 정약용의 가르침대로 행동한 친구들입니다.

166쪽 지문 분석

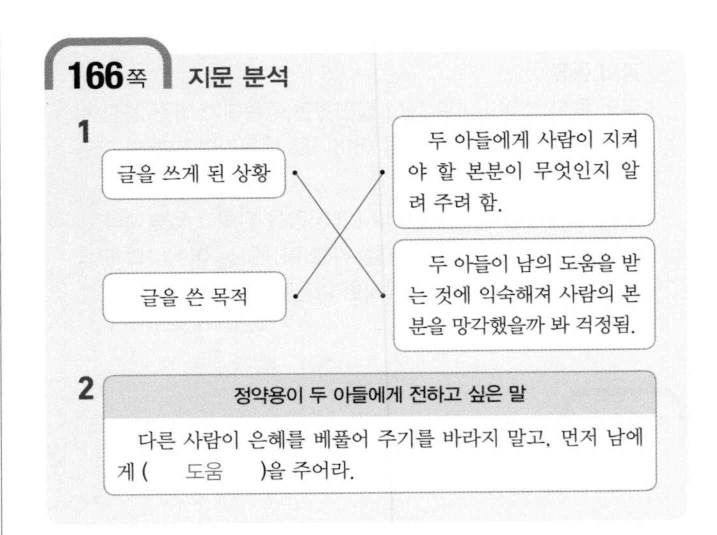

1 이 글은 정약용이 유배지에서 두 아들을 걱정하며 쓴 편지글 중 하나입니다.

2 이 글은 정약용이 두 아들에게 쓴 편지글로, 다른 사람이 은혜를 베풀어 주기를 바라지 말고, 먼저 남에게 도움을 주라는 교훈적인 내용을 담고 있습니다.

167쪽 오늘의 어휘

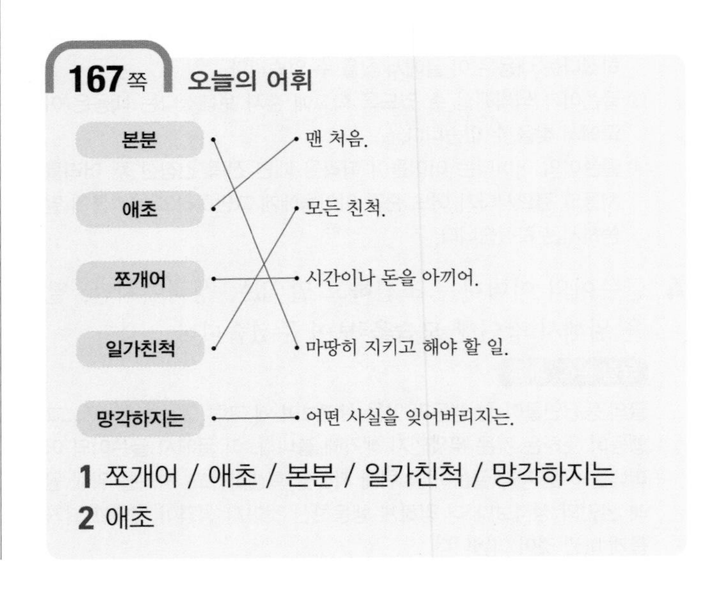

1 쪼개어 / 애초 / 본분 / 일가친척 / 망각하지는
2 애초

- **글의 종류** 희곡
- **글의 특징** 사막에 사는 선인장들의 이야기를 쓴 원작 소설을 대본의 형식으로 바꾸어 쓴 글입니다.
- **글의 주제:** 자신이 처한 곳에서 자신의 운명을 받아들이고 살아가는 것의 소중함을 말하고 있습니다.
- **중심 내용** 사막에서 태어난 어린 선인장들이 사막을 사랑하라는 어른 선인장들의 말을 이해하지 못하였습니다.

169쪽 지문 독해

1 ⑤ **2** ⑤ **3** (1) ○ **4** 새미

1 희곡은 무대에서 공연하기 위해 쓰여진 연극의 대본으로, 인물의 대사 위주로 이루어져 있습니다. 따라서 인물의 감정을 생각하며 대사를 실감 나게 읽어야 합니다.

오답 풀이

①, ④ 주장하는 글을 읽는 방법입니다.
② 시를 읽는 방법입니다.
③ 설명하는 글을 읽는 방법입니다.

2 엄마 선인장은 어린 선인장들에게 참고 노력하면 꽃을 피울 수 있으므로, 사막을 진정으로 사랑하고 참고 기다려야 한다고 말하였습니다.

3 엄마, 아빠 선인장은 참고 견디고 사막을 사랑하면 장미보다 더 아름다운 꽃을 피울 수 있고, 기다리면 비도 온다고 하였습니다. 이러한 상황과 가장 관련 있는 고사성어는 고생 끝에 즐거움이 온다는 뜻의 '고진감래'입니다.

4 엄마 선인장과 아빠 선인장이 참고 노력하면 꽃을 피울 수 있다고 말해 주어도 어린 선인장들은 믿지 못하고 있습니다. 이러한 모습에서 어린 선인장들은 선인장에 꽃이 핀 모습을 한 번도 보지 못했다는 것을 짐작할 수 있습니다.

오답 풀이

이 글에서 엄마 선인장과 아빠 선인장은 어린 선인장들을 계속 설득하며 다정하게 이야기하고 있으므로 선인장들에게 화가 많이 났을 것이라는 아진이의 말은 맞지 않습니다.

유형 분석/추론

글의 내용을 짐작할 때에는 글에 제시되지 않은 내용을 파악할 수 있어야 합니다. 이 글에서는 어린 선인장들이 물도 없는 사막에서 어떻게 꽃을 피울 수 있느냐고 말한 것을 통해 선인장에 꽃이 핀 모습을 한 번도 보지 못했음을 알 수 있습니다.

170쪽 지문 분석

1

엄마, 아빠 선인장	오빠, 동생 선인장
사막을 (**사랑함**, 싫어함).	사막을 (사랑함, **싫어함**).
사막이 (**아름답다**, 아름답지 않다)고 생각함.	사막이 (아름답다, **아름답지 않다**)고 생각함.
(장미, **선인장**)이/가 더 보기 좋다고 함.	(**장미**, 선인장)(으)로 태어났으면 더 좋았을 것이라고 함.

2

엄마, 아빠 선인장의 말	→	주제
아무리 힘들어도 참고 기다리면 (꽃) 을 피울 수 있음.	→	자신이 처한 상황을 긍정적으로 생각하고 (인내) 하며 (희망)을 갖는 것이 중요함.

1 등장인물의 대사를 살펴보면 엄마, 아빠 선인장과 오빠, 동생 선인장들의 생각이 어떻게 다른지 알 수 있습니다.

2 엄마 선인장과 아빠 선인장의 대사에서 자신이 처한 상황을 긍정적으로 생각하고 인내하며 희망을 갖는 것이 중요하다는 이 글의 주제를 찾을 수 있습니다.

171쪽 오늘의 어휘

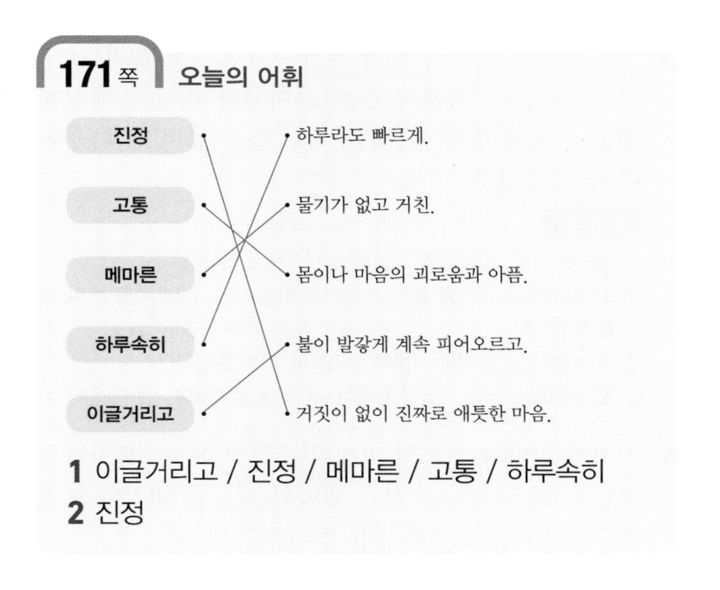

1 이글거리고 / 진정 / 메마른 / 고통 / 하루속히
2 진정

- **글의 종류** 시나리오
- **글의 특징** 아빠의 사업 실패로 차에서 생활하게 된 가족이 갈등을 겪고 해소하는 과정에서 서로의 소중함을 깨닫는 모습을 그린 시나리오입니다.
- **글의 주제** 고난을 겪으며 두터워지는 가족의 사랑을 말하고 있습니다.
- **중심 내용** 차에서 생활하는 것에 대해 지소와 엄마가 말다툼을 벌이다 서로 감정이 격해졌습니다.

173쪽 지문 독해

1 ④ **2** ② **3** ③ **4** ㉮

1 이 글은 극 갈래에 속하는 시나리오입니다. 시나리오는 말하는 이가 존재하지 않고 인물들의 대사와 행동을 중심으로 사건을 전개해 나갑니다.

2 이 글에서는 지석이가 지소와 엄마의 다툼을 불안하게 보고 있는 모습만 드러나므로 지소의 마음을 이해하는지는 알 수 없습니다.

오답 풀이

① "넌 항상 이런 식이지? 엄마 생각은 한 번도 안 해! 억지쟁이, 불만투성이! 심술만 잔뜩 부리고! 너 정말 언제 철들래."라는 정현의 대사에서 알 수 있습니다.
③ "엄마가 아빠 싫다고 했잖아. 지긋지긋하다고. 그래서 아빠가 집 나간 거 아니냐고!"라는 지소의 대사에서 알 수 있습니다.
④, ⑤ 지소는 "힘들어도 조금만 참자."라는 엄마의 말에 "그놈의 조금만! 또 일주일?"이라고 하며 엄마의 말을 믿지 않는 모습을 보여 주었습니다. 이 말에서 엄마가 예전에도 조금만 참자며 지소를 설득한 적이 있다는 것을 알 수 있습니다.

3 '째려보며'는 '못마땅하여 매서운 눈초리로 흘겨보며.'라는 뜻으로, '미운 감정으로 어떠한 대상을 매섭게 계속 바라보며.'라는 뜻을 지닌 '노려보며'와 바꾸어 쓸 수 있습니다.

오답 풀이

① '알아보며'는 '조사하거나 살펴보며.'라는 뜻입니다.
② '넘겨보며'는 '고개를 들어 가리어진 물건 위로 건너 쪽을 보며.'라는 뜻입니다.
④ '지켜보며'는 '주의를 기울여 살펴보며.'라는 뜻입니다.
⑤ '찔러보며'는 '어떤 자극을 주어서 속마음을 알아보며.'라는 뜻입니다.

4 지석이 엄마와 지소의 격해지는 감정싸움을 불안하게 본다고 했으므로, 지석은 엄마와 지소를 번갈아 보면서 걱정스러운 표정을 짓는 것이 어울립니다.

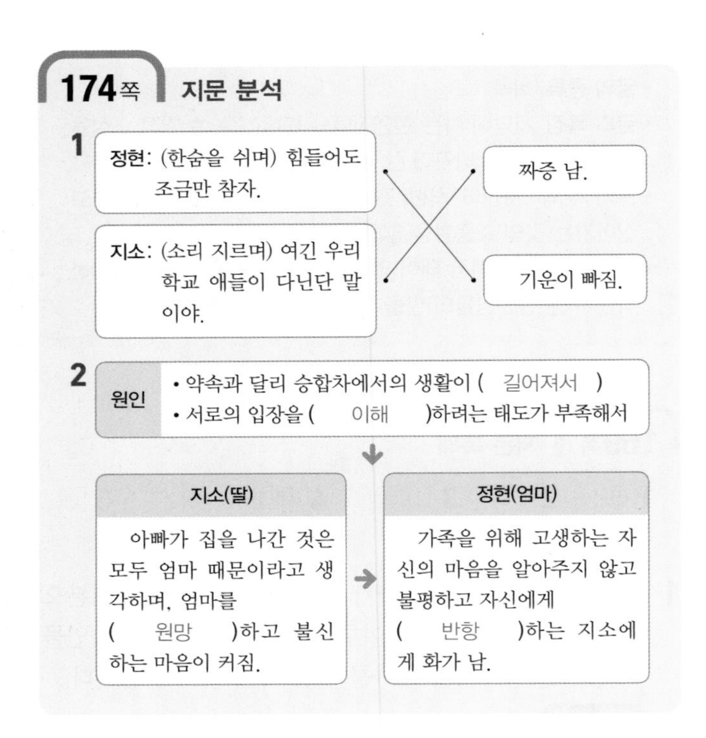

1 시나리오는 대사와 대사를 할 때의 표정 등을 지시하는 지시문을 통해 인물의 마음을 드러냅니다.

2 승합차에서의 생활이 길어지면서 지소와 엄마의 갈등이 심해지는데, 이는 경제적 형편이 어려워진 상황 속에서 서로를 이해하고 배려하는 마음이 부족했기 때문으로 볼 수 있습니다.

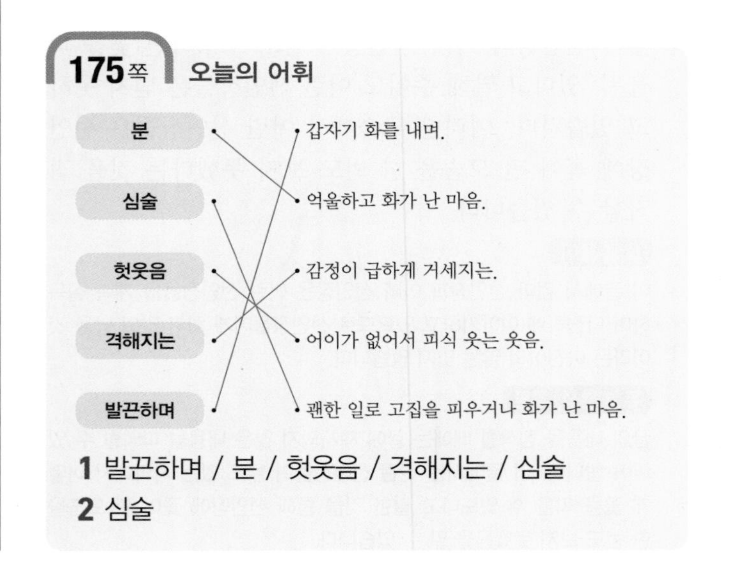

정답과 해설